D0432691

Duivels spel

Van dezelfde auteur

Spel op leven en dood
Moordritueel
Blinde haat
Op glad ijs
De insluiper
Zieke geest
Oog om oog
Noodsprong
Dood spoor
Verbeten strijd
Wurggreep
De ooggetuige
De duivelscode
Vals spel
Prooi
Doodstrijd

John Sandford

Duivels spel

A.W. Bruna Uitgevers B.V., Utrecht

Oorspronkelijke titel
The Hanged Man's Song

Vertaling
Martin Jansen in de Wal
Omslagontwerp
Select Interface

ISBN 90 229 8811 2
NUR 332

1

'Nee!' schreeuwde de zwarte man. 'Rot op, klootzak!' riep hij, en Carp, een dikke man van rond de dertig, voelde de uitbarsting achter zijn ogen.
Razernij.
Ze waren in het keurig opgeruimde huis van de zwarte man, het huis van een zieke. Carp rukte de groene zuurstofcilinder uit de houder, tilde hem boven zijn hoofd en voelde hoe zwaar hij was. De zwarte man draaide zijn rolstoel, zijn donkere ogen keken hem aan over het dunne, modieuze brilletje, en het pistool, dat eruitzag als een speelgoedpistooltje, draaide mee.
Daarna ging alles in slowmotion en verdwenen de geluiden in het huis naar de achtergrond: de sopraan op de radio, het geruis van een langsrijdende auto, de schorre, boze stem van de zwarte man... Alles verdween naar de achtergrond terwijl de zwarte man zijn rolstoel keerde en het pistool met hem meedraaide...
Toen ging alles ineens in een versneld tempo.
'Hihaah!' schreeuwde James Carp, een explosieve kreet waarbij zijn speeksel in het rond vloog en hij de stalen cilinder zo hard mogelijk omlaagzwaaide, alsof hij met *football* een punt wilde scoren.
De schedel van de zwarte man barstte en hij slaakte een doodskreet, een 'Huh!' die onmiddellijk kwam na de 'Wak!' van de cilinder, die het bot verbrijzelde.
De zwarte man vloog uit zijn rolstoel en bloed spatte in het rond. De automatische .25 gleed uit zijn hand, schoot over het rood-met-blauwe oosterse tapijt naar de hoek en de rolstoel kletterde tegen de gepleisterde muur, wat klonk alsof iemand een armvol buizen op de grond liet vallen.
De tijd vertraagde weer en de geluiden keerden terug: de sopraan, de auto's, een vliegtuig, een vogel... en de zwarte man, toen de laatste adem uit zijn longen werd geperst, langs zijn stembanden streek en geen kreun maar een langgerekt 'Oohh' produceerde...
Bloed begon uit het dikke haar van de zwarte man op het tapijt te druppelen. Hij zag eruit als een berg botten, bijeengehouden door een blauw overhemd.

Carp boog zich over hem heen. Hij zweette, zijn hemd plakte aan zijn brede rug, hij hijgde en voelde de adrenaline van zijn woede in zijn aderen branden. Hij luisterde maar hoorde alleen de regendruppels op het zinken dak en de sopraan die een onverstaanbare Italiaanse aria zong. Hij rook de geur van vochtig oud hout en de kopergeur van bloed. Hoewel hij wist wat hij had gedaan, zei hij: 'Sta op. Kom op, opstaan.'

De zwarte man bewoog zich niet en Carp duwde met zijn voet tegen het magere lichaam, waarop het lichaam, de broodmagere schouders en benen en de kleine schedel meebewogen met de lome slapheid van de dood. 'Krijg de pest dan maar,' zei Carp. Hij gooide de zuurstofcilinder op de bank, waar hij zonder geluid te maken opstuiterde van de zachte kussens en toen bleef liggen.

Er kwam een auto de hoek om. Carp verstrakte, liep naar het raam, duwde met zijn wijsvinger een jaloezie naar beneden en keek naar buiten. De auto reed door en water spatte op van het drijfnatte wegdek. Zijn ademhaling ging nu nog gejaagder. Hij keek om zich heen, of iemand hem zag, maar afgezien van hemzelf en het lijk van de zwarte man was er niemand. Zijn woede maakte plaats voor angst en Carps lichaam vertelde hem dat hij ervandoor moest; hij moest hier weg, de deur achter zich dichttrekken en net doen alsof het nooit gebeurd was. Maar zijn geest zei: rustig aan, geen paniek.

Carp was een grote man, te zwaar voor zijn lengte, met ronde, hangende schouders. Zijn ogen waren klein en ondiep, zijn neus daarentegen lang en vlezig, als een kleine banaan. Zijn stoppelbaard van twee dagen was vlekkerig en zijn bruine haar dik en sluik, als van een vloermop. Hij draaide zich weg van het lijk en richtte zijn aandacht op de laptop.

De dode man heette Bobby, en Bobby's laptop was op een draaibaar stalen schrijfblad op de rolstoel bevestigd. De laptop was geen lichtgewicht maar een portable uitvoering van een gewone desktop IBM, met een groot RAM-geheugen, een forse harde schijf, een ingebouwde cd/dvd-brander, drie USB-poorten en een verscheidenheid van *slots* voor andere kaarten.

Een heel krachtige laptop, maar toch niet wat Carp had verwacht. Hij had iets... Nou ja, zo'n ouderwetse CIA-computerzaal verwacht, helemaal wit, met kunststof vloeren en mannen met witte jassen, brillen en klemborden, en Bobby in een soort Star Wars-commandopost. Hoe was het mogelijk dat de allerbeste hacker van de Verenigde Staten

op een laptop werkte? Op een laptop, in een rolstoel en met een Giorgio Armani-bril en een blauw, keurig gestreken oxfordshirt?
De laptop was trouwens niet de enige verrassing; de buurt waar Bobby woonde was dat ook: een verwaarloosd deel van Jackson, waar het naar Spaans mos, pijnboombast en gootwater rook. Toen hij in de vallende schemer de tegels naar de veranda aan de voorkant op liep, had hij zelfs krekels gehoord.

Vanaf het eerste begin had het erop geleken dat zijn zoektocht zou mislukken. Hij had Bobby's verzorger gevonden en die bleek niet al te intelligent te zijn. Carp had zich zijn huis binnengekletst met een smoes die wel zo doorzichtig klonk, dat hij niet had kunnen geloven dat Bobby zijn veiligheid aan die man had toevertrouwd. Maar het was wel zo geweest.

De laatste twijfel was weggenomen toen Bobby zelf naar de voordeur was gekomen, en toen Carp vroeg: 'Bobby?', had Bobby grote ogen gekregen en had hij de rolstoel achteruitgereden.
'Ga weg. Wie ben jij? Wie... ga weg...'
De zaak was ontaard in een ruziënd duwen en trekken waarin Carp zich het huis in had gewerkt, Bobby zijn rolstoel door de woonkamer naar de ingebouwde boekenkast was gereden, een aardewerken schaal opzij had geschoven en het pistool had gepakt. Carp had het gezien en had de zuurstofcilinder gepakt.
Hij had Bobby niet willen vermoorden. Niet meteen in elk geval. Hij had eerst nog wat met hem willen praten.
Maar wat zijn plannen ook waren geweest, Bobby was nu dood en daar viel niets meer aan te veranderen. Hij liep naar de rolstoel, draaide het blad met de laptop terug en zag dat die nog steeds aanstond. Bobby had geen tijd gehad om er iets mee te doen, had het niet eens geprobeerd. De laptop draaide op UNIX, maar dat was geen echte verrassing. Dat een hacker die dacht aan zijn eigen veiligheid Windows zou gebruiken, was net zo waarschijnlijk als dat de marine een onderzeeër zou uitrusten met hordeuren.
Hij zou de laptop later bekijken, maar wat hij op dit moment niet durfde, was het apparaat uitzetten. Hij keek naar de accumeter en zag dat die nog voor driekwart vol was. Voorlopig was dat genoeg. Daarna ging hij naar de systeeminformatie om de harde schijf te bekijken. Kijk eens aan, 120 gigabyte, waarvan zestig procent gebruikt.

Dat verdomde ding bevatte meer informatie dan de gemiddelde bibliotheek.
De laptop zat met twee klemmen op het blad bevestigd en het duurde even voordat hij die los had. Toen hij daarmee bezig was, zag hij de netwerkantenne uit de PCMCIA-*slot* in de zijkant van het apparaat steken. Dus er was meer.
Hij droeg de laptop naar de voordeur en zette hem daar neer. Daarna liep hij snel naar de keuken terwijl hij nadacht over de misdaad die hij had gepleegd. Mississippi, daar was hij zeker van, kende de elektrische stoel, of de guillotine, of misschien zetten ze je wel op de brandstapel. Wat het ook was, het zou in elk geval barbaars zijn. Hij moest oppassen.
Hij trok een paar vellen keukenpapier van de rol die op heuphoogte naast het aanrecht hing, vouwde het papier om zijn handen en begon kasten en deuren open te trekken. In de slaapkamer, op een tafeltje naast een smal, Spartaans bed met een crucifix erboven, vond hij de netvoeding van de laptop en een oplaadapparaat met twee accu's erin. Mooi zo. Hij trok de stekkers uit het stopcontact, bracht beide naar de voordeur en legde ze naast de laptop.
In de tweede slaapkamer, achter de tiende of twaalfde kastdeur die hij opende, vond hij de breedbandontvanger en de aangesloten modem. Dat stelde hem teleur; hij had een paar servers verwacht.
'Shit.' Hij zei het hardop. Had hij een man vermoord voor een laptop? Er moest toch meer zijn?
Terug in de woonkamer vond hij een stapeltje beschrijfbare cd's, maar op geen ervan stond iets. Waar waren de gebruikte cd's? Waar? Er was een boekenkast en hij trok er hier en daar wat boeken uit, maar erachter was niets te vinden. Snel ging hij alle kasten nog eens na, want de tijd begon te dringen. Waar, o waar?
Hij zocht maar vond niets; alleen de laptop, die vanaf zijn plek bij de voordeur naar hem knipoogde.
Hij moest gaan; hij moest hier weg.
Hij propte het keukenpapier in zijn jaszak, liep naar de deur en pakte de laptop, de netvoeding en het oplaadapparaat op. Bijna had hij de voordeur met zijn blote hand achter zich dichtgetrokken, maar toen hij besefte wat hij deed, haalde hij het keukenpapier weer uit zijn zak, veegde de deurknop af en vouwde het papier eromheen om de voordeur weer dicht te trekken. Toen aarzelde hij, duwde de deur weer open, liep naar de bank en veegde de zuurstofcilinder af.

Oké. Weer buiten klemde hij de laptop en de attributen onder zijn regenjas tegen zich aan en liep zo normaal mogelijk naar de auto, een onopvallende Toyota Corolla, die van zijn moeder was geweest. Zo'n auto die niemand een tweede blik waardig achtte, nooit. Wat hem goed uitkwam, bedacht hij, gezien hetgeen er was gebeurd.

Hij legde de laptop, die nog altijd aanstond, op de passagiersstoel. De laptop zou heel zorgvuldig onderzocht moeten worden. Toen hij wegreed, dacht hij aan de kans dat hij in verband gebracht zou worden met Bobby's dood. Die kans was niet groot, geloofde hij, tenzij hij vreselijke pech had. Een buurman die net zijn nieuwe camera uitprobeerde, een of andere idioot die zich toevallig zijn nummerplaat herinnerde; de kans van één op een miljoen.

Minder nog zelfs, want hij was buitengewoon voorzichtig geweest in zijn benadering van de zwarte man. Dat hij op een regenachtige dag was gekomen, was geen toeval. Misschien, dacht hij, had hij diep in zijn hart al geweten dat Bobby deze dag niet zou overleven.

Misschien. Toen hij de hoek om reed en de buurt verliet, trok er een zacht zoemende trilling van tevredenheid door zijn lichaam. Hij voelde de schedel weer breken, zag het lichaam uit de rolstoel vliegen, voelde de adrenaline in zijn bloed...

Hij dacht aan de brekende schedel... en reed bijna door een rood verkeerslicht.

Snel riep hij zichzelf tot de orde; hij moest eerst veilig de stad uit zien te komen. Dit was niet het moment voor een bekeuring die hem in verband zou brengen met Jackson.

Hij nam zich voor beter op te letten, maar toch...

Hij glimlachte. Het voelt best goed, Jimmy James, zei hij tegen zichzelf.

Huh! Wak! Rock-'n-roll.

2

Vanuit mijn keukenraam in St. Paul, als ik over de geranium kijk, kan ik de Mississippi langs het vliegveld en de werven naar het zuiden zien lopen. Je ziet altijd wel een trekboot met een lint van roestkleurige sloepen erachter, een woonboot die stroomafwaarts wordt gesleept of een watervliegtuig dat snelheid maakt om op te stijgen. Ik krijg er nooit genoeg van. Ik zou willen dat ik alleen die geluiden en geuren kon binnenlaten en de stank en de herrie van de vrachtwagens en bussen op de weg langs de rivier buiten kon houden.

Ik stond bij het raam en krabde de rode kater op zijn grote kop toen de telefoon begon te rinkelen.

Even overwoog ik niet op te nemen, want er was niemand die ik die dag per se hoefde te spreken, maar het gerinkel hield aan. Ten slotte nam ik geërgerd op en hoorde een rokersstem die klonk als een roestig scharnier in een griezelfilm. Een oude cliënt uit de politiek. Hij vroeg of ik een klusje voor hem wilde doen. 'Het stelt niet veel voor,' raspte de stem.

'Je liegt dat je barst,' zei ik terug. Ik had hem in geen jaren gesproken, maar we praatten met elkaar zoals we dat altijd hadden gedaan: vriendelijk maar een tikje argwanend.

'Die opmerking zal ik onthouden,' zei hij. 'Hoe dan ook, het kost je maar een paar dagen.'

'Hoeveel betaal je?'

'Nou... eh, niks.'

Bob was democraat in het overwegend conservatieve kiesdistrict van Mississippi. Hij maakte zich zorgen over een bijdehante, aantrekkelijke, jonge republikeinse vrouw die Nosere heette.

'Ik zal je de waarheid vertellen, Kidd; die griet is rijker dan Davy Crockett en ze financiert haar eigen campagne,' zei het congreslid. 'Als het op ambitie aankomt, ziet Hillary Clinton er vergeleken met haar uit als een oudere vrouw tijdens de plaatselijke bingoavond en Huey Long als een goudvis. Je moet hiernaartoe komen, jongen. Je moet dit voor me oplossen.'

'Jij zou ook in staat moeten zijn je campagne te financieren,' zei ik. 'Jezus, man, je zit al twaalf jaar in Washington.'

Het bleef stil. Hij dacht na, of misschien dacht hij aan het saldo van zijn offshore bankrekeningen. Toen zei hij: 'Maak het me niet moeilijk, Kidd. Doe je dit voor me of niet?'

Wat men er verder ook over mag zeggen: ik ben kunstenaar – kunstschilder – en in de ogen van de wet ben ik het grootste deel van mijn leven misdadiger geweest, hoewel ik mezelf liever vrijheidsstrijder noem, vrijheidsstrijder voor geld.
Op de universiteit van Minnesota, waar ik met een worstelbeurs studeerde, deed ik kunst als bijvak en computerwetenschappen als hoofdvak. Computers en wiskunde interesseerden me op dezelfde manier zoals kunst me interesseerde, en ik werkte aan alle drie hard. Toen kwam mijn diensttijd en leerde ik nog het een en ander. Nadat ik was afgezwaaid, ging ik aan het werk als freelance computerconsultant.
Bovengronds schreef ik software om politieke peilingen te doen op de nieuwe desktop computers, de eerste IBM's, en zelfs een programma dat kon draaien op een Color Computer, als iemand zich die nog herinnert. Daarnaast haalde ik de fouten uit commerciële controleprogramma's, werk dat in de computerwereld als 'de kolenmijnen' werd beschouwd. Maar ik was er best goed in en Bill Gates zei een keer tegen me: 'Hé, maat, zullen we een bedrijf beginnen?'
Ondergronds deed ik industriële spionage voor een selecte klantenkring, drong binnen in plaatsen waar het niet pluis was, ofwel elektronisch, ofwel lijfelijk, en kopieerde technische verslagen, software, bouwtekeningen en alles wat mijn cliënt nodig had om bij te blijven bij dc Bill Gates' van deze wereld. De jaren tachtig waren goed voor me en de jaren negentig nog veel beter: een tiental technische memo's, verplaatst van A naar B, konden resulteren in een financiële transactie van honderd miljoen dollar. Of, wat vaker voorkwam, zo'n transactie om zeep helpen.
Al die tijd schilderde ik. Over whisky, drugs, gokken en vrouwen kan ik niets vertellen, want dat zijn zaken voor amateurs en popsterren. Ik was altijd aan het werk... Nou, goed dan, ik heb het een paar keer met vrouwen geprobeerd. Maar ik ontdekte dat vrouwen, in tegenstelling tot verslavingen aan whisky, drugs en gokken, de neiging hadden na een tijdje weg te gaan. Alleen.
Ook aan de politieke peilingen kwam een eind. Ik verkocht de hele handel aan een concurrent omdat ik mijn geduld begon te verliezen met mijn cliënten en met name met de manier waarop ze hun brood verdienen.

Politici besodemieteren mensen. Dat is precies wat ze doen. Dat is hun werk. Ze staan elke ochtend op en vragen zich af wie ze die dag eens zullen besodemieteren. En dan gaan ze naar hun werk en doen dat. Verder zijn ze van weinig nut; ze maken niets, creëren niets en hebben geen verheven gedachten. Het enige wat ze doen is mensen besodemieteren. Ik wilde niets meer met hen te maken hebben.
Dus gingen de jaren voorbij, hield ik me bezig met schilderen en computers en nu was ik ineens in gesprek met congreslid Bob. Ik smeekte, wrong me in allerlei bochten, zei zelfs tegen hem dat ik heel arm was, maar uiteindelijk stemde ik toe dat ik het zou doen. De waarheid is dat ik behoefte had aan een onderbreking. Mijn laatste opdracht, een serie van vijf schilderijen in opdracht van een rijke houthandelaar uit Louisiana, zorgde er de laatste tijd namelijk te vaak voor dat ik 's nachts zwetend wakker werd.
Bovendien was er mijn liefdesleven, dat diep in het slop was geraakt. Een tijdje de stad uit leek me geen slecht idee. Daarom was ik sinds twee weken aan het werk in het ruim van het Wisteria.

Het Wisteria is een drijvend casino dat ligt aangemeerd aan een pier aan de Golfkust van de Mississippi, tussen Biloxi en Gulfport. Het moest eruitzien als een rivierboot en had het formaat van een slagschip. Dekken vol gokautomaten die je leegzogen tot je laatste kwartdollar namen het merendeel van de ruimte in beslag. Daarnaast waren er drie restaurants, twee bars en een achterdek voor de overige spelletjes.
Muzak, voor het merendeel instrumentale versies van oude Sinatraliedjes, hield je rustig terwijl je aan de hendels rukte en gaf het casino een zekere klasse. Alles rook naar sigaretten, drank, platgetrapte chips, zweet, schoonmaakmiddelen en deodorant, met hier en daar een vleugje braaksel.
Ik was daar zes uur per dag en dacht aan schilderen en vrouwen terwijl ik geld in de automaten stopte. Het werk was heel simpel, maar ik moest voorzichtig zijn. Als ik tegen de lamp liep, zou een of andere kleerkast met een gebroken neus me meenemen naar het bos en mijn armen en benen breken... Als ik geluk had.
Of eigenlijk moet ik zeggen: ónze armen en benen.

Mijn vriendin LuEllen was met me meegekomen. Ze houdt van casino's en ik kon haar hulp goed gebruiken. Ze trad zelfs op als mijn the-

rapeut door aan mijn laatste verloren liefde te refereren als Titty, en een hele lijst van zelfstandige naamwoorden en bijvoeglijke naamwoorden te verzinnen die op die naam waren geënt. De vorige dag, toen we zaten te eten in het restaurant van het Wisteria – 'Het beste eten en drinken tussen New Orleans en Tallahassee' – stak ze een grote stengel diepvriesfriet in de lucht en zei: 'Als dit geen overheerlijke *patitty's* is, weet ik het niet meer.'
'Als je niet ophoudt, steek ik een *patitty* in een van je lichaamsopeningen,' zei ik, geïrriteerder dan ik van plan was geweest.
'Daar ben je niet mans genoeg voor,' zei ze, weinig onder de indruk. 'Ik heb de afgelopen maanden drie uur per dag getraind. Ik kan je best aan.'
'O ja? Waarmee? Met je golfclub? Ga je me doodputten?'
Ze wees naar me met een stengel friet en zei op dreigende toon: 'Je mag de draak steken met mijn lichaamsopeningen, maar over mijn golfspel wil ik geen slecht woord horen.'

Onze klus: Anita Nosere, de jonge, mooie republikeinse die – had ik op foto's gezien – trouwens ook geen onaanzienlijke boezem had, kreeg haar geld van haar moeder. Haar moeder was algemeen directeur van het syndicaat dat eigenaar was van het Wisteria. Congreslid Bob had gehoord dat het casino de winst afroomde en daarmee zowel de Amerikaanse overheid als de staat Mississippi belastinggelden onthield. Het afromen van de winst was een vrij simpele procedure die bijna onmogelijk te traceren zou zijn als het casino de zaak goed had aangepakt.
Het werkte als volgt: het casino adverteert met een gegarandeerd uitbetalingspercentage van de gokautomaten en geeft dat ook op aan de belastingdienst. Als dat percentage ook maar iets lager is dan is opgegeven, neemt de winst flink toe. Als je bijvoorbeeld zegt dat je automaten 95 procent aan de spelers uitkeren en ze keren maar 94 procent uit, en er verdwijnt per dag een miljoen dollar in de automaten, verdien je tienduizend dollar per dag. Na een paar maanden heb je het dan over serieuze bedragen.
Je moet natuurlijk oppassen voor de accountants van de overheid. Maar voor een bedrijf met goede politieke connecties in Mississippi hoefde dat geen probleem te zijn. 'Die gasten zijn corrupter dan de douane in El Salvador,' had Bob gezegd.
Congreslid Bob had natuurlijk een groot, onafhankelijk bureau kun-

nen inschakelen om het onderzoek voor hem te doen, maar dat zou hem tienduizenden dollars hebben gekost. Mij kon hij voor niks krijgen en ik kon hem een goed beeld geven of zijn vermoedens juist waren. Als dat zo was, zou hij alsnog een groot, onafhankelijk bureau inschakelen om het onderzoek te doen. Dan kon hij de Noseres, zowel moeder als dochter, in naam van de waarheid ophangen aan de hoogste boom, op de Amerikaanse manier dus.

Wat we deden was dollars en kleingeld in de gokautomaten stoppen en de uitbetaling en resultaten in de computer voeren om er een statistiek van te maken. We wilden 98 procent zekerheid dat de werkelijke uitbetaling minder dan een half procent afweek van wat er werd beloofd. Om die statistische zekerheid te bereiken, moesten we een groot aantal willekeurig gekozen automaten controleren en daar genoeg geld in stoppen om te kunnen vaststellen wat ze per automaat in werkelijkheid uitbetaalden.

Ik had de automaten op onze eerste avond uitgekozen met behulp van een programmaatje op de laptop die ik bij me had. Vanaf dat moment hadden we er dollars en kleingeld in gestopt en werkten we 's avonds laat op onze kamer de resultaten uit, buiten het bereik van de kleerkasten met de gebroken neuzen en meestal met gedachten aan mogelijke ontrouw in het achterhoofd, tenminste, als het dat was.

Want kon je ontrouw zijn aan een gemoedsstemming, aan een gevoel van schuld? Ik bedoel, de vrouw was vertrokken...

Ik was door Marcy's vertrek in een emotioneel zwart gat terechtgekomen. Er waren al meer goede vrouwen van me weggelopen en ik kan helaas niet zeggen dat het altijd, of zelfs meestal, hun schuld was. Wanneer de eerste verliefdheid begon af te nemen, begonnen ze in te zien waar mijn prioriteiten lagen. Vroeg of laat kwamen ze dan tot de conclusie dat ze altijd nummer drie zouden blijven, na schilderen en computers.

Misschien hadden ze wel gelijk, hoewel dat idee me helemaal niet aanstond. Maar het was een feit dat ik, naarmate ik ouder werd, me meer en meer op mijn werk was gaan richten. Er gingen dagen voorbij dat ik met niemand sprak en geërgerd raakte wanneer een vrouw iets gewoons met me wilde doen, zoals uit eten gaan.

Die problemen had ik met LuEllen niet. Ik kende haar al tien jaar en we hadden samen in diverse bedden gerollebold, maar wat haar echte achternaam was of waar ze woonde wist ik nog steeds niet. Ik wist alles van haar, behalve de meest simpele, elementaire dingen.

Deze keer deelden we niet het bed met elkaar. Ik weet niet precies wat er in haar hoofd omging, maar ik hield me op de achtergrond en stopte geld in gokautomaten terwijl ik aan schilderen en seks dacht, luisterde naar de regendruppels die op het dak van het casino, van de auto en van het motel vielen en hoopte dat ik gauw terug kon naar St. Paul om weer echt aan het werk te gaan.

LuEllen en ik hadden aparte kamers in de Rapaport Suites aan de I-10, zo'n betonnen blokkendoosmotel met een beleefde indiaan en zijn vrouw achter de balie, gordijnen die naar sigarettenrook stonken en een telefoontarief van een dollar per minuut. Het was er niet alleen kleurloos, het was gewoon helemaal niks. Ik kan me de kleuren niet eens herinneren, behalve dat ze zo waren gekozen dat je er geen vuil op zag. Mijn kamer was een kubus met een wc, het voorportaal van de hel zou er zo uit kunnen zien. En we konden hier niet weg.
Het had geregend vanaf de dag dat we hier waren aangekomen. Boven de Golf van Mexico, een flink stuk naar het zuiden, had zich een orkaan ontwikkeld, maar op de een of andere manier was die blijven steken tussen Jamaica en de Yucatán. De storm stelde niet veel voor, maar het regengebied dat hij voor zich uit dreef, was reusachtig en reikte tot ver genoeg in het noorden om de halve staat Mississippi nat te houden. Dus bleven we binnen en waren we veroordeeld tot de dames Nosere.
En de toekomst zag er somber uit voor moeder en dochter. De statistieken lieten zien dat ze de winst met twee procent afroomden.

We hadden drie uur achter de gokautomaten gezeten en nadat LuEllen zich had opgefrist – even had geplast, vermoed ik – kwam ze naar mijn kamer, trok haar cowboylaarzen uit en ging op het bed Barron liggen lezen.
Ze is een slanke, donkere vrouw met een ovalen gezicht, een goed ontwikkeld stel spieren, een fantastisch kontje en een voorkeur voor cocaïne en cowboykleding. En van een cowboy is ze ook niet afkerig.
'Ben je de cijfers aan het doen?' vroeg ze, zonder me aan te kijken.
'Ja.' Ik zat met mijn neus bijna tegen het beeldschermpje van de laptop gedrukt, de klassieke computerfreakhouding, en mijn nek voelde aan alsof die in een bankschroef geklemd was. 'Kun je mijn rug niet even masseren? Ik barst van de pijn in mijn nek.'
'Je bent vandaag niet erg aardig voor me geweest, dus ik weet niet of

dit wel het moment voor een rugmassage is,' zei ze, terwijl ze een bladzijde van Barron omsloeg. 'Of voor wat voor massage dan ook.'
'Wil jij die verdomde cijfers dan doen?'
'Ik ben niet degene die het honorarium opstrijkt.'
'Ja, ja, het honorarium...'
Ze zuchtte en liet Barron op de vloerbedekking vallen, want ze is gewoon een beste meid. 'Goed dan.' Ze wipte van het bed, kwam naar me toe en begon mijn bovenrug onder handen te nemen. Voor zo'n kleine vrouw had ze verrassend veel kracht in haar duimen. 'Zullen we straks een sorbet met warme chocoladesaus gaan eten?'
'Ja, best. Ga door, dan bekijk ik even mijn e-mail.' Ze bewerkte de spieren aan weerszijden van mijn wervelkolom met de knokkels van haar handen en begon daarna aan mijn schouders. Ik liet mijn hoofd heen en weer rollen, startte het e-mailprogramma op, voor een dollar per minuut, en keek wat er was binnengekomen.
Ik kreeg een waarschuwingssignaal van een van mijn verborgen e-mailadressen. Waarschijnlijk spam, maar ik keek toch. Het was geen spam, maar een bericht van iemand die ik niet kende en die zichzelf romeoblue noemde.
Bobby neer. Vertel door. Kring aan, meldde de e-mail.
'Krijg nou wat,' zei ik toen ik het las. Ik kon mijn ogen niet geloven. LuEllen herkende de toon van mijn stem en keek over mijn schouder. Ze wist van Bobby, dus ik liet haar kijken. 'O, o. Wie is romeoblue?'
'Dat weet ik niet.'
'Waar kent hij Bobby van?'
Ik kende het antwoord daarop, maar toch vermeed ik de vraag. LuEllen en ik vertrouwen elkaar, maar het was niet nodig om roekeloos te zijn. 'Er zijn zoveel mensen die Bobby kennen... Hoor eens, nu moeten we wel naar buiten. Ik moet bellen.'

Bobby is de deus ex machina van de hackersgemeenschap, het archief van alle kennis, de bewaarder van geheimen, de bron van alle belangrijke telefoonnummers en de gids door het duister van de IBM-mainframes. Net als LuEllen kende ik niet zijn echte naam en wist ik niet precies waar hij woonde, maar we hadden een paar keer samen een klus gedaan.

De Golfkust zou een paradijs kunnen zijn, maar dat is het niet. Het is een vuilnisbelt. Elke vorm van duistere handel die je kunt bedenken is te vinden tussen de I-10 en het strand, en het merendeel van die handel werd bedreven in de goedkoopst mogelijke bedrijfspanden. Het lijkt op Amarillo in Texas, maar dan nog smakelozer.

We renden door de regen van mijn kamer naar de auto en reden over de I-10 naar de dichtstbijzijnde Wal-Mart. We pleegden het telefoontje in een cel met behulp van een kleine Sony-laptop die ik een paar weken daarvoor had opgehaald. Ik logde in op het nummer dat ik van Bobby had en kreeg geen enkele reactie. Geen wachttoon en geen doorverwijzing naar een ander nummer, alleen een telefoon die overging en niemand die opnam. Dat was nooit eerder gebeurd. Ik controleerde mijn e-mails weer en zag dat ik een tweede bericht had, van iemand die zich polytrope noemde. Hij schreef: *Bobby is weg. Al zes uur. Vertel door. Kring aan.*

'Misschien hebben ze hem opgepakt,' zei ik tegen LuEllen terwijl ik de verbinding verbrak. 'De FBI. Ik moet nog iemand bellen, maar niet hier. Kom, we gaan.'

LuEllen is beroepsinbreker. Toen ik zei: we gaan, stelde ze geen vragen. We liepen weg. Niet gehaast maar wel doelgericht, met een ontspannen glimlach maar zonder oogcontact te maken met een van de winkelbediendes.

In films geeft de FBI de melding door als de slechterik nog aan het bellen is. Er verschijnt dan binnen drie minuten een zwarte helikopter boven het winkelcentrum, de agenten laten zich eruit vallen en de achtervolging begint.

In werkelijkheid, als de FBI Bobby had opgepakt en zijn telefoonlijn scande, zouden ze de telefoon in de Wal-Mart vrijwel onmiddellijk kunnen traceren. Bij die telefoon kómen was echter een andere zaak; dat zou een tijdje duren, zelfs als ze de plaatselijke politie inschakelden. In de ideale situatie, als de twee diensten perfect samenwerkten, zouden we ongeveer tien minuten hebben. Maar in de gebruikelijke chaos tussen de federale en de plaatselijke overheid zouden we een uur of meer hebben. Maar waarom zouden we het risico nemen?

Een minuut later waren we de Wal-Mart uit en nog een minuut later reden we weer op de snelweg. Vijftien kilometer verderop, bij een Shell-station, belde ik met een munttelefoon en stuurde e-mails naar twee jongens die zich respectievelijk pr48stl9 en trilbee noemden. *Bobby is neer. Vertel door. Kring aan.* Daarna stuurde ik een derde e-mail naar pepper@evitable.org, die *3577* luidde. Dat getal was mijn 'woord', dat ik in een zwart gat deponeerde.

'Is dat het?' vroeg LuEllen toen ik mijn woord had verzonden.
'Ja, dat is alles. Meer kan ik op dit moment niet doen. Wil je nog ijs gaan eten?'
'Ik denk het wel.' Maar ze klonk bezorgd. We hielden ons allebei bezig met illegale zaken, in elk geval af en toe, en hadden een speciale antenne ontwikkeld voor problemen, voor complicaties die ons konden dwingen ons bloot te geven. Als er echt een probleem is, is dat net als een vis die aan het aas aan je lijn knabbelt; je voelt het en als je genoeg ervaring hebt, weet je wat het betekent. LuEllen voelde dat er een probleem aan ons knabbelde. 'Misschien gaat het over als ik chocoladesaus eet.'

De kring was opgezet door Bobby. Een groepje mensen dat hij min of meer vertrouwde had ieder een stukje van zijn woonadres gekregen. Als hem iets overkwam – als zijn systeem niet reageerde – moesten we ieder ons woord naar een bepaald e-mailadres sturen.
Degene die de e-mails daar controleerde, zou alle woorden verzamelen, het adres eruit samenstellen en naar Bobby's huis gaan om te zien wat er aan de hand was. Ik wist niet wie de aangewezen persoon was om dat te doen. Iemand die dichter bij Bobby stond dan ik, nam ik aan.
Om te voorkomen dat de politie de kring zou oprollen als een van ons werd gepakt, kenden we per persoon de bijnamen van maar twee andere leden van de kring. Tot die dag had ik niet geweten dat romeoblue, wie dat ook was, lid van de kring was, of dat hij een van mijn verborgen e-mailadressen had. De jongens die ik mailde, pr48stl9 en trilbee, wisten niet dat ík deel uitmaakte van de kring, evenmin als ik wist welke twee leden zij op hun beurt zouden mailen.
Afgezien van Bobby wist niemand hoeveel leden de kring telde of wat hun echte namen waren; het enige wat we wisten was dat ieder lid de namen van twee andere leden had. Twee, voor het geval iemand onbereikbaar of dood was wanneer de kring 'aan' werd gezet.
En dat 'kring aan' betekende het volgende: als een van ons door de politie werd gepakt en werd gedwongen contact te zoeken met de kring, kon hij met dat gedwongen bericht een waarschuwing meesturen. Als het bericht niet eindigde met 'kring aan', kon je aannemen dat er serieus stront aan de knikker was.
Dit mag misschien overdreven klinken, maar diverse leden van de kring werden gezocht door de FBI. Begrijp me goed; we werden niet

van misdaden verdacht. Ze wisten niet eens wie we waren. Maar ze zouden ons wel dolgraag willen meenemen naar een kelder om met behulp van een of ander elektrisch apparaat of een stuk elektriciteitssnoer een tijdje met ons te praten.

'Denk je dat hij dood is? Bobby?' vroeg LuEllen. We kwamen ongeveer drie keer per week in een bepaalde ijssalon die Robbie's heette. Het interieur moest lijken op dat van een restauratiewagen van een trein, maar ze hadden in elk geval goede sorbets. We reden net het parkeerterrein op, begeleid door de laatste tonen van *I can't get no Satisfaction* van de Stones op de autoradio, toen ze haar vraag stelde.
Ik knikte. 'Ja, of misschien ligt hij bewusteloos op de grond,' antwoordde ik. Dat idee stemde me droevig. Ik had hem nooit echt ontmoet, maar toch was hij een vriend en ik kon me de eenzaamheid maar al te goed voorstellen. 'Of... Jezus, er kan van alles aan de hand zijn, maar ik denk dat hij dood of stervende is.'
'Wat gaan jullie nu doen? Bobby is er altijd geweest.'
'Voorzichtiger zijn. Minder klussen aannemen. Misschien ermee ophouden.'
'Ik heb ook nagedacht over ophouden,' zei ze opeens. 'Op te houden met stelen.'
Ik keek haar aan en schudde mijn hoofd. 'Dat heb je nog nooit gezegd.'
Ze haalde haar schouders op. 'Ik begin oud te worden.'
'Je bent nog geen 35, zou ik zeggen.'
Ze klopte me op mijn dij en zei: 'Kom op, we gaan ons laten natregenen.'

De man van de ijssalon droeg een naamplaatje dat zei dat hij Jim heette en hij had een afwezige blik in zijn ogen, alsof hij naar de bergen verlangde. Zijn kale hoofd werd bedekt door een papieren hoedje en uit zijn ene mondhoek stak altijd een tandenstoker. Hij knikte naar ons, vroeg: 'Hetzelfde?', en wij knikten terug en keken toe terwijl hij het ijs in de glazen schepte. Hij schonk er extra veel chocoladesaus overheen. De sorbets kostten vijf dollar per stuk, maar ik zou straks, als we vertrokken, weer vijf dollar extra op tafel leggen. We zaten goed bij Jim, in elk geval wat de chocola betrof.
Toen we in de box over onze sorbets gebogen zaten, vroeg LuEllen: 'Denk je echt dat je zou kunnen stoppen?'

'Ik heb het geld niet nodig.'
Ze keek naar buiten, waar de regendruppels nog steeds op straat kletterden. Er was een reünie voor oorlogsveteranen in de stad en een man met een plastic zuidwester met een naamplaatje erop kwam voorbijstrompelen. Hij had een paar gaten gemaakt in een groene vuilniszak en die als regenjas over zijn bovenlichaam getrokken.
We keken hem na en LuEllen zei: 'Hij is dronken.'
'Dat krijg je als je je oude oorlogsmakkers ziet,' zei ik. 'Die gasten van de Tweede Wereldoorlog vallen na al die jaren als vliegen uit de lucht.'
'Ik vraag me af of Bobby...' Ze liet haar lepel langs de rand van het grote tulpglas gaan, maar maakte haar zin niet af.

Bobby had aan een ongeneeslijke ziekte geleden, hoewel ik niet precies had geweten wat voor ziekte dat was. De kring was opgezet om alles in gang te houden in het geval hij zou overlijden of te ziek zou zijn om zelf nog iets te doen. Als hij langzaam zou aftakelen, zou de kring dat pas op het allerlaatst te weten komen. Dan zou hij ons per persoon de informatiebestanden sturen waarvan hij dacht dat we die zouden willen hebben, als een soort erfenis, en daarna alles wissen.
Ik had gehoopt dat hij op die manier zou sterven, stil en vreedzaam. Maar blijkbaar was dat niet gebeurd.
Het was natuurlijk ook mogelijk dat de FBI met een geruisloze zwarte helikopter in zijn tuin was geland, de voordeur had ingetrapt, zich door zijn schoorsteen had laten glijden en hem had overmeesterd voordat hij zijn destructiecode in zijn computer kon invoeren, en dat ze nu een of andere briljante val voor ons hadden gezet, tot de tanden gewapend met al die hightech onzin waaraan ze miljarden dollars besteedden.
Maar ik geloofde dat niet echt. Ik geloofde dat Bobby dood was.

Terug in het motel probeerde ik nog wat aan de statistieken van het casino te werken. Ik had het gevoel dat ik die maar beter klaar kon hebben voor het geval het Bobby-probleem ingrijpende gevolgen zou hebben. Het probleem dat nog altijd aan het aas aan de haak knabbelde. Om de paar minuten keek ik of er nieuwe e-mails waren binnengekomen. Twee uur later kreeg ik een waarschuwingssignaal van een van mijn andere verborgen e-mailadressen. *Bel me thuis - J.*
'Ik moet weer naar buiten,' zei ik tegen LuEllen. Ze stond met een lichtgewicht halter in haar hand over het bed gebogen en oefende een

beweging die de 'grasmaaierduw' werd genoemd. 'Ik heb een boodschap van John gekregen.'
'Is hij lid van de kring?' vroeg ze terwijl ze de laatste drie pompbewegingen maakte. Ze kende John net zo goed als ik.
'Ik ben er altijd van uitgegaan dat hij lid was, maar we hebben het er nooit over gehad,' zei ik. 'John is anders dan de rest van de kring.'
'Geen computerfreak?'
'Ik ben geen computerfreak,' zei ik. 'Computerfreaks dragen zakbeschermers.'
'Je hebt pennen in vijf kleuren, Kidd,' zei ze terwijl ze haar regenjack aantrok. 'Ik heb ze gezien toen ik je koffertje doorzocht.'
'Jezus, ik ben kunstenaar,' zei ik.

John woonde in Longstreet, een klein stadje aan de rivier de Mississippi. Hij en zijn vrouw en LuEllen en ik waren bevriend met elkaar. Ik zocht hen een paar keer per jaar op wanneer ik tussen St. Paul en New Orleans langs de Mississippi op en neer reisde. LuEllen deed dat ook wanneer ze in de buurt was om ergens in te breken.
Ik belde hem vanaf een Conoco-station; benzinestations met munttelefoons zouden belastingverlichting moeten krijgen. Na één keer overgaan nam hij op.
'John, met Kidd,' zei ik. 'Ik moest je terugbellen.' De regen roffelde op het dak van de auto en ik keek naar de pomphouder achter de kogelvrije ruit van het stationsgebouwtje, die met een moedeloze blik voor zich uit zat te staren.
'Heb je het gehoord van Bobby?' vroeg John. Zijn stem had een mooie baritonklank en hij sprak rustig en verzorgd, met een heel licht Memphis-accent.
'Ik weet dat hij neer is. Ben jij lid van de kring?'
'Ik ben degene die de woorden aan elkaar plakt. Heb je een pen?'
'Wacht even.' Ik haalde een pen en mijn kleine schetsblokje uit mijn zak en zocht een lege bladzijde op. 'Ga je gang.'
'Hier is het adres.'
'Weet je zeker dat je dat aan mij wilt geven?'
'Ja, voor het geval er iets gebeurt... met mij, bedoel ik. Ben je klaar? Robert Fields, Arikara Street 3577, Jackson, 38292, Mississippi. Maar het kan ook zijn: Robert Jackson, Arikara Street 3577 in Fíélds, 38292, Mississippi, maar voorzover ik heb kunnen vaststellen, bestaat er in Mississippi geen plaatsje dat Fields heet.'

'De naam die ik van hem had, tenminste, op grond van geruchten, was Bobby DuChamps... Dat is Frans voor "field".'
'Die naam had ik ook,' zei hij. 'Wat is een Arikara?'
'Een indianenstam, denk ik. Heb je geprobeerd hem te bellen?'
'Ik heb nergens een telefoonnummer kunnen vinden.'
'Ja, nou... Misschien had hij wel geen nummer,' zei ik. 'Dat had hij niet nodig, aangezien de hele telefoonmaatschappij praktisch van hem was.'
'Zoiets vermoedde ik al. Hoor eens, ik heb de vluchten van St. Paul naar Jackson gecheckt...'
'Ik zit in het Zuiden, in de buurt van Biloxi,' onderbrak ik hem. 'Tussen Biloxi en Gulfport.'
'Echt?' Hij klonk ineens een stuk opgewekter. 'Kunnen we elkaar in Jackson ontmoeten? Als je de US49 neemt, kun je er in drie uur zijn. Het zal mij op zijn minst anderhalf uur kosten. Het regent hier als een gek.'
'Hier ook.'
'Maar de wegen zijn hier een stuk slechter. Kidd, ik heb je hulp nodig. We moeten proberen dit voor zonsopgang af te handelen.'
Ik dacht een ogenblik na. Dit kon een slechte zet zijn, maar John was een oude vriend en hij had ons in moeilijke tijden ook geholpen. Hij had nog wat van me te goed. 'Oké, waar spreken we af?'
'Ik heb een kamer in de La Quinta Inn, langs de I-55. Het is nu bijna tien uur. Een uur of één?'
'Ik kom zo snel mogelijk,' zei ik.

Toen ik het aan LuEllen vertelde, fronste ze haar wenkbrauwen en keek uit het raam naar de nog altijd neerkletterende regen. 'Het is een slechte avond om hard te rijden.'
'Ik moet gaan,' zei ik.
'Ik weet het.' Na een korte stilte zei ze: 'Verdomme, ik heb net wat Chanel opgedaan. Helemaal voor niks.' Ze ging op haar tenen staan, sloeg haar armen om mijn middel en kuste me zacht op de lippen. Ze rook zeker lekker, en ik wist dat ze ook heel lekker zou aanvoelen. 'Als je maar voorzichtig bent, verdomme.'
Twee dingen om over na te denken op weg naar het Noorden: seks en de dood.

3

De nacht was zo donker als Elvis' haar, en het enige wat ik hoorde en zag was het geruis van de banden op het natte wegdek en af en toe een paar rode achterlichten van auto's die afsloegen en naar onzichtbare huizen reden. Ik luisterde een tijdje naar de radio, een zender met classic rock, die ten noorden van Hattiesburg, midden in een nummer van Tom Petty, uit de lucht verdween.

Terwijl de radiozender aan kracht verloor, was het ook minder hard gaan regenen, totdat het alleen nog wat miezerde. Ik zette de radio uit om mijn gedachten eens goed op een rij te zetten, maar het enige waaraan ik kon denken, was aan Bobby. Wat was er met hem gebeurd? Wat zouden de gevolgen zijn nu hij dood was? Waar waren zijn databases, of wie had ze?

Bobby had me geholpen met een aantal projecten die flink uit de hand waren gelopen. Er waren zelfs mensen omgekomen, en het feit dat ze dat in de meeste gevallen hadden verdiend, veranderde niets aan hun dood. Hun moedwillige dood, kan ik beter zeggen. Bobby kende de meeste details van de teloorgang van een vooraanstaande luchtvaartmaatschappij. Hij wist waarom Windows nog altijd werd geplaagd door hardnekkige beveiligingsproblemen. Hij wist waarom sommige Amerikaanse satellieten niet altijd werkten zoals men dat had bedoeld. En hij wist waarom in een stadje in de Mississippidelta een communist tot burgemeester was gekozen.

Hij had met John samengewerkt. John had als zwarte politieke radicaal in het diepe Zuiden geopereerd, en met name in de Mississippidelta. Hij praatte er nooit over, maar hij had een soort hardheid over zich die je niet zomaar krijgt, en littekens die je niet tijdens een partijtje tennis oploopt.

Het was dus duidelijk dat Bobby veel meer van ons wist dan goed voor ons was. Hij wist dingen waardoor enkele tientallen mensen, of misschien wel een paar honderd, in de gevangenis konden belanden. Misschien ook ik.

Een kilometer of vijftig ten zuiden van Jackson kwam ik in een onweersstorm terecht, een zogenaamde 'stilstaande' storm, hoewel ik hem niet van een bewegende zou kunnen onderscheiden. Het water

kwam naar beneden in hagelkorrels zo groot als knikkers, de bliksem reet de hemel uiteen en ik kon voelen hoe de donderslagen tegen de auto duwden en het plaatwerk deden trillen als de conus van een basluidspreker.
Ik hoopte dat John het had gered. Zijn route naar Jackson was een stuk verraderlijker dan de mijne en voerde voor het merendeel over secundaire wegen door een onontgonnen gebied waar je zelfs in de stralende zon goed moest oppassen. Ik had John ontmoet tijdens een van mijn speciale klussen onder leiding van Bobby, een klus waardoor ik in een ziekenhuis in Memphis terecht was gekomen. De littekens waren praktisch verdwenen, maar ik droomde er nog wel eens van...
Toch waren John en ik vrienden geworden. John was onderzoeksmedewerker bij een advocatenkantoor in Memphis geweest, werkte ondergronds als sterke man voor een of andere zwarte radicale politieke partij en tegelijkertijd was hij kunstenaar, net als ik. In plaats van met verf werkte John met hout en steen; hij was beeldhouwer. Sinds enige tijd begon hij naam te maken en geld te verdienen met zijn beelden.

De laatste vijftig kilometer door dat spervuur van hagelstenen kostte me ruim veertig minuten en het was al bijna twee uur in de ochtend toen ik Jackson naderde. Ik sloeg af bij La Quinta, stopte onder het afdak en stapte uit. Voordat ik om de auto heen kon lopen, kwam John al naar buiten. Hij had een grijze plastic regenjas aan, glimlachte en zei: 'Jezus, Kidd, wat ben ik blij je te zien. Ik begon al bang te worden dat je in een sloot was gereden.' Hij was een zwarte man van halverwege de veertig, met een vierkant hoofd, kort haar, brede schouders en intelligente donkere ogen.
We schudden elkaar de hand en ik zei: 'Je hebt er verdomme een mooie nacht voor uitgekozen.'
'Als je nog moet plassen of zoiets...'
'Nee, maar ik zou wel een cola lusten.'
John stak zijn hand in de zak van zijn regenjas en haalde er een blikje cola light uit. 'Het is nog koud. Kom op, we gaan.'

Zodra John in Jackson was aangekomen, was hij, in de veronderstelling dat ik later zou zijn, op zoek gegaan naar een winkel of benzinestation om een plattegrond te kopen. Hij had er een gevonden, had op

zijn kamer in La Quinta Bobby's huis opgezocht en een route uitgestippeld. 'We zijn er nog lang niet,' zei hij, en hij wees naar een brede weg die onder de snelweg door liep. 'Die kant op.'
Ik deed wat hij zei en vroeg: 'Hoe gaat het met Marvel?'
'Prima. Ze beweegt zich tegenwoordig in de politiek. Voor de communisten, helaas.'
'Heupwiegend, neem ik aan,' zei ik. Marvel was zijn vrouw, maar John en ik hadden haar op hetzelfde moment ontmoet, dus kon ik dat soort opmerkingen wel maken.
'Ja. En LuEllen?'
'We waren samen, in Biloxi, maar we gaan niet met elkaar naar bed. Ik eh... Ik heb... in St. Paul iets met een vrouw gehad. Ze heeft het een paar weken geleden uitgemaakt. Ik ben een beetje aangeslagen.'
'Was het serieus?' Hij klonk geïnteresseerd.
'Misschien. Interessante vrouw... Ze werkte bij de politie.'
John bleef even zwijgen en zei toen: 'Ze had zeker een paar lekkere .38's, hè?'
We moesten allebei lachen. Daarna vroeg ik: 'Maar hoe zit het met Bobby?'
'Ik weet het niet,' zei John. 'De laatste keer dat ik hem sprak, klonk hij goed... Nou, slecht eigenlijk, maar voor hem is dat goed. Dat was een week of twee geleden, zo'n telefoontje uit het niets.'
'Geen aanwijzingen voor wat er is gebeurd?'
'Nee, niks. Onderweg hiernaartoe heb ik teruggedacht aan ons gesprek, geprobeerd me al zijn woorden nog eens voor de geest te halen, maar ik kan me geen enkel ongebruikelijk detail herinneren. Hij klonk gewoon als Bobby. Hé, daar, bij dat verkeerslicht linksaf.'

Jackson, Mississippi, mag misschien een leuk stadje zijn, de buurt waarin we terechtkwamen was dat in elk geval niet. Alles zag er verwaarloosd en afgetakeld uit. Sommige huizen die in het licht van onze koplampen opdoemden, leken weg te zakken in de grond. De opritten waren onverhard, we zagen hier en daar een carport maar voor het overige stonden de auto's, grote Amerikanen uit de jaren tachtig en negentig, gewoon in de voortuin geparkeerd.
Naarmate we doorreden werd het wegdek steeds slechter en op het laatst kwamen we in straten die bijna dichtgegroeid waren met klimop, dat tegen de telefoonpalen en verkeersborden op gegroeid was. Het water stroomde kolkend langs de stoepranden aan weerszijden van

de straat en straatnaamborden waren moeilijk te vinden en door de klimop nog moeilijker te lezen.
'Jammer dat je dat spul niet kunt roken,' zei John. 'Dat zou een hoop problemen oplossen.'
Opeens kwam er door de regen een grote zwart met bruine hond, die het meest leek op een dobermann, op de auto afrennen en hij keek ons aan met hongerige leeuwenogen alsof hij wilde zeggen: kom op, stap uit de auto, alsjeblieft...
We deden het niet. In plaats daarvan keek John op de plattegrond, noemde de straten op die we passeerden en bracht ons ten slotte naar Arikara Street. 'Als de huisnummers kloppen, moet hij in dit blok wonen.' Het wegdek was slecht en zat vol gaten, en bomen hingen schuin over de rijweg. De huizen aan weerszijden stonden ver uit elkaar en hadden donkere ramen. Ik had een zaklantaarn meegebracht, die in Johns schoot lag, maar we bleken hem niet nodig te hebben. We kwamen bij een bronskleurige brievenbus, de mooiste brievenbus die ik tot nu toe had gezien, en in het licht van de koplampen zagen we nummer 3577, in reflecterende opplakcijfers.
'Hier is het,' zei John.
Ik reed door. We keken of we ergens licht zagen branden, of er iets bewoog of iets was wat er niet thuishoorde, maar we zagen helemaal niets. Het huis had een carport en een oprit, maar er stond geen auto. Sommige van de huizen die we waren gepasseerd hadden een hek van draadgaas om de tuin staan, maar dit huis niet. Aan de voorkant was een scheefgezakte veranda.
'Rij nog een rondje,' zei John. 'Verdomme, we hadden een alibi voor onszelf moeten regelen.'
Ik haalde mijn schouders op. 'We kunnen gewoon de waarheid vertellen. Dat we oude computervrienden van hem zijn, dat we wisten dat hij zijn eind naderde en dat hij ons had gevraagd om te komen kijken of alles in orde was als we niets meer van hem hoorden.'
'Ja.' John zuchtte. 'Ik had toch liever een meer vrijblijvend alibi gehad.'
'Om halfdrie in de ochtend? We doen onderzoek naar de consumptie van Tic Tacs in de buurt, agent...'
'Oké, oké. Ik wil gewoon liever niet dat ze mijn naam door hun computer halen.'
'Je meent het.' Nadat we nog een rondje hadden gereden, zei ik: 'Ik ga stoppen, tenzij je nee zegt. Zeg je nee?'
'Oké, stop maar,' zei hij.

Ik reed de oprit op tot vlak bij het huis en voordat ik de lichten uitdeed, zag ik een rolstoelafrit van de carport naar de zijdeur lopen. Het was een arme buurt, maar de tuinen waren groot en weelderig begroeid. De buren aan de linkerkant konden ons zien, als ze in ons geïnteresseerd zouden zijn, net zoals de mensen aan de overkant, maar er brandde nergens licht. Werkende mensen, hoogstwaarschijnlijk, die de volgende ochtend weer vroeg op moesten.
Toen ik de motor af had gezet, stapte John uit en ik onmiddellijk daarna, en deden we zo snel en zo zacht mogelijk de portieren dicht om de binnenverlichting te doven. Het was opeens aardedonker, het regende zachtjes en de geuren deden me aan de meren in het Noorden denken. We worstelden ons door het groen naar de veranda en liepen de treden naar de voordeur op. John aarzelde en klopte toen op de deur.
Geen reactie.
Hij klopte nog een keer en fluisterde tegen me: 'Jezus, ik hoop dat er geen alarm is. Daar heb ik helemaal niet aan gedacht.'
'Als er een is, gaan we ervandoor.' Ik probeerde de deurknop. 'Shit.'
'Wat?'
'De deur is open. Raak niks aan.' Ik duwde de deur open met de knokkels van mijn hand en onmiddellijk kwam de geur van de dood me tegemoet. 'We hebben een probleem,' zei ik.
'Ik ruik het.'
Het was niet de geur van ontbinding, maar die van... de dood. Om dode mensen hing altijd een speciale geur, die van achtergebleven warmte, of van langzaam ontsnappende gassen, niet zwaar maar licht, ondefinieerbaar maar in elk geval onaangenaam. Iets waarover je liever niet wilt nadenken. Ik durfde de zaklantaarn niet aan te doen want niets lokt de politie sneller naar een donker huis dan de bewegende lichtstraal van een zaklantaarn. Dus trok ik John de woonkamer in, deed de deur dicht en keek om me heen. Toen ik de lichtschakelaar gevonden had, deed ik het plafondlicht aan.
Het eerste wat we zagen was de rolstoel, en toen, in de hoek, iets wat eruitzag als een grauwe hoop wasgoed. We liepen ernaartoe en zagen de dunne, kwetsbare schedel, gebroken als een eierschaal, van een jonge zwarte man, tussen de boeken die op de grond waren gevallen. Er bestond geen twijfel over dat hij dood was. Zijn gezicht was vertrokken, misschien van de pijn, en hoewel je kon zien dat hij jong was, lag er een patina van ouderdom over het gezicht.
'Ah, shit,' zei ik.

'Ik wilde dat ik de kans had gekregen om hem in levenden lijve te ontmoeten,' zei John zacht.
Ik deed een stap dichterbij. Toen ik het pistool in de hoek zag liggen zei ik: 'Daar ligt een pistool.' Daarna stapte ik over het lijk en zag de misvormde schedel en het bloed. 'Iemand heeft hem vermoord.'
'Iemand...' John kwam dichterbij en zag het bloed. 'O, man.'
'We kunnen beter wat rondkijken,' zei ik. Ik keek naar de rolstoel en zag het draaibare werkblad met de klemmen. 'John, moet je dit zien.'
'Wat?'
'Het ziet eruit als een werkplek voor een laptop.'
'Maar geen laptop.'
We wisten allebei dat dat slecht nieuws was. We maakten snel een ronde door het huis en vonden de kast met de router die op een kabelmodem was aangesloten. 'Geen servers,' zei ik. 'Ik vroeg me al af hoe dat zat.'
'Hoezo?'
'Het leek erop dat hij servers had, maar die zouden hem kwetsbaar hebben gemaakt. Dus had hij virtuele servers. Al zijn materiaal dat niet op de laptop stond, zweeft daar ergens rond.'
'Laten we kijken of we ergens handschoenen kunnen vinden,' zei John, 'om te voorkomen dat we overal vingerafdrukken achterlaten.'

Bobby's huis was een mengsel van oud en nieuw. Alle kamers hadden houten vloeren, vloerplaten zoals je die in oude boerenwoningen in het Zuiden zag. In de eetkamer lag een versleten oosters tapijt, dat zo te zien stamde uit het begin van de vorige eeuw. Het was geen goedkoop tapijt en het paste goed bij de rest van de inrichting. Er waren een stuk of zes kamers en in de meeste daarvan stonden planten, waaronder vijf of zes orchideeën, en een daarvan stond in bloei, met prachtige witte bloemen die een kring van halvemaantjes vormden. Tegen de muur van de woonkamer stond een piano, met de klep omhoog en de bladmuziek van Cole Porters *I Get a Kick Out of You* erop. Vervolgens was er het gewone spul: een grote tv, een spelcomputer, een stereoset met cd-speler en ongeveer duizend cd's, jazz en klassiek, een moderne draaitafel voor vinylplaten en drie- tot vierhonderd albums. Hij hield van Elvis, zag ik, en van de oude bluesmeesters.
Er waren ook foto's. Ingelijste foto's met een enkel gezicht en met groepjes mensen die bij een auto of voor een huis stonden, allemaal zwarte mensen die naar de camera glimlachten, gekleed in pakken en

zondagse jurken alsof ze net uit de kerk of van een trouwerij kwamen. Aan de stijl van de foto's te zien, de kleding en de auto's die erop stonden, gingen ze terug tot de jaren dertig en liepen ze door tot ergens in de jaren tachtig.

En er waren boeken. Grote stapels computerboeken, maar ook misdaadromans en gewone fictie. Naast de stoel tegenover de tv lag een opengeslagen exemplaar van *That Old Ace in the Hole* van Annie Proulx. Het was een comfortabel huis, een aangenaam thuis dat nu was gereduceerd tot een berg wasgoed in de hoek, een verbrijzelde schedel en een plas bloed eromheen.

In een keukenkastje vonden we een gereedschapskist en een doos met gummihandschoenen; drie dozen met gummihandschoenen zelfs, wat deed vermoeden dat Bobby allergieën had, naast de ziekte die hem langzaam maar zeker sloopte, welke ziekte dat ook was.

We besteedden een uur aan het doorzoeken van het huis, werkten zo snel mogelijk en probeerden niets over te slaan. Uit praktische overwegingen telde het huis maar één verdieping. Een kelder was er niet, en hoewel er wel een vliering was, bereikbaar via een luik in het plafond, was het vrijwel uitgesloten dat Bobby daar iets had verborgen. Alles wat belangrijk was, meenden we, moest zich op de begane grond bevinden. We zochten naar computerdiskettes, geprinte bestanden en alles wat verband hield met de gecompliceerde contacten die Bobby via zijn computer met de buitenwereld onderhield.

Ik besteedde een halfuur aan twee dossierkasten, maar de enige papieren die ik vond, hadden te maken met inkomstenbelasting en investeringen. Voorzover ik kon zien, was er niets wat te maken had met Bobby's computerwerk, afgezien van een paar aankoopbonnen van Dell en IBM. Ik pakte de bonnen en legde ze in een lege groentedoos van Harry & David.

Elke keer als we de woonkamer binnengingen, wendden we ons gezicht af van het hoopje kleren in de hoek; ik zag dat John het deed en merkte dat ik het zelf ook deed. Maar de nieuwsgierigheid bleef... want hoe had de mysterieuze Bobby er in werkelijkheid uitgezien? Ik mocht hem niet aanraken, niet verplaatsen, maar ik dwong mezelf me voorover te buigen en eens goed naar zijn gezicht te kijken. Zijn gezicht deed me een beetje denken aan dat van hongerige Somaliërs, die ik wel eens had gezien. Hij had een aardig gezicht, maar daar was niet veel meer van over, en hij zag er verlaten en bedroefd uit, nog lang niet klaar om te sterven. Het maakte ons bedroefd en weinig spraakzaam.

Onder de schoenen in de kast in de slaapkamer vond John een vloerplaat die een beetje scheef lag. Toen hij die optilde, vond hij een groene metalen kist met daarin een verlopen paspoort met een foto van een jonge Bobby, een kleine hoeveelheid ouderwetse damessieraden die er niet al te duur uitzagen – van zijn moeder? – en 16.000 dollar in biljetten van twintig en vijftig.
'Nemen we het geld mee?' vroeg ik aan John.
'Als wij het niet meenemen, steken de smerissen het misschien in hun zak,' zei John terwijl hij me aankeek. 'Ik heb het niet nodig.'
'En als hij een soort testament had, als hij wilde dat iemand het kreeg?'
'Dan zoeken we dat uit en geven we het aan die persoon,' zei John. 'Maar als we het niet meenemen, verdwijnt het, vrees ik.'
We deden het geld in de Harry & David-doos.
De belangrijkste vondst deden we in de woonkamer, in de ingebouwde boekenkast niet ver van Bobby's uitgestrekte hand. Het was moeilijk te zien – en dat was waarschijnlijk ook de bedoeling – maar vanaf de zijkant was de kast dieper dan hij vanaf de voorkant leek. Anders gezegd: als je vanaf de zijkant keek, was de kast ruim veertig centimeter diep, maar keek je vanaf de voorkant, dan was hij maar net diep genoeg voor een grootformaat roman. Een deel van de boeken was van de planken getrokken en lag rondom het lijk op de grond.
Ik draaide me om en zei: 'Kom eens kijken.'
John stapte behoedzaam langs het lijk en ik liet hem het diepteverschil zien. Het kostte een minuutje om het uit te dokteren, maar als je de achterkant van de boekenplank iets indrukte, kwam het achterpaneel vanzelf los. En als je dat eruit haalde, zag je een ondiepe bergruimte achter de boeken. Heel simpel, maar bijzonder effectief.
Ik vond zeventig dvd's in de bergruimte: Bobby's bestanden. We stopten ze in de Harry & David-doos. Toen John weer langs het lijk liep, zei hij: 'Jezus, Kidd, die lucht. Ik begin een beetje misselijk te worden.'
'Blijf aan het werk, John. Niet kijken.'
Toen we klaar waren, trokken we onze regenjassen aan, stopten de Harry & David-doos in een vuilniszak en brachten hem naar de auto. Het regende nog steeds, maar het was niet koud en ik hoorde hoe het water vanaf het zinken dak gorgelend de regenpijp in verdween, een geluid dat soms licht en muzikaal klonk maar op deze avond zwaar was als een opera van Wagner. Voordat ik de voordeur achter ons dichttrok en de deurknop afveegde, zei John: 'Ik vind het niet prettig om hem zo achter te laten.'

Ik keek achterom naar het lijk op de vloer en zei: 'Weet je, dat moeten we ook niet doen. Iemand heeft hem vermoord, en hoe eerder de politie hier is, hoe groter de kans is dat ze de dader pakken.'
'Dus we gaan de politie bellen?' John had weinig op met de politie.
'We moeten iemand bellen,' zei ik. 'Maar we moeten eerst nadenken. Het punt is dat we geen laptop hebben gevonden en dat het eruitziet dat degene die hier binnen is geweest, die heeft meegenomen. Wat inhoudt dat Bobby's laptop, waar hij alles op deed, ergens buiten rondzwerft.'
'Denk je dat... Nee.' John schudde zijn hoofd, verwierp zijn eigen gedachte.
'Wat?'
'Wishful thinking. Ik wilde zeggen dat hij misschien een paar buurtdieven had betrapt en dat die hem hebben vermoord. Maar als het alleen maar inbrekers waren, zouden ze wel meer hebben meegenomen. De soort dingen die inbrekers altijd meenemen, stonden er allemaal nog.'
'Ja, maar ze hebben de laptop wel meegenomen,' zei ik. 'Wat inhoudt dat ze daar speciaal voor zijn gekomen, en bereid waren er een moord voor te plegen.'
'Verdomme.'
'Als we geluk hebben, heeft hij het gevoelige spul beveiligd. Elke keer als hij me iets belangrijks stuurde, kreeg ik eerst een wachtwoord en pas als ik dat had bevestigd, kwam het bestand binnen. Als hij een of andere beveiliging heeft ingebouwd, kan ons weinig gebeuren.'
'Maar als we geen geluk hebben en hij heeft dat niet gedaan...'
'Dan kunnen we in de problemen raken,' zei ik.

4

We vormden een merkwaardig stel, zoals we daar midden in de nacht door de regen liepen. Als we bij Bobby's huis waren gezien door een van zijn buren die niet kon slapen, en als de politie later in de krant zou zeggen dat ze op zoek was naar een blanke en een zwarte man die samen waren gezien, wilde ik niet dat de receptionist van La Quinta daarbij aan ons dacht.

Dus in plaats van terug te gaan naar het motel reden we een rondje door Jackson, en terwijl de ruitenwissers op volle kracht werkten en de binnenkant van de ruiten besloeg, praatten we over wat we moesten doen. We hadden twee problemen: we moesten op een of andere manier gerechtigheid zoeken voor Bobby én we moesten de laptop vinden. Van dat apparaat kon het leven van heel veel mensen afhangen. Gebeurtenissen, data, tijdstippen, plaatsen... alles stond erop. Bobby wist veel te veel, en het was nu alsof de geheime dossiers van J. Edgar Hoover ergens door het land zwierven.

'Het kan link worden,' zei ik. We reden langs een vlak terrein met oranje beveiligingslampen en een hek van draadgaas eromheen. Van de gebouwen erachter, die laag en grauw waren alsof ze gedeprimeerd waren geraakt door de regen, konden we nauwelijks iets zien. 'Als we de politie van Jackson bellen, krijgen we iemand van Moordzaken aan de lijn, die een paar aantekeningen maakt in een notitieboekje, of misschien invoert in een computer. Maar het merendeel van het denkwerk over het onderzoek zal zich in zijn hoofd afspelen, wat inhoudt dat wij daar geen zicht op hebben. En als de moordenaar een slimme jongen van buiten de stad is, wat waarschijnlijk het geval is, zullen ze niet veel vinden.'

'Hoe weet je dat?'

'Ik weet dat omdat ik in genoeg huizen ben geweest om de tekenen te herkennen. Die knaap heeft niet veel achtergelaten. Bovendien had ik een vriendin die bij de politie werkte, weet je nog? Ik heb wat... eh... verkennend onderzoek gedaan in het computersysteem van de politie van Minneapolis.'

'Je bent een schoft, Kidd.' John was een romanticus en hij was geschokt.

'Hé, ik ging niet met haar om om in dat systeem te komen,' zei ik defensief. Ik zocht naar de knop van de ventilator en zette hem aan om warme lucht langs de voorruit te blazen, want in de hitte van het gesprek begon ook die te beslaan. 'Ik ging met haar om omdat ik haar leuk vond. Ik kon er niets aan doen dat ik dat computersysteem tegenkwam.'
'Goed dan.' Maar hij wist niet zeker of hij me wel kon geloven. 'Dus wat doen we nu?'
'Als we de FBI bellen en zeggen dat de dode man de Bobby is waar iedereen naar op zoek is geweest, zullen ze zich met man en macht op de zaak werpen. Op die manier zijn wij in staat het onderzoek te volgen, want we hebben genoeg kringleden die in het systeem van de FBI kunnen komen. Maar wat gebeurt er als zij de laptop vinden? Het ergste wat ons kan overkomen, is dat die bij de forensisch specialisten van de FBI terechtkomt en dat dan blijkt dat de bestanden niet beveiligd zijn.'
'Zelfs áls ze beveiligd zijn, zullen ze geen probleem vormen voor die grote klotecomputers van de FBI. Die kraken ze zo.'
John is geen computerman. 'Nee, dat denk ik niet,' zei ik. 'Als Bobby de bestanden heeft beveiligd en de wachtwoorden in zijn hoofd had, kan ons niets gebeuren.'
'O, nee?' Hij klonk niet overtuigd. 'En als de CIA, de NSA, de FBI en al die andere clubs met drie letters zich ermee gaan bezighouden?'
'De software die Bobby gebruikte – die iedereen tegenwoordig gebruikt – kan bestanden zo vernuftig coderen dat als het hele universum uit computers bestond en al die computers niets anders zouden doen dan proberen de codes te kraken, ze aan een heel leven niet genoeg zouden hebben om dat voor elkaar te krijgen.'
Hij dacht even na en begon toen te lachen. 'Je neemt me in de maling.'
'Nee, hoor.'
'Waarom zou iemand een bestand zo ver coderen?'
'Omdat dat mogelijk is. En het is niet eens moeilijk, dus waarom niet?'
'Goed dan,' zei John. 'Toch vind ik het een beangstigend idee om de FBI in te schakelen. Ik heb liever niet te doen met die gasten. Als we nu maar wisten wat er op die laptop stond...'
'Dat is het probleem,' beaamde ik.
'Misschien heeft Bobby, om veiligheidsredenen, al het goede spul op de dvd's gezet.'
We reden een spoorbaan over. Ik wist het niet zeker, maar volgens mij

waren we verdwaald. Ik maakte een U-bocht en we reden weer terug van waar we waren gekomen. Ik ging in op Johns suggestie. 'Dat denk ik niet. Dat zou veel te veel tijd kosten. Geen enkele computerman wil een hele stapel dvd's doorzoeken en elke keer tien seconden wachten tot een bestand is geladen wanneer dat ook in een halve seconde kan. Zo werkt het gewoon niet. Nee, hij bewaarde het goede spul op zijn laptop.'
'Of misschien heeft hij back-ups van de laptop op dvd gezet, zodat we kunnen zien wat erop staat, zonder het te kunnen openen.'
Ik schudde mijn hoofd. 'We hebben het over – wat? – zeventig dvd's? Dat is een enorme hoeveelheid materiaal. Daar kun je de hele bibliotheek van het Congres op kwijt. Dat is zo ontzettend veel dat we niet eens tijd zouden hebben om de indexen te lezen, als die er tenminste zijn.'
'Ik kan wel een paar weken vrij nemen...'
John was bekend met het computersysteem van het advocatenkantoor waar hij werkte en zijn kennis van computers was vergelijkbaar met die van de gemiddelde leraar op een middelbare school. Hij had geen idee waar ik het over had en ik zocht naar een manier om het hem uit te leggen.
'Luister, John,' zei ik ten slotte. 'Een paar weken geleden heb ik de Encyclopedia Britannica op mijn laptop gezet, gewoon, omdat ik ruimte genoeg had, oké? Dat zijn 75.000 artikelen, 1.300 kaarten en 10.000 foto's. Tenminste, dat beweren ze in hun brochure. Ongeveer zoveel. Dat kostte me 1,2 gigabyte. Dat houdt in dat je ongeveer... eh...' Ik maakte een snelle berekening. '... ongeveer dertien *Encyclopedia Britannica's* op één dvd kwijt kunt. En wij hebben zeventig dvd's. Die hoeven niet allemaal vol te zijn, maar als ze dat wel zijn, moet je 67 miljoen bestanden of acht miljoen foto's openen om een naam of een foto te vinden. Het leven is te kort om dat voor elkaar te krijgen.'
'Wat hebben die dvd's dan voor nut?'
'Bobby hoefde ze niet stuk voor stuk te bekijken. Hij wist wat hij had. Ik durf te wedden dat hij de databases op de dvd's heeft gezet en dat de indexen op zijn laptop staan. Hij had als hacker een soort kaartsysteem voor zijn bibliotheek. Als hij iets nodig had, kon hij het daarin opzoeken.'

We reden een paar smalle straten voorbij en kwamen toen bij een goedverlichte kruising. Ik sloeg links af, de hoofdstraat in, hoewel ik geen

idee had waar die ons naartoe zou voeren. John was een tijdje stil geweest maar zei toen: 'Dus we moeten de laptop te pakken zien te krijgen.'
'Ja, of hem vernietigen.'
'Maar we moeten de man die Bobby heeft vermoord ook pakken. Dat is net zo belangrijk... voor mij in elk geval wel. De plaatselijke politie zal daar niet in slagen. Ik vind dat we de FBI moeten bellen.'
'Ja,' zei ik met tegenzin. En daarna, na weer een paar minuten stilte: 'Ik wilde dat er een manier bestond om de FBI in Bobby te interesseren zonder dat ze weten dat hij Bobby is. Maar dat ze wel op zoek gaan naar de moordenaar. Dat ze daar serieus werk van maken.'
We dachten weer enige tijd na, waarna John zachtjes begon te lachen, op zijn horloge keek en zei: 'Nou, ik weet wel een manier. Als we genoeg tijd hebben.'
John is een slimme kerel. Toen hij me zijn plan voorlegde, moest ik erom lachen, net zoals hij erom moest lachen, het bittere gelach waarmee je reageert wanneer iemand je een waanzinnig voorstel doet dat waarschijnlijk zal werken en waar je waarschijnlijk akkoord mee zult gaan.
Na nog wat gepraat zei ik: 'O, man.' Ik kon niets bedenken wat zelfs maar half zo goed was. Ik zei dat tegen John en voegde eraan toe: 'Of half zo krankzinnig.'

We vonden een nachtwinkel waar we bij een slaperige bediende koekjes, snoep, een paar jerrycans motorolie en twee superflessen bronwater kochten. Toen we weer reden, draaide John het raampje open, goot het bronwater naar buiten, schonk de motorolie in de flessen, veegde de jerrycans schoon en gooide ze in de greppel langs de weg. Aan de rand van de stad stopte ik bij een benzinestation. Daarbij parkeerde ik de auto zo dat de tankdop niet zichtbaar was voor de pomphouder in zijn huisje. Ik vulde de tank met benzine en daarna de twee plastic bronwaterflessen met olie totdat ze helemaal vol waren.
Toen reden we terug naar Bobby's huis, gespannen als pianosnaren, en reden langzaam door de buurt. We zagen in maar twee huizen licht branden, maar het was inmiddels vier uur in de ochtend, dus in de komende een à twee uur zouden de eerste werkende mensen opstaan. Bij Bobby's huis echter was alles stil en donker, dus we zetten de auto op de oprit en gingen naar binnen.
Ik probeerde geen aandacht te schenken aan het lijk, maar John zei, en

hij richtte zich daarbij rechtstreeks tot de dode: 'We doen dit voor jou, Bobby.'

We waren van plan geweest kleerhangers van ijzerdraad te gebruiken als dat nodig was, maar Bobby had een grote rol ijzerdraad om lijsten op te hangen en dat werkte veel beter. We gebruikten de zijpanelen van het bed voor het frame en bonden er met het ijzerdraad een paar oude katoenen dekens omheen.

We werkten hard en gehaast, met onze handschoenen weer aan, zodat we alles twee keer moesten doen, maar uiteindelijk, om halfvijf, waren we klaar. We droegen onze creatie naar buiten. Daar doordrenkten we alles met benzine en gooiden de lege flessen op de achterbank van de auto.

'Ik ga hiervoor naar de hel,' zei John tegen me toen we de creatie rechtop zetten en met ijzerdraad aan de veranda vastmaakten.

'Je moet het zien als een standbeeld, een performance,' zei ik. 'Wacht met aansteken totdat de auto klaarstaat.' Ik reed de auto achteruit de straat op, draaide de neus in de goede richting en deed het portier aan de passagierskant open. John streek een lucifer af en hield hem bij de met benzine doordrenkte lappen.

Ik kan u uit ervaring vertellen dat, wanneer je maar genoeg benzine gebruikt, die niet langzaam vlam vat zoals papier, maar juist heel snel, met een hoorbare *woef*! Het ding brandde onmiddellijk als een fakkel, zelfs in de regen. John kwam naar de auto rennen en zodra hij was ingestapt zei hij: 'Rijden, rijden, rijden.' En weg waren we.

We waren van plan geweest om twee kilometer verderop te stoppen en de brandweer te bellen, maar tegen de tijd dat we bij een munttelefoon waren, hoorden we de eerste sirenes al, dus reden we door. Maar voordat we de hoek omsloegen, keek ik nog een laatste keer om. Zelfs in de stromende regen zag het vuur eruit als in een boze droom over de Apocalyps, of over Jackson, Mississippi anno 1930.

John had gelijk gehad. Als je de FBI bij het onderzoek wilde betrekken, werkte niets zo goed als een dode zwarte man aan een groot brandend kruis.

5

Om tien uur die ochtend ging de wekker af. Ik ging rechtop zitten, wist even niet waar ik was en herinnerde me dat ik in de Days Inn aan de andere kant van de Interstate 55 was. Ik had John iets voor vijf uur bij La Quinta afgezet. Daarna was ik naar de andere kant van de snelweg gereden en had bij het eerste het beste motel een kamer genomen. Toen ik me inschreef, had ik tegen de receptionist gezegd dat ik van plan was geweest veel vroeger te komen, maar dat ik was opgehouden in het casino en daarna door de regen. Hij knikte ongeïnteresseerd zoals receptionisten dat doen – het zou hem worst wezen wat ik had gedaan – en zei alleen dat ik voor twaalf uur vertrokken moest zijn, anders zou hij me nog een dag in rekening brengen.

Ik vond het best. Ik wilde alleen dat mijn naam ergens in de boeken stond, hoewel ik tegelijkertijd hoopte dat ik niet naar benzine stonk. Toen ik om tien uur wakker werd, gaf ik een klap op het klokje, zette de tv aan op het Weather Channel en belde LuEllen met mijn mobiele telefoon.

LuEllen antwoordde op het moment dat er op tv satellietbeelden van orkaan Frances werden getoond. 'Waar ben je?' wilde ze weten. 'Is alles oké?'

'Nou, onze vriend is er geweest,' zei ik. 'We zijn in zijn huis geweest en hebben een stel dvd's gevonden.'

'Ik weet dat hij er geweest is.' Ze schreeuwde niet maar haar stem had wel een dwingende klank. 'Ik neem aan dat hij het was die ik op CNN en Fox heb gezien. Heb jij dat gedaan? Mijn god, hoe heb je dat kunnen doen?'

We noemden geen namen of feitelijke gebeurtenissen. 'Hé, hé, rustig aan,' zei ik. 'Ik ben net wakker. Ik vertel je alles als ik terug ben. Het lijkt erop dat die orkaan dichterbij komt.'

'Dat is het andere probleem. Ze verwachten dat hij binnen 24 uur het vasteland bereikt, ergens tussen New Orleans en Panama City. We zitten midden in het oog. De mensen zijn hun huizen aan het dichttimmeren.'

Het was altijd prijs: slecht weer kwam altijd op het slechtst mogelijke moment. 'Wat gebeurt er met het casino?'

‘Ze blijven tot zes uur vanavond open,’ zei LuEllen. ‘Ik heb ze gebeld, maar ik ben er vandaag nog niet geweest... Ik maakte me te veel zorgen over jullie en was bang dat ik je telefoontje zou missen. Waarom heb je je mobiele telefoon uitgezet?’
‘Omdat ik niet wilde dat die begon te piepen terwijl we midden in de nacht druk bezig waren. Ik ben vergeten hem weer aan te zetten.’ Ik begon de tv-zenders af te zoeken en stopte toen ik bij Headline News kwam.
‘Jezus, ik was bang dat je in de gevangenis zat of zoiets,’ zei LuEllen.
‘Hoor eens, dit gedoe hier is ernstig... Het kan zijn dat ik me er meer mee zal moeten bemoeien. Maar we schieten goed op met ons onderzoek in het casino. Neem de papieren mee, ga ernaartoe en stop je geld in de automaten. Ik kan daar om een uur of twee zijn, denk ik. Dan ben jij ongeveer klaar, ronden we de zaak af, gooien onze spullen in de auto en vertrekken we.’
‘Waar gaan we naartoe?’
‘Dat weet ik nog niet. We verzinnen wel iets. Ik ben in de auto en laat mijn mobiele telefoon aan, oké? Zei je dat er veel van op tv was?’
‘Je kunt het niet missen. De grote jongens zijn erbij geroepen.’ Ze bedoelde de FBI.
‘Daar hoopten we op,’ zei ik.
‘Wat?’
‘Ik zie je over drie of vier uur en dan leg ik het uit.’

Toen ik klaar was met LuEllen belde ik John op zijn mobiele telefoon.
‘Ik ben op weg naar een filiaal van kantoor,’ zei hij. ‘Ik moet voorraden kopen voor in de stad. Ik heb je gebeld maar kreeg steeds je antwoorddienst.’ Hij maakte een alibi voor zichzelf. Daarna zei hij: ‘Als je de tv aanzet... Het heeft gewerkt.’
‘Ik heb het gehoord, maar ik heb het nog niet gezien. Heb je Marvel al gebeld?’
‘Nog niet. Zou ik dat moeten doen?’
‘Dat lijkt me beter. Ik heb LuEllen net gesproken en die ging compleet uit haar dak. Als Marvel het ziet voordat je haar hebt gebeld...’
‘Ik zal haar meteen bellen. Het nieuws is op CNN en Fox.’
‘CNN is bezig met sport,’ zei ik. ‘Ik ga terug. Ik bel je thuis zodra ik meer weet. Ik laat mijn mobiele telefoon aan.’
‘Succes,’ zei hij. ‘O, nog één ding. Ik heb nagedacht over afgelopen nacht.’
‘Ja?’

'Je moet weer eens met LuEllen tussen de lakens duiken. Je gedraagt je als een geslagen hond en dat is knap vermoeiend voor je omgeving.'

Ik stond me te scheren toen het nieuws over Bobby op tv kwam en liep de kamer in om te kijken. De presentatrice had opvallende lila lipstick met glitters op en had zo-even nog hartelijk gelachen om het doorzichtige excuus van een Hollywood-ster, die was gepakt toen hij stomdronken achter het stuur zat. Toen ze aan het item over het brandende kruis begon, had ze haar gezicht echter in een ernstige uitdrukking geplooid. Hoewel ze bijna een volle minuut nodig had om het verhaal te vertellen, had ze niet meer te melden dan dat er een brandend kruis met een dode man eraan was gevonden. De FBI onderzocht de zaak. Ik ging door met scheren en vertrok.
Bij daglicht zag Jackson er niet veel beter uit dan 's nachts, hoewel ik moet toegeven dat ik het stadje waarschijnlijk geen eerlijke kans gaf. Het enige wat ik zag, waren wat bedrijfjes aan weerszijden van de snelweg: goedkope winkels, cafetaria's en een paar garages, en daarmee hield Jackson wel ongeveer op.
In zuidelijke richting rijden in een orkaan – oké, in een wind met een snelheid van vijftien kilometer per uur – ging een stuk sneller, zelfs in de regen, dan de rit van de vorige avond ernaartoe. Ik zat in mijn min of meer nieuwe auto, een Oldsmobil Aurora, de meest anonieme achtcilinder sinds het begin van de jaartelling. Afgezien van de stugge versnellingsbak, de trage besturing en de te zwakke motor was het niet eens een slechte auto. Maar ik had hem laten bijstellen in een garage in Wisconsin, zodat ik er nu driehonderd pk uit kon persen en de versnelling wat soepeler ging. De standaardstoelen waren zonder meer goed. Iemand die de auto niet kende en met zijn ogen dicht recht vooruit zou rijden, zou kunnen denken dat hij in een BMW 540i zat. Maar als je een hoek om reed... Nou ja, voorwielaandrijving heeft haar beperkingen.
Ik reed om tien voor halfelf weg bij het motel, trapte de Olds flink op zijn staart en draaide om halftwee het parkeerterrein van het Wisteria op. Op de snelweg langs de kust had het eruitgezien alsof het orkaanseizoen al begonnen was. Pick-ups met laadbakken vol platen hout en zelfs personenauto's met platen hout op het dak reden af en aan, de mensen timmerden hun ramen dicht en voeren hun boten weg. Vanaf de Golf van Mexico kwamen flinke golven en het water spatte op tot borsthoogte.

Als ontbijt had ik een doos donuts met chocola en een blikje cola light gehad, dus ik was verre van blij toen ik aan boord van het Wisteria ging. LuEllen zat achterin, bij de gokkasten, en vier kasten verderop zat een man die eruitzag alsof hij net van een olieplatform af kwam.
'Hoe gaat het?' vroeg ik.
'Nog een uur,' zei ze terwijl ze weer een kwartdollar in de gleuf stopte. 'Met jou erbij een halfuur.'
'Ik ga eerst een broodje eten,' zei ik. De olieman nam me met een norse blik op. 'Zijn ze nog steeds van plan de tent om zes uur te sluiten?'
'Ze willen om vijf uur al sluiten. De orkaan neemt in kracht toe.' Ze stopte nog een kwartdollar in de gleuf, de laatste uit haar emmertje, haalde een notitieboekje uit haar zak en schreef een getal op.
'Ik ben zo terug; even een broodje.'
'Ik ga met je mee. Het maakt niet veel meer uit. We zijn bijna klaar.'
'Dat zal je fanclub daar niet leuk vinden,' mompelde ik.
'Dat weet ik,' zei ze met een glimlach. 'Hij heeft wel iets leuks, voor een messengevecht of zo.'
We liepen naar het achterdek, waar ik een broodje met een bal gehakt nam en haar bijpraatte. Ze had iets met haar haar gedaan, of misschien had ze kleinere oorbellen in, met diamantjes die schitterden tussen haar korte donkere krullen. Ze was heel nieuwsgierig naar Bobby, aangezien hij te maken had gehad met twee of drie incidenten die haar bijna het leven hadden gekost. Ik vertelde haar over de rolstoel en hoe kwetsbaar Bobby eruit had gezien.
'Dus we hebben te maken met een of andere ongelofelijke klootzak,' zei ze toen ik klaar was.
'Ja, een ongelofelijke klootzak die nu een laptop heeft waar god weet wat op staat.'
'Ik weet praktisch zeker dat Bobby heel voorzichtig was.' Een van de redenen dat LuEllen met mij bevriend was, was dat ik voorzichtig was. Ze kon er niet goed tegen wanneer mensen niet voorzichtig waren. Ze was zonder meer bereid om drie uur 's nachts in te breken in het huis van een diamanthandelaar midden in Saddle River, ook al had het huis een beter alarm dan Wells Fargo Bank... zolang het maar voorzichtig gebeurde. 'Hij leek me altijd heel zorgvuldig... Ik bedoel, jij wist niet eens hoe hij heette of waar hij woonde en jullie hebben jarenlang samengewerkt.'
'Ik hoop het wel,' zei ik. 'Maar we kunnen het risico niet nemen. Hij wist alles van Anshiser, van wat er in Longstreet is gebeurd, van die

toestand in Dallas... en als Microsoft ooit te weten komt dat hij die bug in XP heeft gezet, toen met dat gedoe in Redmond, hadden zíj waarschijnlijk een paar beroepsmoordenaars ingehuurd.'
'Microsoft kan mijn rug op. Ik maak me meer zorgen om de mensen in Washington.' Ze vergat er zelfs 'D.C.' bij te zeggen.

Het broodje gehakt voldeed aan de kwaliteitsnormen van het Wisteria. Die waren niet hoog, maar het vulde in elk geval. Toen ik het op had, gingen we terug naar de gokkasten. Om de aandacht van de kleerkasten niet op ons te vestigen, namen we de tijd en veranderden we regelmatig van kast. We stopten gewoon kwartdollars in de gleuven en niemand lette niet op ons. Om halfdrie hadden we genoeg informatie, verlieten het casino en om drie uur vertrokken we uit het motel. Ik weerstond de neiging om op de vloerbedekking te plassen voordat ik de deur achter me dichttrok, hoewel dat de kamer een beetje karakter zou hebben gegeven.
Omdat de orkaan een meer noordoostelijke koers was gaan volgen, namen we de I-10 naar het westen. Tot nog niet zo lang geleden had ik een weekendhuis in New Orleans gehad. Dat was nu echter gekraakt door een stel senioren uit Ohio, die met de huurwet waren gaan rommelen en me vervolgens hadden uitgekocht. Ik was van plan geweest een ander huis te kopen, maar het was er nooit van gekomen. Ik zou er op dat moment heel wat voor over hebben gehad als ik mijn oude huis terug had kunnen krijgen. Ik had me er altijd heel prettig gevoeld en er had goede apparatuur gestaan waarmee we Bobby's materiaal hadden kunnen bekijken.
Maar voorlopig waren we dus dakloos. We namen de I-12 ten noorden van de stad en maakten een tussenstop bij een CompUSA in Baton Rouge, waar ik een zware externe dvd-drive kocht die ik op mijn laptop kon aansluiten. Omdat LuEllen zei dat ze de regen niet langer kon verdragen, draaiden we opnieuw de I-10 op en reden we de nacht in. We stopten ten slotte bij een motel in Beaumont, Texas, net over de grens met Louisiana, waar het nog wel bewolkt was maar niet meer regende, en waar het weerbericht beloofde dat de volgende ochtend de zon zou schijnen.
Tegen de tijd dat we stopten, hadden we er allebei genoeg van om nog langer over Bobby te speculeren, genoeg van onze klus in het casino en zelfs een beetje genoeg van elkaar. We namen aparte kamers en gingen meteen slapen.

In mijn geval was dat vijf uur. Ik hou niet van korte nachten, maar ik had de hele dag op suiker en cafeïne gefunctioneerd en naarmate ik ouder word, merk ik dat ik daar steeds slechter tegen kan. Om vier uur in de ochtend zat ik naar Bobby's dvd's te kijken. Alleen kijken, want ze zaten nog in een plastic zak die boven op mijn kleren in mijn open koffer lag. Ik deed er nog niets mee. Het idee van al dat materiaal maakte me onrustig. Ik liep de gang op en trok een paar blikjes cola en een pak chocoladedonuts uit de automaat, wat nog meer suiker en cafeïne betekende. Toen liep ik mijn kamer weer in, startte de laptop op en maakte de statistieken van het casino af.

Het was net zoiets als breien: de tijd verstreek en je werd er rustig van.

Ik bekeek de uitkomsten toen LuEllen belde. 'Ben je al op?'

'Al vanaf vier uur,' zei ik. 'We zijn klaar met het casino.'

'Wat is het vonnis?'

'Ze strijken twee procent op.'

'De inhalige schoften,' zei ze verontwaardigd. 'Dat is míjn geld.'

'Eigenlijk is het het geld van congreslid Bob.'

'Het gaat om het principe,' zei ze, en na een korte pauze: 'Gaan we de straat op om te ontbijten?'

'Geef me tien minuten.'

'Eh... maak er een halfuur van. Ik ben net wakker.'

Ik gebruikte de tijd om congreslid Bob te bellen in Washington, waar het al na acht uur moest zijn. Ik belde hem op zijn directe lijn en toen het toestel twee keer was overgegaan, antwoordde hij met roestige stem: 'Ja?'

'Gefeliciteerd met je herverkiezing in het Congres,' zei ik.

Het duurde even voordat hij mijn stem had herkend en toen begon hij hard te lachen. 'Je hebt ze te pakken.'

'Ja, ze strijken twee procent per jaar op. Dat is twee tot drie miljoen in contant geld dat aan de strijkstok blijft hangen.'

'Hoe zeker ben je?'

'Heel zeker. Om precies te zijn 98 procent zeker dat we er niet meer dan een half procent naast zitten. Waar ik echter niet zeker van ben, is of ze het altijd doen. Maar ze doen het nu in elk geval wel, dus als je er een onderzoeksbureau op wilt zetten, kun je maar beter opschieten.'

'Sincy, Blake en Coopersmith zitten hier voor de deur in een auto met lopende motor te wachten,' zei Bob. 'We hebben op je telefoontje gewacht.'

'Ik heb gehoord dat jullie een orkaan hebben.'
'Nee, een harde storm, meer niet.'
'Oké. Nou, ik heb iets van je te goed.'
'Ja,' beaamde hij. 'En je weet dat ik woord hou.'
Dat was zo. Hij was door en door slecht, maar hij zou je nooit laten zakken.

Nadat ik had opgehangen, zette ik de tv aan en keek naar het nieuws totdat LuEllen op de deur klopte. Toen ik opstond om open te doen, begon het pratende hoofd van CNN net aan het verhaal van het brandende kruis. We gingen bij de tv staan en keken, maar we kwamen niets nieuws te weten. De FBI had gezegd dat ze de aanwijzingen naging en samenwerkte met de politie van Jackson. Ja, ja... Een zwarte reporter interviewde een dikke man die een polyester vissersbootje de steiger op takelde en toegaf dat hij het plaatselijke hoofd van de Ku-Klux-Klan was. Hij zei dat de Klan wel in rassenscheiding geloofde, maar niet in het kwaad doen van andere mensen. Ja, ja... Iedereen die het zag rolde met zijn ogen en het pratende hoofd praatte door.
'Heb je Weather Channel gezien?' vroeg LuEllen toen we door de gang naar het parkeerterrein liepen.
'Nee, ik was de statistieken aan het afronden toen je belde. Hij komt toch niet deze kant op?'
'Het was al geen orkaan meer toen hij het vasteland bereikte. Hij zit nu in Georgia, maar veel meer dan een flinke wind is het niet meer.'
'Oké. Wat ga je vandaag doen?'
'Wat ga jij doen?'
'De dvd's bekijken. Als ze allemaal beveiligd zijn, ben ik daar wel een paar uur mee zoet. En ik ga proberen te weten te komen waar de FBI mee bezig is, tenminste, als ik dat op een veilige manier kan doen.'
'Dan ga ik de stad maar in, denk ik. Kijken of er ergens een golfbaan is waar ik een paar ballen kan slaan. En een boekwinkel zoeken om een paar tijdschriften te kopen.'

We ontbeten in een familierestaurant, met worstjes, toost en koffie. Daarna reden we naar een munttelefoon en belde ik een vriend in Livingston, Montana. Hij was blijkbaar nog niet wakker, want toen hij na twintig keer overgaan opnam, klonk hij nogal chagrijnig.
'Sorry dat ik je wakker maak,' zei ik, 'maar je had gezegd dat als ik ooit een ingang nodig had, je er een voor me had. Is dat nog steeds zo?'

'Ja, maar dan zul je moeten wachten tot na zes uur, Oostkusttijd.'
'Wat? Gaat hij via iemands werk?'
'Ja.' Dat scheen hem niet te deren. 'Maar hij is een eersteklas bron. Hij krijgt elke dag updates over alle lopende zaken in het land... criminele zaken althans; in spionage is hij niet goed. Je hebt het toch over criminele zaken, of niet?'
'Ja, graag. Hoeveel wil je daarvoor hebben?'
'Van jou? Wat dacht je van een tegoedbon van vijfhonderd dollar bij Amazon?'
'Oké, ik stuur hem vanochtend nog naar je toe,' zei ik.
'Heb je een pen?'
Hij gaf me een telefoonnummer, een naam en een wachtwoord en de zaak was voor elkaar. We reden naar een volgende telefoon en ik maakte vijfhonderd dollar over met de Visa-creditcard die op naam stond van mijn oude, onzichtbare vriend Harry Olson in Eau Claire, Wisconsin, de man met het schoonste kredietverleden van heel de Verenigde Staten. Hij hield dat verleden schoon door niet te bestaan en al zijn rekeningen per omgaande te betalen.

LuEllen ging het grootste deel van de dag haar eigen gang. Ze was een sportvrouw die langzaam maar zeker in een golffanaat begon te veranderen, en ze was altijd een groot liefhebster van winkelen geweest. Ik verwachtte haar aan het eind van de middag terug met een kleurtje van de zon en een tiental tassen van het plaatselijke winkelcentrum.
Terwijl zij van de buitenlucht genoot en een positieve bijdrage leverde aan de financiële balans van Abercrombie & Fitch en de Gap, spitte ik Bobby's dvd's door. Omdat ik geen indexen had, schreef ik een vierregelig Perl-script dat de bestanden stuk voor stuk bekeek en de beveiligde apart zette.
Toen dat was gebeurd, bleef er niet veel over. Ik werkte me door de rest en vond vooral rommel. En als het geen rommel was, was het onbruikbaar materiaal tenzij je er een specifiek doel voor had: voornamelijk databases van overheidsdiensten en kranten. Als je bijvoorbeeld behoefte had aan 1.600 memo's van het ministerie van Binnenlandse Zaken, geschreven tussen augustus 1999 en januari 2002, dan had ik die. Maar als je niet wist naar welke memo's je op zoek was, moest je door de rotzooi waden.
Na zes uur kwam ik tot de slotsom dat de dvd's waarschijnlijk veilig genoeg waren. Het niet-beveiligde spul was allemaal openbare infor-

matie, voorzover ik kon vaststellen. Ik zou het bewaren om het nog eens goed te bekijken, maar dreigend zag het er in elk geval niet uit.

Ik had een stuk of zestig dvd's gedaan toen LuEllen terugkwam, zoals verwacht beladen met winkeltassen. Ze gooide ze op het bed, zette de tv aan en zapte naar Weather Channel om te zien wat er van de orkaan was geworden. Die was overgegaan in een diep lagedrukgebied dat nu boven Tifton, Georgia, hing, waar in de afgelopen 24 uur meer dan een meter regen was gevallen. De plaatselijke McDonald's was ondergelopen en ook andere monumenten hadden het zwaar te verduren gehad. Daarna zapte ze naar CNN, waar het incident met het brandende kruis niet langer tot de hoofditems behoorde.
De enige nieuwe rimpeling in het water bestond uit de verontwaardigde veroordeling door de persvoorlichter van de president. Die bestempelde de raciale moord en het brandende kruis niet alleen als misdadig, maar ook als on-Amerikaans. Hij maakte zich flink boos en gebruikte krachttermen als 'harteloze beesten die de naam "mens" niet verdienen', toen hij het over de moordenaars had. Meteen daarna echter, toen hij het had over de geslaagde borstkankeroperatie van het hondje van de president, was hij weer een en al vrolijkheid.
Terwijl we naar het hondenverhaal keken, vertelde ik LuEllen over de dvd's. Ze knikte en zei: 'Ik zei toch dat Bobby voorzichtig was.'
'Maar verdomme, ik zou die laptop toch graag willen vinden,' zei ik. 'Ik kan pas vanavond om een uur of zeven bij de FBI gaan kijken. Maar als ik zo de tv zie, doen ze niet al te veel.'
'De tv-mensen weten geen bal,' zei ze. 'Alleen de persberichten die worden uitgegeven.'
Ze vertelde dat ze zes emmers met ballen had geslagen en vond dat ze stonk. 'Ik ga douchen. Over een kwartier ben ik terug.'
'Ik krijg de indruk dat je je verveelt,' zei ik. 'Maar als we op de een of andere manier de laptop op het spoor kunnen komen, kan het zijn dat ik je hulp nodig heb.'
'Ik blijf wel,' zei ze. 'Gewoon, om te zien hoe de zaak zich ontwikkelt.'

Ik begon aan de laatste stapel dvd's en op de allerlaatste vond ik een bestand dat kleiner was dan al de andere die op de dvd stonden en dat niet beveiligd was. Ik opende het en vond een foto met hoge resolutie van John Ashford, zo te zien uit de tijd dat hij senator was. Niet ver van hem vandaan stond nog een bekende senator. Ze waren beiden

in avondkleding, de andere man had een glas in zijn hand en Ashford iets wat eruitzag als een flesje mineraalwater. De foto had geen onderschrift en zag eruit als een gewone publiciteitsfoto, totdat ik zag dat Ashford voor een spiegel stond, zo een uit de Franse barok, met zo'n rijkelijk bewerkte vergulde lijst, van het soort dat rijke dames in Georgetown in hun hal hebben hangen. Ook dat zou verder niets te betekenen hebben, ware het niet dat Ashford geen spiegelbeeld had.
Ik zat daarover na te denken toen LuEllen terugkwam. Ze rook lekker. Ze had tijdens haar winkelexpeditie blijkbaar ook een parfumerie aangedaan. Het kon Coco zijn. 'Nog nieuws?' vroeg ze.
'Nog meer bestanden. Kijk eens naar deze foto van Ashford.'
Ze keek, waarbij haar linkerborst langs mijn oor streek. Ze had een zijden blouse aan, dus dat was best een lekker gevoel. Na een tijdje ging ze rechtop staan, fronste haar wenkbrauwen en zei: 'Hij heeft geen spiegelbeeld.'
'Misschien komt het door de beeldhoek van de opname,' zei ik.
'Ik weet het niet. Zijn ene schouder is vlak voor de spiegel.'
'Nou, misschien is het geen echte spiegel. Of misschien is hij gebogen en valt hij daarom buiten beeld.'
'Misschien...' zei ze.
'Ja.'
Ik dacht er enige tijd over na en overwoog of het misschien een aanwijzing was die iets met Bobby's bestanden te maken had. Misschien was het zelfs wel de clou voor het wachtwoord waarmee hij zijn bestanden had beveiligd. Als dat zo was, was die te subtiel voor mij, en met tegenzin besloot ik dat het hier om een grap ging. Tenminste, dat hoopte ik. Geen spiegelbeeld?
Toen ik klaar was met de dvd's, ging LuEllen de kleren uitpakken die ze had gekocht. Op de deur van de motelkamer zat een grote spiegel en ze begon de blouses en broeken te passen. We zijn geen van beiden verlegen wanneer het om ons lichaam gaat. Tijdens andere gelegenheden, wanneer er geen derde of vierde persoon in het geding was, hadden we vaak genoeg in bed gerollebold, dus een beetje bloot stelde weinig voor. Ik had alleen al driehonderd naakten getekend met LuEllen in de hoofdrol.
Maar dat was tekenen...
LuEllen is een vrij kleine, slanke vrouw met kleine borsten en een klein kontje. Ze draagt meestal een kleine beha, die ze echt niet nodig heeft maar die dient ter bescherming tegen glurende blikken van mannen in

winkels. Maar die beha was heel klein en bedekte maar net haar tepels, en haar slipje was niet veel groter en van het hoog opgesneden soort. En ze rook zo lekker.
Ze trok de ene blouse uit en de andere aan en daarna de ene broek uit en de andere aan, en haar parfum zweefde door de kamer terwijl ik keek naar foto's die me niets zeiden. Ik hoorde het geruis van textiel toen ze weer een broek uittrok en op het bed gooide, en ten slotte draaide ik me om en zag ik dat ze zichzelf in de spiegel stond te bekijken, poserend in een halfopen blouse en een slipje. 'Jezus christus, vrouw!' riep ik, en ik gooide haar op het bed.
De rest van de middag deden we niet veel meer. Maar als LuEllen zich zorgen had gemaakt over te veel druk op haar hersenen dan was dat probleem in elk geval opgelost.

6

Als je leven een wending heeft genomen en je wilt het daarna weer op de rails krijgen, is dat niet altijd gemakkelijk. Je voelt je schuldig als je terugdenkt aan je vorige relatie en je weet niet zeker of je je huidige partner wel recht in de ogen kunt kijken. Als je dat uiteindelijk toch doet, zul je allebei zien dat wat er is gebeurd geen vergissing was, geen incident en geen fantasie of droom, maar dat het... nou ja, echt gebeurd is en gevolgen heeft.

Ik werd wakker en toen ik LuEllen voelde bewegen, draaide ik mijn hoofd om en probeerde mijn ogen open te krijgen. Ik voelde dat ze zich uitrekte en het extra gewicht en de extra warmte in bed voelden heel aangenaam, ook al hadden we er maar twee uur in gelegen en was het buiten nog niet eens donker. Vanuit mijn ooghoek zag ik dat ze rechtop ging zitten, zich uitrekte en geeuwde. Neuriënd haalde ze haar handen door haar haar en ik meende haar te horen spinnen. 'Ben je wakker?' vroeg ze.

Ik deed alsof ik nog half sliep. 'Ik geloof het wel,' kreunde ik.

'Ik heb vreselijk veel trek in chocola. Kunnen we wat gaan halen?' Ze wipte uit bed en liep naakt door de kamer, nog helemaal roze en nagloeiend. Ik had de neiging haar weer in bed te trekken, zoals ik al zo vaak had gedaan, maar ik wist waar dat toe zou leiden.

'Laten we het nog een keer doen,' zei ze.

'Ik ben een oude man,' kreunde ik.

'Je kunt beter in het harnas sterven dan langzaam wegroesten.'

'Laat me even mijn tanden poetsen... maar ga jij eerst.'

We deden dat allemaal, en toen ik even later op de klok keek, zag ik dat er weer twee uur waren verstreken. 'O, shit.'

'Wat is er?' LuEllen zat naar haar tenen te kijken en bewoog ze alsof ze 'tien kleine biggetjes' speelde.

'We moeten Washington bellen.' Ik rekte me uit en gaapte. 'Nu meteen.'

'Kom dan douchen.'

'Als we samen gaan douchen, komen we waarschijnlijk niet op tijd de kamer uit om te bellen,' zei ik.

'Nee, kom maar...'

Uiteindelijk slaagden we erin de kamer te verlaten en reden we, nog een beetje vochtig van de douche, naar een munttelefoon. LuEllen had zo'n naamloze *prepaid* telefoonkaart en ik gebruikte die om contact te zoeken met Washington.

Hopelijk was er ergens in het afgesloten kantoor van een hooggeplaatste FBI-agent een computer druk aan het werk. Ik had al diverse malen ingebroken bij de FBI, maar meestal moest je dan het hele systeem doorwerken. Deze keer kwam ik meteen in de computer van de man terecht en zag ik zijn bestanden voor me. Ik bekeek ze en vond er een die de naam 'Jackson' droeg. Het bestand was twee uur daarvoor voor het laatst geopend.

'Gaat het niet te gemakkelijk?' vroeg LuEllen bezorgd. Ze keek naar links en naar rechts en omhoog, maar er was nergens een zwarte helikopter te zien; niet eens een zwart-witte.

'Nee, mijn contact heeft gezegd dat het zo zou gaan,' zei ik. 'Trouwens, het maakt me niet uit. Ik ben weer weg voordat ze de val kunnen dichtslaan, als het er een is.'

Het Jackson-bestand bevatte een aantal memo's die zeiden dat: a) de FBI nog niemand had gevonden die kruisenverbranders had gezien, b) dat Bobby volgens de eerste forensische proeven minstens twaalf uur voor de kruisverbranding was vermoord, maar niet meer dan veertien uur ervoor, omdat hij toen levend was gezien, c) dat Bobby sinds zijn kindertijd had geleden aan een chronische ziekte aan zijn zenuwgestel en al vijftien jaar in een rolstoel zat, d) dat hij zijn brood had verdiend met het schrijven van computerprogramma's, e) dat hij werd verpleegd door ene Thomas Baird, die hem op de dag dat hij was vermoord 's middags om twee uur in leven had gezien, en f) dat het verbranden van het kruis vermoedelijk was gedaan om de schuld van de moord op iemand anders te schuiven.

Dit laatste memo stelde ook dat het tijdverschil tussen de moord en het verbranden suggereerde dat de twee daden geen deel uitmaakten van dezelfde misdaad. Het motief van de misdaad zou de diefstal van een computer kunnen zijn geweest, aangezien bekend was dat er een dure laptop ontbrak. Hm, dus er werkte in elk geval één intelligente knaap bij de FBI.

Er werd ook nog gerefereerd aan onbevestigde informatie over een paar plaatselijke leden van de KKK. Dat leek me echter meer uit gewoonte dan dat ze daar een echte reden voor hadden.

'We moeten gaan,' zei LuEllen.
'Ik ben nog niet klaar,' zei ik. We stonden bij een kleine supermarkt en een lange man in een hawaïshirt, een kakibroek en op plastic slippers kwam met een grote bruine boodschappenzak onze kant op lopen. Hij had een strooien hoed en een grote zonnebril op, dus zijn gezicht konden we niet zien.
'Moet je die man zien.'
'Wacht nou even,' zei ik. 'Ik ben zo klaar.'
Ik bleef nog een minuut of vijf on line – de man in het hawaïshirt liep door zonder ons een blik waardig te achten – en sloeg alle informatie op in mijn laptop. Naarmate ik langer op het net was, werd LuEllen steeds nerveuzer. Ik sloeg het laatste document op en verbrak de verbinding.
'Klaar.'
'Dan gaan we,' zei LuEllen. Ze zette de auto in de versnelling, zette de richtingaanwijzer aan en draaide langzaam de straat op. LuEllen zou nooit worden aangehouden voor een verkeersovertreding. Ze reed ongeveer honderd meter door en stopte bij een winkelcentrum, waar ze de auto parkeerde voor een winkel die jaloezieën en barkrukken verkocht.
'Wat doe je?'
'Wachten en kijken.' We bleven daar tien minuten staan en keken naar de munttelefoon een blok achter ons om te zien of er politie kwam opdraven. Maar dat gebeurde niet. Ze draaide de straat weer op en reed door.
'Ze houden ons waarschijnlijk met satellieten in de gaten,' zei ik.
'Grapjas.' Ze boog zich naar me toe en snuffelde aan me. 'Weet je, we zouden vaker moeten rollebollen. Je ruikt echt lekker.'
Ik zal maar niet vertellen waar ze de Coco had aangebracht toen we uiteindelijk uit de douche kwamen, maar ze had wel gelijk: ik rook zeker lekker.

Terug in het motel lazen we de memo's nog eens door, praatten erover en daarna, toen het donker begon te worden, trokken we onze sportkleren aan om een eindje te joggen. We liepen een rondje om de golfbaan en deden vijf kilometer in negentien minuten. Toen we terug waren, voelde ik me beter dan ik me had gevoeld sinds we voor het eerst naar het Wisteria waren gegaan om geld in de gokkasten te stoppen.
We aten wat en daarna hield ik me weer bezig met de dvd's en hadden

we nog wat seks. En uiteindelijk, na een van de langste dagen sinds lange tijd, kropen we in bed.
'Zou je me leuker vinden wanneer ik meer hout voor de deur had?' vroeg LuEllen toen ik net begon weg te zakken.
Ik mompelde iets.
'Wat? Wat zei je?'
Ik kwam een stukje overeind. 'Denk je nu echt dat ik zo stom ben dat ik die vraag ga beantwoorden?' vroeg ik. 'Ga slapen.'

Als nieuwsdienst is CNN nogal voorspelbaar: geklets, geklets, het weer, sport en nog meer geklets. De volgende ochtend hadden ze echter meer serieuze zaken te melden. Toen we tegen halfacht de tv aanzetten, zagen we een opgewekte man die net het sportblok afsloot.
Wat daarop volgde, was een stukje film zonder geluid. Het toonde een man met een zwartgemaakt gezicht, een hoge hoed en een geopende zwarte paraplu, die samen met twee andere mannen, die hetzelfde waren gekleed, een serie danspasjes maakte.
Vijf seconden lang was er geen enkel commentaar, maar toen zei een van de nieuwslezers op onheilspellende toon: 'Wat u hier ziet zijn opnames van een racistisch getinte bijeenkomst waaraan is deelgenomen door de huidige adviseur Nationale Veiligheid, Lyman Bole, de man met de zwarte paraplu. De videobeelden zijn vanochtend naar een aantal nieuwszenders gestuurd door iemand die zichzelf alleen bekendmaakte met zijn voornaam, Bobby, en die zei dat hij de komende weken nog meer van dit soort onthullingen zou doen. Hoewel meneer Bole nog geen commentaar heeft gegeven, heeft CNN als eerste kunnen vaststellen dat de beelden echt zijn en dat de bijeenkomst ongeveer negentien jaar geleden heeft plaatsgevonden op de universiteit van Ohio, waar Bole toen in zijn laatste jaar zat.'
'O, mijn god,' zei LuEllen, terwijl ze met grote ogen naar het scherm staarde.
Ik rolde al over het bed, pakte mijn mobiele telefoon en belde John. Met een slaperige stem nam hij op, en ik vroeg: 'Heb je het gezien?'
'Wat?'
Ik vertelde het zonder Bobby's naam te noemen en John zei zacht: 'O, nee. Die knaap, wie het ook is, is met zijn laptop bezig.'
'Ja, en ik zal je nog iets zeggen: van de dvd's ben ik niets wijzer geworden. Er staat niets op wat verwijst naar wie de laptop kan hebben. En nog iets: de grote jongens weten het ook niet.'

'Ben je binnen geweest bij...'
'Ja, en ze weten niks.'
Het bleef enige tijd stil en toen zei John: 'Ik heb nagedacht.'
'Je gaat met pensioen en verhuist naar Guam?'
'Nee, serieus... Onze vriend was bijna overdreven grondig als het om zijn veiligheid ging. Er zijn maar drie manieren waarop iemand bij hem gekomen kan zijn. Eén: de dader wist wie onze vriend was en waar hij woonde omdat onze vriend hem kende en vertrouwde. Twee: de dader is hem op de een of andere manier via de computer op het spoor gekomen. Drie: het gaat om een puur plaatselijk incident en hij was een willekeurig slachtoffer, voor geld of iets wat wij niet weten, iets wat nergens iets mee te maken heeft.'
Hij gebruikte de term 'onze vriend'. We hadden immers al eerder problemen gehad waarbij Bobby betrokken was en hadden ontdekt dat de overheid in staat was telefoongesprekken te onderscheppen waarin een bepaald woord of bepaalde naam werd genoemd.
'Drie valt af,' zei ik.
'Nu wel. Dus blijven er nog twee over. Maar wie kende onze vriend beter dan wij? Dan blijft de computer over. Als ze hem met behulp van de computer hebben opgespoord...'
'Ik ken één persoon die hem beter kent dan wij,' zei ik. 'Ik heb de informatie van de grote jongens bekeken en daarin werd gezegd dat hij een verzorger had. Die woont in Jackson en ik weet hoe hij heet.'
Weer een stilte en ik hoorde een vrouwenstem – Marvel, Johns vrouw – op de achtergrond zeggen: 'Het is op tv.'
'Ik kijk nu naar de beelden,' zei John. 'We moeten met die man in Jackson gaan praten, wijzelf.'
'Ik ga niet graag terug,' zei ik.
'We hebben geen keus, tenzij jij kunt uitvissen hoe die klootzak hem per computer heeft kunnen vinden.'
'Dat kán ik niet,' zei ik. 'Ik heb het ooit geprobeerd, een paar keer, echt serieus geprobeerd, en ik ben er best goed in. Onze vriend belde me en zei dat ik maar beter kon ophouden. Ik was gestruikeld over een paar alarmdraden die ik echt niet had gezien. Volgens mij vond hij het wel grappig, want hij maakte een geamuseerde indruk. Ik denk dat, afgezien van jou, iedereen in de kring wel eens heeft geprobeerd hem op te sporen.'
'Dus óf de man die hem heeft gevonden is een stuk beter dan jij en de kringleden, óf het is iemand die hem kende.'

‘Het moet het laatste zijn, want ik denk niet dat er veel mensen zijn die beter zijn dan wij. Dat is geen grootspraak, maar er is gewoon maar een beperkt aantal manieren om iemand on line op te sporen, en je kunt onmogelijk weten of je in een val trapt totdat het te laat is. Met andere woorden: als iemand hem probeerde te traceren, zelfs als het de grote jongens waren, dan zouden die toch zijn alarm laten afgaan.’
‘Misschien hebben ze een ander technisch apparaat dat niets met computers te maken heeft?’
‘En dat op de een of andere manier in handen komt van een gek die het gebruikt om vooraanstaande politici in hun hemd te zetten? Kom nou, John...’
‘Oké, oké. Kunnen jullie hiernaartoe komen?’
‘Als het moet,’ zei ik.
‘Kom nou maar; jullie kunnen hier overnachten. Dan rijden wij naar Jackson om met de vriend van onze vriend te gaan praten.’
‘O, man.’
‘We hebben geen keus.’ Toen begon hij te lachen. ‘Ik zit naar die vent met dat zwartgemaakte gezicht te kijken. Ze gaan die video zo diep in zijn reet stoppen dat de tape zijn neusgaten uit komt.’
‘Wacht even.’ Ik draaide me om naar LuEllen, die op het voeteneind van het bed naar de tv zat te kijken, en vertelde wat John had voorgesteld.
Ze haalde haar schouders op. ‘Ik vind het altijd leuk om ze weer te zien.’
Ik drukte de telefoon weer tegen mijn oor. ‘We komen,’ zei ik. ‘Ik bel je als we onderweg zijn.’

We pakten onze spullen in en een halfuur later bracht ik de bagage naar de auto. Voordat we vertrokken, keek ik nog even of er e-mails voor me waren, maar dat was niet zo. Toen LuEllen haar laatste spullen in haar reistas stopte, zei ze: ‘Zou je niet even de kaarten leggen voordat je je koffertje dichtdoet?’
‘De kaarten kunnen ons niet helpen,’ zei ik.
‘Hè, toe nou,’ zei ze. ‘Doe het dan voor mij, om mijn bezorgdheid weg te nemen.’
‘Of je nog bezorgder te maken,’ zei ik.
‘Doe het nou maar.’
Er bestaat een woord voor wat LuEllen af en toe kan zijn: in het Jiddisch of Hebreeuws, Russisch-orthodox of weet ik veel, maar in elk ge-

val is dat woord 'nudnik'. De beste definitie die ik er ooit van heb gehoord, kwam van een Israëlische archeologiedocent. 'Een nudnik,' zei hij, 'is iemand die als een specht boven op je hoofd zit en maar in je schedel blijft pikken.'

Dus haalde ik mijn tarotkaarten tevoorschijn, een Rider-Waite-spel. Ik ben geen wetenschapper – ik had een technische opleiding – maar ik heb de wetenschapsfilosofie bestudeerd en geloof daarin. Het tarot als middel om iets te voorspellen is dezelfde bijgelovige onzin als astrologie. Het is echter wel nuttig als denkspel, en zo gebruik ik het ook.

Bijvoorbeeld: als we worden geconfronteerd met ingewikkelde problemen en als bepaalde facetten van die problemen onbekend of buiten ons bereik zijn, treden we ze tegemoet met behulp van ervaringen die we in het verleden hebben opgedaan. Daar is bijna niet aan te ontkomen. Maar een aanpak die bij het ene probleem wel werkt, hoeft bij andere niet te werken. Het tarotspel, als je het als denkspel gebruikt, loodst je voorbij die ervaringen en moedigt je aan om een nieuwe aanpak van het probleem te bedenken.

Stel dat u deelneemt aan een ingewikkelde zakelijke transactie en dat de groep waarmee u te maken hebt – de tegenpartij – bestaat uit zes mensen: vijf mannen en een vrouw. U legt een tarot en ziet een aantal aanwijzingen die op vrouwelijke invloed duiden.

Dit betekent echter níét dat het tarot de invloed van een vrouw in de uiteindelijke transactie voorspelt, maar het geeft aan dat u eens rustig achterover moet leunen en moet nadenken over de vrouw aan de andere kant, die anders gewoon een van de zes zou blijven. Waarom is zij erbij? Hoe groot is haar invloed precies? Is het misschien zinvol om haar te benaderen en op die manier de deal in uw voordeel te beslissen?

Dit heeft niets te maken met bovennatuurlijke zaken maar is een menselijke aanpak, een vrij subtiele aanpak, en het is spelen met het probleem.

LuEllen gelooft daar niet in. Ze denkt dat ik in contact sta met de 'schemerwereld'. Ooit moest ik bijna dagelijks een tarot voor haar leggen, totdat ze me een keer vroeg hoe lang ze zou leven. Ik legde een tarot en kwam op 94 jaar.

'Dat is niet slecht,' zei ze toen.

'Nee, maar deze kaart...' En ik tikte op de toren. '... geeft aan dat je de

laatste vijftig jaar op de maximaal beveiligde afdeling van de Valley State Prison in California zult doorbrengen.'
'Kidd, jij... jij...' sputterde ze, 'hoe kun je dat...'
'Gefopt,' zei ik. Vanaf die dag viel ze me er niet zo vaak meer mee lastig.

Ik heb de tarotkaarten altijd bij me, gewikkeld in een zijden doek en in een oud, houten kistje, precies zoals de zigeuners me hadden aangeraden. Omdat LuEllen in een nudnik-toestand dreigde te raken, legde ik snel twee keer het spel uit op het telefoontafeltje in onze motelkamer. Zoals meestal waren de uitkomsten heel gecompliceerd, want in plaats van dat de twee beslissende kaarten elkaar bevestigden, spraken ze elkaar juist tegen.
'De hangende man,' zei LuEllen terwijl ze met haar wijsvinger op de kaart tikte. Ze weet genoeg van tarot om de beslissende kaart te herkennen. 'De hangende man komt twee keer voor, als beslissende kaart, en jij wilt beweren dat dat niets te betekenen heeft?'
'Voor creatief denken is het geen erg bruikbare uitkomst,' zei ik.
'Je liegt toch niet tegen me?' Ze keek me argwanend aan. 'Het betekent toch niet dat we onderweg naar Jackson samen omkomen bij een autoongeluk?'
'Nee.' Ik veegde de kaarten bij elkaar, wikkelde ze in de zijden doek en deed ze terug in het kistje. 'De hangende man wijst op een soort uitgestelde beweging, een zekere spanning tussen twee stadia... een stadium van wachten. Een overgang, misschien. Oké, dus Bobby is dood en nu is alles in beweging. Nou, hm, dat wisten we al.'
'Er wordt zelfs geen hint gegeven van wat er gaat gebeuren?'
'LuEllen, de kaarten voorspellen niets.'
'Ja, ja.' Ze sloeg haar armen over elkaar en keek me ongelovig aan. 'Dat zeg jij altijd, maar dan blijkt steeds dat ze dat toch doen.'
'Er is een paar keer sprake geweest van toeval, maar meer dan dat was het niet.'
'Toeval, mijn reet. Kom op, we gaan. Onderweg naar Longstreet kun je me meer vertellen over de hangende man.'

Longstreet ligt aan de Mississippi, ten noordwesten van Jackson. Als stadje stelt het weinig voor, maar het heeft iets wat het onderscheidt van andere stadjes, namelijk een brug. Daardoor heeft Longstreet een zeker regionaal belang, want er zijn maar heel weinig bruggen over het zuidelijke deel van de rivier. Er zijn mensen die nooit een bezoek

brengen aan de stadjes aan de overkant van de rivier omdat ze daarvoor tachtig kilometer moeten omrijden.
Longstreet is lastig bereikbaar vanuit Beaumont. De rit kostte ons het grootste deel van de dag, zelfs in de Buick. LuEllen is een goed chauffeur en ze rijdt liever dan dat ze wórdt gereden, dus zat zij voor het merendeel achter het stuur. Ik plugde de laptop in de sigarettenaansteker en ging door met het bekijken van de dvd's.
'Het patroon is dat hij alles heeft beveiligd behalve het onbelangrijke spul,' zei ik. 'Als dat patroon zich doorzet op Bobby's laptop zitten we goed.'
'Mooi zo. Maar als hij informatie heeft, zal die toch niet over mij gaan?' Ze was paranoïde als het om haar veiligheid ging. Ze had al een lange carrière als dief achter de rug en af en toe heel riskante dingen gedaan, maar ze had nooit gezeten, was nooit gearresteerd en had nooit ergens een vingerafdruk achtergelaten.
'Nee, niet, tenzij...'
'Tenzij wat?'
'Bobby wist soms waar we waren. Waar we waren en wanneer we daar waren. Er bestaat een kleine kans dat hij ons heeft laten fotograferen, gewoon, uit nieuwsgierigheid.'
'Denk je dat echt?'
'Nee, dat denk ik niet,' zei ik na een tijdje. 'Ten eerste wist hij precies wie ik was, en als hij een foto van me had willen hebben, had hij die van het net kunnen halen. Die expositie in de Westfield Gallery van de afgelopen winter had niet alleen een gewone catalogus, maar ook een op internet. Daar kun je een foto van mij uit halen. Dat kan trouwens nog steeds. Dus we zitten wel goed, denk ik, in elk geval jij, maar shit, ik zou toch wel heel graag die laptop willen vinden. John maakt zich ook zorgen, over zijn vrienden vooral... Het kan zijn dat Bobby ook informatie over hen had.'
'Politiek materiaal?'
'Ja.' We reden een tijdje zwijgend door. 'Weet je, er zijn soms van die fanatieke klootzakken, van die racistische, extreem rechtse politici die te slim zijn om zich bij de Ku-Klux-Klan of de nazi's aan te sluiten. Die kunnen een hoop kwaad aanrichten, vooral bij regionale verkiezingen, in schoolcomités, enzovoort. Soms denk je wel eens: bestond er maar een manier om die lui weg te krijgen. Ik heb me altijd afgevraagd of Johns mensen, en misschien Bobby, er niet voor hebben gezorgd dat een stel van die mensen verdwenen. Voor altijd.'

'Door ze te vermoorden, bedoel je?'
'Dat is een naar woord, vermoorden.'
'Ah, jezus...'

We hadden tijdens de rit ook tijd om na te denken over onze respectievelijke schuldgevoelens als gevolg van onze seksuele uitspattingen van de afgelopen nacht, en die waren er. LuEllen had omgang gehad met een Mexicaanse jongen, een leraar moderne dans aan de universiteit van Duluth. Ze viel nu eenmaal op donkere types... Maar ze zei dat ze die relatie als puur tijdelijk had beschouwd. Nu beschouwde ze al haar relaties als puur tijdelijk, zelfs die met mij. Wat dat betreft was ze net een kat.
Ikzelf bevond me in een andere situatie. Hoewel Marcy degene was die onze relatie had verbroken, was ik degene geweest die dat had uitgelokt, en daarna was ik meteen met een oude vlam in bed gedoken.
Ik vertelde dit aan LuEllen en ze klaarde onmiddellijk op. Vrouwen, weet ik uit ervaring, zijn de sociale 'smeerders' van het menselijk ras en ze zijn er gek op relaties te analyseren en te ontleden. Zelfs hun eigen relaties. Op die manier ontpopte zich een gesprek over onze eigen relaties en over alle mensen die we hadden gekend sinds we elkaar hadden ontmoet, en waarom het ons niet was gelukt om bij elkaar te blijven.
LuEllen vond dat we geen schuldgevoelens hoefden te hebben. Ze zei dat we lang genoeg bevriend waren en al zo lang dan weer wel en dan weer niet met elkaar naar bed gingen, dat dat niet meer als ontrouw gold. Het was meer een soort omhelzing, zei ze. En wat ze de afgelopen nacht had gedaan, was gewoon een emotioneel equivalent van eerstehulpverlening.
'Het voelde anders niet als een omhelzing,' zei ik. 'Je lag te blaffen als een hond. Als iemand ligt te blaffen als een hond, kun je moeilijk van een omhelzing spreken.'
'Ik lag niet te blaffen,' zei ze. 'Zie je, dat doe jij nou altijd. Je zegt dat soort dingen om grappig te zijn en om dingen minder belangrijk te maken. Maar dit is wel degelijk belangrijk, want je mocht die vrouw echt. Niet dat ik ooit heb begrepen wat je in haar zag... een politieagente nog wel. Maar je wist een halfjaar geleden al dat ze een kind wilde en dat de tijd voor haar begon te dringen, en toch heb je haar aan het lijntje gehouden om wel de melk te drinken maar niet de koe te kopen.'
'Wat een walgelijke uitdrukking; die is zeker afkomstig uit Wisconsin.'

'Nu doe je het weer,' zei ze. 'Er grapjes over maken.'
'Ik heb haar niet aan het lijntje gehouden,' hield ik vol, hoewel de uitdrukking me wel een schuldgevoel bezorgde. 'Ze is er nooit over begonnen. Het was alleen zo dat als ik haar met kinderen zag...'
'Je hebt haar wel aan het lijntje gehouden,' zei LuEllen vastbesloten. 'En meer zeg ik er niet over. Nou, misschien alleen nog dit...'
Kortom, een nudnik.

7

Longstreet is zo groen dat het zeer doet aan je ogen als je ernaar kijkt. Groen, vochtig en heet, een echt rivierdeltastadje, een jungle die ruikt naar asfalt, gemorste limonade, gesmolten kauwgom, dode karpers en uitlaatgassen van oude auto's, wat een minder slechte combinatie is dan het lijkt.

Het ligt op een heuvel – geen hoge heuvel; nog geen vijftien meter boven hoogwater – langs de rivier, waar Main Street evenwijdig aan loopt. Het oude deel van de stad, het dichtst bij het water, bestaat uit huizen van rode en gele baksteen en verderop, in de woonwijken aan de andere kant, zijn de huizen in de smalle, geasfalteerde straten met bomen aan weerszijden veelal uitgevoerd in pasteltinten.

'Misschien ga ik hier ooit wonen,' zei LuEllen toen we over de laatste heuvel voor de stad reden.

'En dan weet iedereen wat je doet, alles, elke dag,' zei ik.

'Dan noem ik mezelf Daisy, zet ik de hele achtertuin vol met klaprozen en nodig alle vrouwen van de stad uit om te komen borduren en mijn speciale thee te drinken,' zei ze. 'Als ik dan doodga, zegt iedereen dat ik een heks was.'

'Dat zeg ik nu al,' zei ik. 'Ben je ooit naar bed geweest met die Frank, die drankhandelaar met zijn Porsche?'

'Dat gaat je niks aan,' zei ze. 'We klappen niet uit de school; dat is altijd de afspraak geweest.'

'Het is geen uit de school klappen. Ik heb je aan die man voorgesteld.'

'Probeer je nu maar te concentreren op wat we hier komen doen.'

Wanneer ik me concentreer op Longstreet, op het beeld in mijn hoofd, zie ik lichtbruine honden met hangoren, die in de zon liggen te slapen, pick-ups met bumperstickers, en de brug. De brug is van witgeschilderd beton, dat oplicht door het blauw van de lucht en de schittering van het water van de Mississippi, die op die plek een flauwe bocht naar rechts maakt. Aan de overkant van het water zie je een geel zandstrand waar elke avond wilde kalkoenen naartoe komen om daar hun dansje te doen.

We reden Longstreet binnen vanaf de kant van de rivier, dus we hoefden de brug niet over te steken. We reden de heuvel af en stopten bij een supermarkt, waar we een blikje cola en een doos ijsjes kochten van een dikke man met een vreemd gezicht die daar achter de toonbank stond. Daarna doorkruisten we het stadje naar Johns huis, een houten huis aan de zwarte kant van de stad.

John en zijn vrouw Marvel hadden twee kinderen die met open mond toekeken toen hun moeder mij lachend omhelsde en me op beide wangen kuste en LuEllen John in de armen vloog. Zwarte mensen kusten en omhelsden geen blanke mensen in Longstreet, in elk geval niet waar de kinderen bij waren. Maar ik vond het heel aangenaam. Marvel is een mooie vrouw met donkere, amandelvormige ogen, een volmaakt ovalen gezicht en de natuurlijke gratie van een balletdanseres.

De kinderen waren verlegen – ze kenden ons een beetje, van eerdere bezoeken – maar ze werden wat losser toen ik de doos ijsjes tevoorschijn haalde. Marvel deelde ze uit en zei dat ze buiten moesten gaan spelen. Toen de hordeur achter hen was dichtgevallen en het stil was, zei Marvel: 'Jullie zien er geweldig uit.' John kwam meteen terzake en zei: 'Bole kan uit de oven. Hij is gaar.'

'Hebben ze hem ontslagen?'

'Hij dient vanavond zijn ontslag in,' zei John, met zijn handen in zijn broekzakken en bijna verontschuldigend zijn schouders ophalend. 'Hij heeft geprobeerd zich eruit te redden door te zeggen dat het een studentengrap was en dat er ook een paar zwarte jongens met wit gemaakte gezichten bij waren, maar de wolven van de pers hebben hem in het nauw gedreven, en het enige wat de mensen hebben gezien, is dat ene stukje film. En wij – jij en ik – zijn waarschijnlijk degenen die het hem onmogelijk hebben gemaakt om zichzelf te verdedigen.'

'Op welke manier?' vroeg LuEllen terwijl ze van mij naar John keek.

'Door dat brandende kruis,' zei John. 'Goed, we hebben de FBI naar Jackson gehaald en de regering maakt een hoop ophef en laat via de persvoorlichter melden dat racisme in het "Nieuwe Zuiden" absoluut onverdedigbaar is en dat soort gezeur, en dan gebeurt er de dag daarna dít. Bole is er geweest. Hij gaat vanavond met de president praten.'

'Dus hij heeft het zichzelf aangedaan,' zei LuEllen. 'Hij is degene die zijn gezicht zwart heeft gemaakt.'

'Dat zou ik ook zeggen,' zei Marvel.

Maar John, anders zo radicaal, zei: 'Hij was student toen hij het deed en het was als grap bedoeld. Bovendien heeft hij niets te maken met

rassenkwesties. Hij houdt zich bezig met raketten. Ik ken wel honderd politici die ik liever weg zou willen hebben dan hij.'
'Je moet ze gewoon allemaal pakken,' zei Marvel.
'Vuile communist,' zei John hoofdschuddend. 'Maar het is niet juist en niet eerlijk en daar moeten we ons zorgen over maken.'
'Je begint oud en behoudend te worden,' zei Marvel. 'Je haar wordt wit en wollig en straks zien we je in zo'n religieus programma waarin je ons over Jezus vertelt.'
'Het is niet eerlijk,' herhaalde John. Hij klonk een beetje als een dominee, maar hij had gelijk.

LuEllen en Marvel gingen weg om bij te praten en ik liet John de FBI-informatie over Thomas Baird, Bobby's verzorger, zien. John las alles zorgvuldig en belde daarna met twee mensen in Jackson. Een van hen kende Baird – of wist in elk geval wie hij was – maar echt concrete informatie had hij niet over de man. Hij bood aan naar hem te informeren, maar John sloeg het aanbod af.
'Ik vind dat we zelf met hem moeten gaan praten,' zei John. 'Vanavond nog. Nu meteen.' Hij keek op zijn horloge. 'Als we nu vertrekken, is hij waarschijnlijk nog wel wakker als we daar aankomen.'

Er moest nog meer bijgepraat worden en ik gebruikte die tijd om een paar rondjes om het stadspark te joggen. Om zeven uur lieten we LuEllen en Marvel bij de kinderen achter, stopten bij een benzinestation om de tank te vullen met goedkope benzine en gingen op weg naar Jackson. Onderweg praatten we over Bobby en daarna over de serie beelden waar John mee bezig was.
John vertelde dat hij een vrouw in Longstreet had gesproken, een vrouw die wandkleden maakte, en dat hij overwoog dat ook te leren. 'Er zijn dingen die ik met beeldhouwen niet goed kan uitdrukken,' zei John. 'Soms heb ik het idee dat ik – hoe zeg je dat? – dat ik platter moet gaan werken. Als ik alles driedimensionaal doe, heb ik een grotere tuin nodig.'
'Waarom leer je niet schilderen? Als je weet wat je wilt maken, zijn de technieken niet zo moeilijk aan te leren.'
'Gelul. Ik heb gelezen over technieken en heb de jouwe zien veranderen. Hoe lang heeft het niet geduurd voordat je het echt in je vingers had? Weet je nog, dat doek dat je hebt gemaakt, *Sturgeon Rip nummer 1*? Dat had je nooit op die manier kunnen schilderen toen we elkaar pas kenden.'

Zo praatten we met elkaar, en dat ging zo vanzelf. We vertelden elkaar over ons werk en lachten om onze problemen. En dan kwam Bobby weer ter sprake en werden we weer serieus. Desondanks verstreek de tijd snel. We hadden het nog steeds over kunst toen we Jackson binnenreden. Een prettige bijkomstigheid was dat we dat deden onder een dicht wolkendek maar dat het niet regende.

Thomas Baird woonde in de linkerhelft van een duplexwoning, die eruitzag als een huisvestingsproject voor lage inkomens: een sober, modern ontwerp, derderangs materialen en houten buitenpanelen in pasteltinten. De stoepen begonnen al af te brokkelen. In de woonkamer brandde licht en John zei: ‘Ik ga eerst. Ik roep jou straks wel.’
Ik protesteerde niet, want het was een zwarte buurt en John was ook zwart. Toen hij uit de auto stapte, zei ik: ‘Raak niks aan met je vingers. En als je wel iets aanraakt, veeg het dan schoon.’
Ik reed een blokje om. Toen ik weer langs het huis kwam, stond John bij de deur met iemand te praten en negeerde hij me. Toen ik de tweede keer langsreed, stond hij op de veranda en wees naar een grote plas, die de oprit moest voorstellen.

Op de veranda zei John: ‘Hij weet hoe we heten.’
‘Wat?’
‘Ik vertelde hem dat ik John heette en toen vroeg hij of ik ene meneer Kidd kende.’
‘O, jezus.’ Ik bracht mijn hand naar mijn voorhoofd. Dit was riskant. Een buitenstaander wist wie we waren! Wat wist hij nog meer?
‘Kom binnen,’ zei John. Hij deed de deur open en ging me voor naar binnen. Een zwarte man van een jaar of veertig stond midden in de kleine, nette woonkamer. Er was geen tv maar ik zag wel een stuk of tien ouderwetse radio’s met mahoniehouten kasten, RCA’s en Motorola’s en een paar merken die ik niet kende, volgens mij afkomstig uit de jaren dertig en veertig. Alle toestellen glommen en zagen er perfect uit, en van een ervan brandden de lampjes. Let wel, radio’s met buizen, en de kamer rook naar boenwas.
‘Meneer Baird,’ zei John, ‘dit is Kidd.’
Baird keek me vragend aan en zei tegen John: ‘Hij is blank.’
John nam me aandachtig op. ‘Echt? Ik dacht dat hij zich niet goed voelde.’
Baird bleef me nog even aankijken – mijn haar is niet echt blond –

krabde aan zijn bil, begon te lachen en zei: 'Willen jullie een biertje? Het is een beroerde dag geweest.'
Hij liep naar de keuken, kwam terug met drie flesjes Budweiser en een zak nachochips, deelde de flesjes rond en liet zich in een versleten maar comfortabele groene fauteuil vallen. John en ik namen tegenover hem plaats op een doorgezakte bank. Na de lange rit smaakte het bier uitstekend. Een dikke zwart-witte kat kwam de kamer binnen, sprong op de armleuning van Bairds stoel, rekte zich uit en keek ons aan.
'Bobby had me verteld dat als er ooit iets met hem zou gebeuren, jullie hoogstwaarschijnlijk zouden komen om uit te zoeken wat er aan de hand was. Ik moest jullie alles vertellen wat ik wist en hij had gezegd dat ik niet met anderen over jullie moest praten. Met de politie bijvoorbeeld.'
'Ik hoop echt dat...' begon John.
'Dus dat heb ik niet gedaan,' zei hij. 'Ik was zelfs vergeten dat jullie zouden komen, totdat jij voor de deur stond en zei dat je John was. Dus: wat kan ik voor jullie doen? Weten jullie iets van deze puinhoop?'
'Je hebt niet toevallig Bobby's laptop, hè?' vroeg ik.
'Nee, de FBI zei dat er computerapparatuur werd vermist. Jullie zijn de computerexperts, hè?'
'Ik kan geen diskdrive van een joystick onderscheiden,' zei John, 'maar Kidd hier kan er aardig mee uit de voeten.'
Baird knikte en keek me aan. 'Oké. Nou, Bobby had een IBM-laptop en honderd dvd's die hij ergens had verstopt, maar ik weet niet waar.'
'Honderd?' vroeg ik. 'Weet je zeker dat het er honderd waren?'
Er verscheen een rimpel in Bairds voorhoofd. 'Nee, ik weet niet wat het exacte aantal was. Maar het waren er in elk geval een heleboel.'
'Weet je wat erop stond?'
'Hij noemde het zijn archief. De actieve dingen stonden op de laptop en het archief stond op de dvd's.'
'Dus er stonden dingen op de laptop die niet op de dvd's stonden,' zei ik.
'Ja, en andersom. Tenminste, als ik het goed heb begrepen. FBI-mensen hebben gisteren het hele huis doorzocht en vandaag hebben ze alle papieren meegenomen. Ze hadden de sleutel van een bankkluisje gevonden en hebben mij toestemming gevraagd om het te openen – ik ben Bobby's erfgenaam – maar het enige wat ze hebben gevonden waren oude foto's, zijn moeders dagboeken uit de tijd dat ze van Nashville hiernaartoe was verhuisd, en twee gouden halskettingen.'

'Eh... wat gaat er nu met het huis gebeuren?' vroeg John.
'Ik ga het verkopen. Als de rekeningen en de kosten van de begrafenis zijn betaald, gaat de rest naar het United Negro College Fund. Hij had me gezegd dat ik de inboedel kon verkopen en het geld ervan mocht houden, plus het geld dat in huis zou worden gevonden, maar ik denk dat dat laatste een grapje was. De FBI zei dat er geen geld is gevonden, maar dat maakt me niet uit. Ik vind het alleen maar erg dat hij er niet meer is. Hij was een van de intelligentste mensen die ik ooit heb ontmoet.'
'Hij was een van de intelligentste mensen van de hele wereld,' zei ik. 'Heb je énig idee wat er gebeurd kan zijn?'
Halverwege de vraag begon hij zijn hoofd al te schudden. 'Als de FBI gelijk heeft wat betreft het tijdstip dat hij is vermoord, heb ik hem twee uur daarvoor nog gezien, en toen was er niets mis met hem.'
'Bobby had zichzelf goed beveiligd,' zei ik. 'Mensen zijn jarenlang naar hem op zoek geweest. Wat ik me afvraag is hoe het kan dat ze hem nu hebben gevonden. Had hij kortgeleden iets veranderd? Heeft hij telefoontjes gehad, of zijn er mensen aan de deur geweest?'
Opnieuw begon Baird al vroeg met zijn hoofd te schudden. 'Hij kwam niet veel meer onder de mensen. Ik ging nog met hem naar winkels als hij dat wilde, maar hij werd de laatste tijd erg snel moe. Hij had zijn computer, zijn films en zijn muziek. Hij speelde piano: een beetje blues en wat andere leuke riedeltjes. Ooit was hij een heel goed pianist, maar hij begon de coördinatie van zijn linkerhand kwijt te raken en dat maakte hem verdrietig. Ik heb een keer gezien dat hij daarom huilde. Hij kwam bijna niet meer buiten. Hij praatte met niemand, afgezien van de buren of op het net. Wie hij belde, weet ik natuurlijk niet, want ik was er niet altijd.'
'Verdomme,' zei ik tegen John.
'Als je nog een paar minuten tijd voor ons hebt,' zei John tegen Baird, 'zou ik graag even teruggaan in het recente verleden.'
John nam de afgelopen twee maanden met hem door. Baird herinnerde zich een bijzonderheid met betrekking tot Bobby's gedrag, een heel kleine bijzonderheid, een paar weken geleden. Ik wist dat Bobby zich altijd had ingezet voor intelligente, arme zwarte schoolkinderen, om die te interesseren voor computers. Van één geval was ik zeker; dat was de keer dat LuEllen en ik voor het eerst bij John in Longstreet waren geweest en John zijn huidige vrouw Marvel had ontmoet. Er waren meer gevallen geweest, had ik gehoord, tenminste, dat gerucht ging onder de vrienden op het net.

Het laatste geval, vertelde Baird, had plaatsgevonden toen Bobby had gehoord van een meisje in New Orleans, een razend slim hackertje dat in haar school had ingebroken om computertijd voor zichzelf te reserveren, omdat ze zelf geen computer had. Bobby had een paar keer met haar gepraat op het net, zei Baird, en had haar daarna een laptop cadeau gedaan.
Tenminste, Bobby had Baird naar de plaatselijke CompUSA gestuurd om daar met contant geld een laptop te kopen. Vervolgens had hij er wat extra software op gezet en had Baird het ding met FedEx naar het meisje gestuurd. Ook FedEx had Baird met contant geld betaald. Bobby had zich altijd achter Baird verscholen als er pakjes ergens naartoe moesten worden gestuurd, om te voorkomen dat er sporen naar hem zouden leiden.
'Toen je de laptop met FedEx verstuurde, wiens retouradres heb je toen opgegeven?' vroeg ik.
Baird bleef me even aankijken en zei toen: 'Het mijne. Die laptop was tweeduizend dollar waard en als dat ding zoekraakte... voor de verzekering, weet je wel...'
'Heb je toen niemand gezien? Is het mogelijk dat je bent gevolgd? Is er iemand met je komen praten?'
'Ik heb niemand gesproken,' zei Baird. 'Ik heb ook niemand gezien. Maar ik heb er niet echt op gelet. Denken jullie dat iemand me gevolgd is?'
'Hoe vaak ging je naar Bobby?'
'Elke dag. Ik bedoel, ik verzorgde hem. Ik deed boodschappen voor hem en maaide het gras en zo.'
We namen de daaropvolgende dagen door, dag voor dag, vanaf de dag dat hij de laptop naar het meisje had gestuurd. Baird had geen goed gevoel voor tijd, maar ik denk niet dat het langer geleden was geweest toen er nog een kleine bijzonderheid had plaatsgevonden.
'Er was een blanke jongen aan de deur die bijbels verkocht en ook geïnteresseerd bleek te zijn in oude radio's,' zei Baird. 'Ik ben al jaren bezig met het verzamelen van die dingen. Ik wilde geen bijbel, maar hij vroeg of hij de radio's mocht zien en toen heb ik hem binnengelaten. Dat was nogal ongebruikelijk.'
'Wekte hij de indruk dat hij iets van oude radio's wist? Dat hij er echt iets van wist?'
'Hij wist er wel iets van. Hoe ze werkten, maar niet wat ze waard waren. Natuurlijk varieert de waarde per stad. Ik was vorig jaar in Mem-

phis en zag daar dat ik een radio had... deze, een Stewart-Warner uit 1938...' – Hij wees een toestel aan met een gevlamde roodbruine houten kast – '... die nu zeshonderd dollar waard is. Tenminste, in Memphis. Hier kun je zo'n ding waarschijnlijk voor vijftig dollar kopen als iemand zijn garage opruimt. Maar hij wist in elk geval hoe ze werkten. We hebben een tijdje gepraat, een uur ongeveer, en toen is hij weer weggegaan.'
'Heb je hem alleen in de kamer gelaten?' vroeg ik.
'Nou...' Hij krabde aan zijn oor, trok eraan en dacht na. 'Ik ben naar buiten gegaan om de post te halen en heb even met de postbode staan praten.'
'Die gemeenschappelijke bus aan de straatkant?' vroeg John.
'Ja, die daar.' Hij keek John aan, keek daarna naar mij en na een paar seconden stilte zei hij op bedroefde toon: 'Hij heeft Bobby's naam uit mijn huis gestolen toen ik met Carl stond te praten, hè?'
'Als je een paar minuten buiten bent geweest, heeft hij de kans gehad om rond te kijken,' zei ik. 'Of misschien had je je sleutels wel op tafel laten liggen en had hij zich voorbereid, heeft hij snel een afdruk van je huissleutel gemaakt en is hij later, toen je er niet was, teruggekomen.'
'Hij stond gewoon naar de radio's te kijken toen ik weer binnenkwam,' zei Baird. Hij veegde met zijn wijsvingers zijn ooghoeken schoon. 'We hebben van een paar de achterplaat eraf gehaald, zodat hij erin kon kijken.'
'Het is moeilijk te zeggen,' zei John op vriendelijke toon. 'Misschien verkocht hij echt bijbels.'
'Wacht even,' zei Baird, en hij stond op uit zijn stoel. Tegen John zei hij: 'Hou een oogje op die blanke terwijl ik weg ben.'
Hij liep de voordeur uit en zodra hij weg was, maakte ik snel een ronde over de benedenverdieping, zoals een indringer gedaan zou hebben, met John in mijn kielzog en de zwart-witte kat die met onbezorgde blik onze bewegingen volgde. Al na tien seconden vonden we naast de keuken een achterkamertje dat als thuiskantoor was ingericht en waar een metalen archiefkast met twee laden stond. Ik trok de bovenste la open en op de eerste dossiermap die ik eruit haalde stond met zwarte viltstift BELASTING & WERK geschreven.
In de map vond ik belastingpapieren en een werkgeversverklaring. Op twee ervan stond Robert Fields vermeld als Bairds werkgever en Bobby's adres stond eronder. 'Verdomme,' zei ik.
Ik schoof de la dicht en we liepen terug naar de woonkamer. 'Misschien kunnen we het beter niet tegen hem zeggen,' zei ik.

'Of hij vermoedt het al,' zei John. 'Trouwens, dat geld dat we in Bobby's huis hebben gevonden...'
'Daar dacht ik ook net aan.'
Na een minuut kwam Baird bedroefd hoofdschuddend de woonkamer in. 'De buurvrouw was nog op. Het is te warm om te slapen. Ze zegt dat er bij haar geen bijbelverkoper aan de deur is geweest, geen blanke en geen zwarte.'
'Oké,' zei ik. 'Heb je de bon van FedEx nog, van dat pakket dat je hebt verstuurd?'
'Ja, die heb ik.' Hij liep naar zijn kantoortje, keek in een andere map en haalde de bon eruit. Het pakket was verstuurd naar ene Rachel Willowby in New Orleans.
'Hebben jullie nooit meer iets van haar gehoord? Geen bedankje gehad?'
'Nee, maar ik geloof dat Bobby en zij via internet contact hadden, in zo'n babbelbox of zoiets.'
We praatten nog even door, daarna liep ik naar de auto, pakte de zak met Bobby's geld, liep weer naar binnen en gaf de zak aan John. 'Je zult dit misschien raar vinden,' zei John tegen Baird, 'maar voorzover we weten is dit het laatste restant van Bobby's contante geld. Bobby wilde dat jij het kreeg... om de onkosten en zo te dekken.'
'O, ja?' Hij leek het niet helemaal te vertrouwen, maar erg lang duurde dat niet, want als je geld nodig hebt en iemand stopt je een heel pak in je handen, heb je de neiging niet al te argwanend te zijn. 'Hoe komen jullie eraan?'
'Bobby bewaarde sommige dingen buiten zijn huis,' zei John. 'Voor de zekerheid. Hoe dan ook, hij heeft tegen ons gezegd dat we het aan jou moesten geven en dat je ermee kunt doen wat je maar wilt.'
'Ik zou het maar ergens uit het zicht leggen,' zei ik. 'Je wilt vast niet dat de mensen van de FBI het zien.'
Hij liep de kamer weer uit en in de twintig seconden dat hij weg was, veegde ik snel mijn bierflesje en dat van John schoon aan mijn overhemd. 'Heb je verder nog iets aangeraakt?' vroeg ik zacht.
'Ik heb mijn handen de hele tijd tot vuisten gebald,' zei John. 'Maar ik denk niet dat het nodig is.'
'Ik neem liever niet het risico,' zei ik.
Toen Baird terugkwam, vroeg ik hem of hij niets tegen de FBI wilde zeggen over de bijbelverkoper en de laptop die hij naar het meisje had gestuurd. 'Het zit namelijk zo dat als wij die laptop niet eerst vin-

den, daar dingen op staan die Bobby's vrienden het leven kunnen kosten.'

'En de man die Bobby heeft vermoord?' zei Baird. 'Moet die dan niet gepakt worden?'

'Dat willen wij net zo graag als jij,' zei John. 'Op welke manier weet ik nog niet, maar er zal met hem afgerekend worden, dat beloof ik je. En als het óns niet lukt, dragen we alles over aan de FBI zodat zij het kunnen proberen.'

Ik knikte en Baird zei: 'Oké.'

De bezorging van de laptop vormde de sleutel.

Een kwartier nadat we bij Baird waren vertrokken, stond ik in een telefooncel en was on line met een vriend die gespecialiseerd was in het National Crime Information Center, een van de meer interessante takken van de FBI. Hij zocht Bairds NCIC-dossier op en zag dat Baird in 1968 was veroordeeld voor een inbraak, in 1970 voor een autodiefstal, drie maanden had gezeten en daarna nooit meer van iets verdacht was geweest. Hij zag ook dat Bairds dossier tien dagen daarvoor voor het laatst was geopend door de politie van Slidell, Louisiana. Slidell lag ergens in de buurt van New Orleans.

Vervolgens brak ik in bij de drie grote creditcardmaatschappijen en ontdekte dat het kredietregistratiebureau in New Orleans onlangs bij alle drie onderzoek naar Baird had gedaan.

'Bobby is in de val gelokt,' zei ik tegen John toen we weer op weg waren naar Longstreet. 'Ik weet niet door wie, maar het was niet de FBI. Degene die het heeft gedaan, heeft een interessante aanpak toegepast. De meeste mensen die op zoek waren naar Bobby, zouden proberen hem op het net te traceren. Maar deze knaap moest iets hebben gehoord over Bobby's schoolkinderen.'

In de afgelopen jaren, vertelde ik John, had ik op het net geruchten gehoord dat Bobby meer schoolkinderen had geholpen dan alleen het meisje van wie we wisten. Het was voorgekomen dat een of ander schoolkind in de arme binnenstad met de post een gloednieuwe computer thuisbezorgd kreeg, van een anonieme schenker en uitgerust met bepaalde programma's, of dat een kind in Tennessee ineens een laptop cadeau kreeg, of kostbare software als AutoCAD of Mathematica. Onder de mensen die de computerwereld vormden was Bobby een legende geworden, en de verhalen leken een beetje op die van het jongetje dat rondhangt op de speelplaats waar op een dag

Michael Jordan langskomt om een kwartiertje met hem te basketballen.
'Dus iemand verzint een of ander nepkind,' zei John, 'praat erover op het net, op een plek waarvan hij weet dat Bobby ervan zal horen, de computer wordt uiteindelijk bezorgd en hij volgt het spoor terug naar Baird.'
'En voordat hij naar Baird toe gaat, checkt hij zijn achtergrond bij het NCIC, de kredietregistratiekantoren en vermoedelijk op nog een paar andere manieren en ziet hij dat wie Baird ook is, hij in elk geval niet Bobby is. Want Baird heeft de achtergrond en de opleiding niet. En hij is te oud, om te beginnen. Dan spoort hij hem op de een of andere manier op. Het kan zijn dat hij een redelijk bedreven hacker is en dat hij dat met behulp van Bairds telefoonrekeningen doet.'
We dachten er allebei enige tijd over na en toen zei John: 'Als al die mensen al jarenlang op zoek waren naar Bobby, waarom heeft niemand dit dan eerder geprobeerd?'
'Omdat hier een compleet andere aanpak is toegepast,' zei ik. 'Een heel subtiele, zelfs. Hij verspreidt een gerucht, fluistert hier en daar een paar woorden over dit meisje en zorgt ervoor dat Bobby ervan hoort. Hoewel hij niet echt zeker kan weten dat Bobby ervan zal horen. Dan laat hij Bobby de research en de toenadering doen.'
'En hij is zo slim dat Bobby zijn bedrog niet doorziet?'
Ik schudde mijn hoofd. 'Weet je wat? Ik durf te wedden dat dat meisje bestaat en dat iemand op zoek is geweest naar een schoolkind om dat als lokaas te gebruiken. Dat meisje bestaat.'
'Wat gaan we nu doen?'
'We gaan naar New Orleans,' zei ik. 'We gaan met dat meisje praten, als ze bestaat.'
'En als zij weet wie...'
'Ze moet met iemand over die laptop hebben gepraat en die iemand moet het retouradres hebben gezien. Als ze bestaat, weet zíj wie de moordenaar is.'

8

Lyman Bole, de veiligheidsadviseur van de president, pleegde die avond overleg met de president en bood vervolgens zijn ontslag aan. Terwijl we door de nacht terugreden langs de rivier, luisterden we naar de nieuwszender en de algemene tendens was dat Boles openbare leven voorbij was. Iedereen kon hier zijn lesje leren: als je je in deze tijd wilde handhaven in de politiek kon je maar beter heel goed nadenken over de indiscreties die je in het verleden had begaan.
Terug in Longstreet praatten we over New Orleans. Ik zei tegen Lu-Ellen dat het niet echt nodig was dat ze mee zou gaan, maar ze stond erop. Ze verveelde zich, zei ze, en ze had toch niets om handen. Bovendien hield ze van New Orleans en misschien konden we wat tijd uittrekken om te zien of we een nieuw huis aan het meer konden vinden. Als ze niet woonde waar ze nu woonde, zei ze, zou ze het liefst in New Orleans gaan wonen.
'Waar woon je nu dan?' vroeg John.
'In het Noorden,' zei ze met een glimlach.
John vond dat hij mee moest gaan, want het meisje van de laptop was vrijwel zeker zwart, en als zwarte zou hij misschien gemakkelijker met haar kunnen praten. Marvel had daar een andere mening over.
'Ik denk dat Kidd beter met haar kan praten, als de ene computerfreak tegen de andere.'
'Ik ben geen freak,' zei ik.
'Je bent lief maar je hebt freakachtige ideeën,' zei Marvel. Ze bracht haar hand omhoog, kneep me in mijn wang en schudde die heen en weer. Daarna richtte ze zich weer tot John. 'Je weet hoe de politie daar is. Je kunt daar opgepakt worden alleen al omdat je als zwarte over straat loopt, en dat wil je niet.'
'Dat zal niet gebeuren,' zei hij, een beetje verontwaardigd. 'Ik ben het zat om nooit ergens naartoe te gaan. Als we allebei gaan, kan ik als zwart tot zwart en Kidd als freak tot freak met haar praten.'
'Zwart tot zwart, freak tot freak,' zei LuEllen. 'Dat klinkt als een songtekst.'
Ze begonnen alle drie te lachen en ik zei: 'Ik begin een beetje genoeg te krijgen van die freak-onzin.'

We praatten nog wat en besloten de volgende dag naar New Orleans te rijden, om daar in elk geval rond te kijken. Voordat we met zijn drieën terugreden naar ons motel, ging LuEllen naar de wc en ging John de kinderen een nachtkus geven. Die sliepen al uren, maar Marvel geloofde dat ze in hun onderbewustzijn zouden weten wanneer hun vader hen had ingestopt. Marvel nam me apart in de keuken.
'Ik heb dit nog nooit aan iemand verteld, Kidd,' zei ze, 'maar toen John jong was, is hij een keer ernstig in de problemen geraakt. Als ze hem toen hadden gepakt, zou hij naar de gevangenis zijn gegaan en daar nog steeds zitten. Ze hebben hem niet gepakt, maar de FBI heeft wel zijn vingerafdrukken en zijn echte naam. Als ze hem pakken en ze nemen zijn vingerafdrukken...'
'Oké,' zei ik.
'Pas goed op hem,' zei ze op heel serieuze toon. 'Ik reken op je.'

De volgende ochtend om acht uur reden we Longstreet uit, geeuwend en nog half slapend, en halverwege de benauwde middag, met donkere regenwolken die vanuit het westen naderden, waren we in New Orleans. Onderweg had de autothermometer 25 graden aangegeven, maar toen we langs de snelweg stopten bij een supermarkt voor water en blikjes cola, leek het wel vijftig. De buitenlucht bewoog helemaal niet en de luchtvochtigheid was praktisch honderd procent.
Op de tv achter de toonbank van de supermarkt zag ik een fragment van Fox News, dat een foto toonde van een man in een woestijnuniform en met een Amerikaanse helm op, die een pistool richtte op het hoofd van een Arabische man in een oosters gewaad. De Arabier had een geschokte uitdrukking op zijn gezicht, alsof er op dat moment geschoten werd. Het beeld deed denken aan de beroemde foto uit de jaren zestig, waarop een Vietnamese soldaat werd geëxecuteerd. Het geluid stond niet aan, dus wist ik niet waar het precies over ging.
Er stond een magere blanke jongen bij de toonbank, vermoedelijk een skater, want zelfs met deze hitte had hij een zwarte wollen muts ver over zijn hoofd getrokken. 'Wat is er aan de hand?' vroeg ik aan de jongen.
'Hij schiet die maat in zijn kop, man,' zei hij. 'Wapens zijn *bad*, man.'
Ik liep weg terwijl ik me afvroeg of dat goed of slecht betekende. Ik word oud, denk ik.

We besloten ons kamp op te slaan – een schuilplek voor als we die nodig hadden – in het Baton Noir in Metairie, een aangenaam hotel met een goed restaurant en een vriendelijke houding tegenover zowel zwart als blank. Ik had er ooit een paar maanden gelogeerd voordat ik mijn vakantiehuis in New Orleans kocht, en later nog een paar weken toen ik het weer verkocht.
Nadat we hadden ingecheckt, startte ik een plattegrondenprogramma op mijn laptop en zocht het adres van het meisje op. Terwijl ik dat deed, zette LuEllen de tv aan en kort daarna, toen ik opschreef hoe we bij het huis van het meisje moesten komen, zei ze: 'Hé! Hé! Kom kijken! Moet je dit zien!'
Ze keek naar hetzelfde nieuwsitem dat ik in de supermarkt had gezien. De presentatrice zei: '... ontkent dat een dergelijke executie heeft plaatsgevonden en dat de foto mogelijk een trucage is. Iemand die zich Bobby noemt, beweert dat de militair op de foto kapitein Delton Polysemy is, van de Special Forces van het Amerikaanse leger, die op dat moment in Jemen gestationeerd waren. Fox News is verteld dat er inderdaad een kapitein Polysemy bestaat, maar dat zijn huidige opdracht en verblijfplaats onbekend zijn. Persvoorlichter van het Witte Huis Anton Lazar verklaarde dat de president de foto niet eerder heeft gezien en dat verder commentaar afkomstig dient te zijn van het ministerie van Defensie. Lazar zei ook dat de Amerikaanse overheid dit soort executies niet steunt, maar herhaalde dat er geen bewijzen zijn dat de executie ook werkelijk heeft plaatsgevonden en dat de kans bestaat dat de foto een trucage is...'

'O, man,' zei John. 'Nu krijgt hij de hele FBI achter zich aan.'
'Maar ze weten niet dat hij Bobby niet is,' zei LuEllen.
'Misschien moeten we ze dat vertellen,' zei ik. 'Ze hebben bepaalde ideeën over Bobby en over de mensen die hem kenden. Als dit zo doorgaat, gaan ze misschien deuren intrappen onder het mom van nationale veiligheid. Dan kunnen onze jongens het slachtoffer worden.'
'Misschien jij wel,' zei LuEllen, en ze keek me aan.
'Ik zit wel goed, denk ik,' maar ik maakte me meer zorgen dan ik liet blijken. Ik was al lange tijd actief in de kring en er waren tientallen mensen die meenden te weten hoe ik mijn tijd doorbracht wanneer ik niet aan het schilderen was. 'We moeten echt met die Rachel Willowby gaan praten.'
'Wacht, wacht, wacht,' zei LuEllen. 'Je zei dat we ze moesten vertellen

dat Bobby dood was. Daar moeten we over nadenken. Misschien is dat een goed idee. Als ze geloven dat hij dood is, gaan ze ergens anders zoeken. Probleem opgelost. Tenminste, voor een deel.'
'Misschien heb je gelijk,' zei ik. 'Maar we hoeven dat niet nu meteen te doen. Laten we er eerst over nadenken.'

Als je in Louisiana de hoofdwegen verlaat en het moerasgebied in rijdt, tref je daar de grootste armoede van heel de Verenigde Staten, erger nog dan de indianenreservaten in South Dakota, en dat wil wat zeggen. Rachel Willowby's adres bleek een betonnen woonkazerne met hardgroene buitenmuren, waar het stucwerk van afbrokkelde en ongezond ogende doornstruiken voor de ramen van de benedenverdieping, die dienden als afschrikmiddel voor eventuele inbrekers. De buurt werd gekenmerkt door opritten vol olievlekken, gammele garages vol afgedankte rommel en logo's van straatbendes op de muren van huizen en winkels. Zwarte jongens volgden ons met kille, taxerende blik vanuit hun auto's toen we voorbijreden. Ze dachten dat we van de politie waren. 'Geen auto,' zei John toen we het huis van Willowby passeerden. 'Misschien werken haar ouders.'
'Als ze ouders heeft,' zei LuEllen vanaf de achterbank. 'Het appartement ziet er verlaten uit. En als ze haar laptop van Bobby moest krijgen, moeten ze wel heel arm zijn, want je kunt voor heel weinig geld een gebruikte kopen.'
'Als een laptop een prioriteit was,' zei John. 'Misschien dachten haar ouders daar anders over.'
'We dwalen af,' zei ik. 'Wat doen we nu?'
'We gaan naar binnen,' zei John, 'dát gaan we doen. Nu meteen. Dat is onze beste kans. We weten dat ze naar school gaat, maar ze zal inmiddels wel thuis zijn, en er staat geen auto voor de deur.'
'Met zijn drieën?' vroeg ik.
'De beste combinatie zou LuEllen en ik zijn,' zei John, 'want ik ben zwart en kan voor smeris doorgaan en LuEllen zou een maatschappelijk werkster kunnen zijn. Maar jij bent de computerfreak, dus je moet ook mee.'
'Geweldig,' mopperde ik. 'Als het kon zou ik hier mijn beroep van maken.' Ik keerde de auto en passeerde een jongen in een gestreept shirt, een gestreepte broek en met een fietshelm op zijn hoofd, die zijn middelvinger naar ons opstak en begon te lachen.
'Die jongen zit me dwars,' zei LuEllen terwijl ze omkeek. 'Waarom

heeft hij in deze hitte een fietshelm op zijn hoofd? En waarom heeft hij geen fiets?'

Met ons drieën liepen we naar het appartement van de Willowby's, dicht bijeen, transpirerend en gespannen, en in kleren die er in deze buurt te duur uitzagen. We klopten op de deur en kregen geen reactie. We bleven voor de deur staan, luisterden of we binnen iets hoorden en toen vroeg LuEllen: 'En nu?'
'We proberen het later nog eens,' zei ik, en ik deed een stap achteruit. Met tegenzin draaiden we ons om en wilden net teruglopen naar de auto, toen de deur van het appartement ernaast openging en een vrouw naar buiten kwam die haar stoepje begon te vegen. Ze keek ons quasiverbaasd aan en vroeg: 'Zoeken jullie iemand?' Ze kwam niet echt haar stoepje vegen; de bezem was gewoon een excuus om te zien wat we kwamen doen.
John liep naar haar toe en probeerde er zo officieel mogelijk uit te zien. Hij had een nette broek en een geel shirt met korte mouwen aan, zodat het erop leek dat hij zijn jasje vanwege de hitte had uitgetrokken. 'We zijn op zoek naar Rachel Willowby,' zei hij.
'Zit ze weer in de problemen?' Ze hield haar hoofd schuin, van ons weg gebogen.
'Nee, niet echt. Maar we willen graag even met haar praten. Hebt u haar gezien?'
'Ze speelt weer verstoppertje, denk ik,' speculeerde de vrouw. Haar blik ging naar mij, daarna naar LuEllen en ten slotte weer naar John. 'Dus jullie zijn nu met zijn drieën, hè?'
'Het spijt me, mevrouw,' zei John, 'maar we mogen niet zeggen waar het over gaat. Weet u misschien waar ze kan zijn?'
Ze zweeg enige tijd, maar John bleef haar met ernstige, officiële blik aankijken. 'Ze is thuis. Waarschijnlijk heeft ze zich onder het bed verstopt.'
'Waar is haar moeder?'
'Die is vertrokken, twee maanden geleden. Ik zou dat niet tegen jullie mogen zeggen, maar ik vraag me af of ze wel goed eet en hoeveel langer ze hier nog mag blijven. Het is een huurhuis. Ze sluipt nu stiekem naar binnen.'
'Dank u wel.' John liep terug naar de deur, klopte erop en voelde aan de deurknop. De deur zat op slot maar zat zo los in de sponningen, dat hij opensprong toen John zijn voet ertegenaan zette. 'Rachel?' riep hij.

'We weten dat je thuis bent.' En na een korte stilte: 'Ah, daar ben je.' Hij liep naar binnen, verdween uit beeld, verscheen weer in de deuropening en zei tegen de vrouw: 'Bedankt.'
'Kom verder,' zei hij tegen ons.

We gingen naar binnen en troffen daar een mager meisje aan in een korte broek en een topje. Ze had een grote, weinig modieuze bril met een plastic montuur op en een onmiskenbaar ongelukkige uitdrukking op haar gezicht. Er brandde geen licht in het huis en de meeste gordijnen en jaloezieën waren dicht, zodat ze in het halfduister had zitten werken. Het rook er naar uien en zweet. Ik zag maar één meubelstuk in de voorste twee kamers, en dat was een keukentafel. Op de tafel stond de laptop, met een kabel die naar de telefoonaansluiting leidde. Op het scherm waren drie geopende vensters te zien en in de rechteronderhoek knipperde een teller. 'Er komt een dag dat ze die nieuwsgierige oude heks haar neus afsnijden,' zei ze.
John schudde zijn hoofd en zei: 'We moeten met je praten.'
'Ik ben ziek.' Ze plooide haar gezicht in een ziekelijke uitdrukking. 'Echt waar.'
Typisch een hacker, dacht ik. 'We zijn niet van school,' zei ik, 'en ook niet van de politie. Ik ben ook hacker en wil alleen maar weten waarom Bobby van het net is verdwenen en wat jij daarmee te maken kan hebben.'
Dat wekte haar belangstelling. Ze keek me recht aan en scheen de andere twee vergeten te zijn. 'Waar is hij dan naartoe?'
'Dat weten we niet,' loog ik. 'Wij zijn leden van de groep die hem ondersteunde. Hij is niet meer thuis, en iets wat jij hebt gedaan, heeft die problemen veroorzaakt.'
'Ik heb niks gedaan,' zei ze op schrille toon. Haar ogen waren groot en ze ging beschermend voor haar laptop staan. 'Ik kende hem amper.'
'Hij heeft jou die laptop gestuurd,' zei ik. 'Jij bent de enige die iets over hem gezegd kan hebben.'
'Ik heb niks gezegd.'
'Je hébt iets gedaan, misschien zonder het te weten.' Ik boog me naar de laptop en keek op het scherm. 'Wat ben je met die woordenlijsten aan het doen? Probeer je ergens in te breken?'
Ze verstrakte en hield haar hand voor het scherm. 'Ik heb helemaal niks gezegd, tegen niemand!'
Ze was luidruchtig en defensief, maar ook nog heel klein, dus boog ik

me dreigend over haar heen. 'Dan is hier iemand geweest die hier een adres heeft gevonden. Het adres dat op het pakket van FedEx stond. Wie was dat?'
Ze liet haar tong over haar onderlip gaan en keek naar LuEllen en John, maar het enige wat ze zag was nóg meer volwassenen, die allemaal tegen haar waren. Dus zei ze het gewoon. 'O, dat was Jimmy James Carp. Hij zei dat hij ervoor zou zorgen dat ik een laptop van Bobby zou krijgen en dat heeft hij gedaan.'
'Waar woont hij?'
Ze haalde haar schouders op en leek zich iets te ontspannen, voelde blijkbaar dat zij niet de enige schuldige was. 'Dat weet ik niet. Hij was leraar op Adams en is later naar Washington D.C. verhuisd, en ik zag hem alleen wanneer hij hier zijn moeder kwam opzoeken, tenminste, dat zei hij. Ik moest hem bellen als de computer was bezorgd. Dat heb ik gedaan en toen is hij hiernaartoe gekomen.'
'Is hij meteen gekomen?'
'Nee, de volgende dag.'
'Is hij zwart of blank?' vroeg John.
'Blank. Heel blank.'
'Heb je zijn telefoonnummer?'
'Het staat in mijn laptop. Gaan jullie Jimmy James kwaad doen?'
'We willen alleen met hem praten. We proberen Bobby te vinden.'
Ze draaide zich om naar de laptop en haar vingers dansten over de toetsen. Ze was een echte hacker, dat was duidelijk; dat kon je altijd zien aan de handen. Hackers waren zo één met hun computer, dat ze die als het ware dwóngen tot actie. Hun gedachten verschenen als bij toverslag op het scherm en hun vingers bewogen automatisch en zo snel over het toetsenbord, dat het leek alsof je keek naar een spin die zijn web aan het maken was. Binnen twee seconden had ze haar internetverbinding en het gebruikte programma afgesloten, zodat wij die niet zouden zien, het adresboek van Windows' bureauaccessoires geopend en Carps telefoonnummer gevonden.
Toen ze het aan me liet zien, zei ik: 'Als je die Carp opbelt en zegt dat wij naar hem op zoek zijn, dan zal hij zich ergens verschuilen en komen wij niet te weten wat er met Bobby is gebeurd. De enige reden dat hij jou een computer had beloofd, was dat hij op die manier Bobby kon vinden. Carp was geen vriend van je, ook al deed hij misschien alsof.'
'Dat weet ik,' zei ze op chagrijnige toon. Ze drukte een toets van de laptop in en het adres verdween van het scherm. Ze keek me aan en

haar gezicht was mager en hongerig. 'Carp is een engerd. Ik vroeg me al af waarom hij me hielp. Toen hij op Adams lesgaf, kende hij me niet eens en toen ik hem tegenkwam, was het ineens: "Hé, Rachel, hoe gaat het met je?" Ik dacht eerst dat hij met me naar bed wilde of zoiets, maar toen begon hij over computers.'
'Is Carp een hacker?'
'Hij weet er wel iets van,' gaf ze toe.
'Jimmy James is een rare naam,' zei LuEllen. 'Is dat zijn echte naam?'
'Iedereen noemde hem zo,' zei Rachel, 'dus ik denk het wel.'

'Weet je wat?' zei ik tegen Rachel. 'Als je Carp niet belt om te zeggen dat we eraan komen, krijg je van mij drie telefoonnummers.'
'Wat voor nummers?' Maar ze was geïnteresseerd. Goede telefoonnummers zijn voor hackers wat diamantjes zijn voor ieder ander.
'Dat zeg ik niet. En je krijgt ze pas nadat we met Carp hebben gesproken. Maar als jij goed bent op die laptop, ben je er lang naar op zoek geweest.'
Ze dacht een ogenblik na en vroeg toen: 'Wat weet je van de Wal-Mart?'
'Wat heb je nodig?'
'Ik wil toegang tot hun computersysteem. Gewoon, om te kijken hoe het werkt.'
'Hoever ben je?'
'Ik kom niet verder dan de voordeur.'
Waarschijnlijk had ze een vriend die ergens bij een Wal-Mart werkte, vermoedde ik. 'Een van de manieren waarop hackers worden gepakt, is wanneer ze inbreken in een computersysteem om spullen te laten bezorgen bij mensen die daar niet voor betalen. Hun inventarissen zijn vrij goed beschermd tegen beginners.'
'Ik wilde alleen het systeem bekijken,' zei ze schijnheilig.
'Ik weet niet veel van de Wal-Mart, maar ik denk dat ik wel een manier weet om daarbinnen te komen.'
'Hoe dan?'
'Als ik het je vertel, ben je verder aan jezelf overgeleverd,' zei ik. 'En je moet beloven dat je Carp niet belt.'
'Vertel op,' zei ze. 'En ik wil die drie telefoonnummers ook.'
'Pas als ik weet dat je ons geen kwaad kunt doen. Heb je een chatnaam?'
'Ja. Je kunt me daar altijd vinden.' Ik kreeg haar naam bij AIM en beloofde dat ik contact met haar zou opnemen.

'Vertel me dan alleen hoe ik in de Wal-Mart kan komen.'
Ik vertelde het haar. John keek toe terwijl ik dat deed en toen ik klaar was, vroeg hij: 'Waar is je moeder?'
'Ze is ervandoor met Leon, haar vriendje. Ze heeft tegen me gezegd dat ik naar mijn tante moest gaan, maar mijn tante zei dat ze nergens van wist, dus ben ik weer teruggekomen en zit ik al die tijd te wachten tot ze weer thuiskomt.'
'Weet je niet waar je moeder naartoe is?'
'Ze zei dat ze naar Hollywood ging, om daar te dansen, maar ze droomt. Ze gaat daar gewoon de hoer uithangen, net zoals ze hier heeft gedaan. Niemand gaat haar betalen om te dansen, ook Leon niet.'
'De mevrouw van hiernaast zei dat ze het appartement aan iemand anders gaan verhuren,' zei John.
'Ik merk het wel als het zover is,' zei Rachel, maar ze klonk bezorgd.
John schudde zijn hoofd, keek het meisje aan, keek toen naar mij en zei: 'Shit.'

Terug in de auto, met alle raampjes open en de ventilator op volle kracht, zei John: 'Dit kan niet. Ik moet iets voor dat meisje doen.'
'Zoals?'
'Haar mee naar huis nemen. Ik kan mijn telefoonnummer bij haar tante achterlaten, voor als haar moeder terugkomt.'
'Ik denk niet dat haar moeder terugkomt,' zei LuEllen tegen hem. 'Maar haar mee naar huis nemen... John, daar moet je eerst met Marvel over praten.'
John liep ten slotte terug naar het huis, duwde de deur open, ging naar binnen en gaf Rachel het geld dat hij in zijn zak had.
'Heeft ze in elk geval iets te eten,' zei John op sombere toon toen hij weer was ingestapt. 'Ik had maar honderd dollar bij me. Hoe kan iemand zo'n meisje verdomme aan haar lot overlaten?'
'Ze is waarschijnlijk al onderweg naar CompUSA,' zei ik. 'Extra geheugen is beter dan eten, als je hacker bent.'
Voordat we de hoek om reden, keken we alle drie achterom, want zoals de zaken er nu voor stonden, kon er weinig goeds van dat meisje terechtkomen.

Nu we Carps naam en telefoonnummer hadden, stelde ik John voor dat we in de plaatselijke analoge database zouden duiken om te zien of we er een adres bij konden vinden.

'Wat voor database?' vroeg John. Hij had het warm, voelde zich ongelukkig en bette zijn voorhoofd met een stuk keukenpapier dat hij uit de keuken van Rachels huis had meegenomen.
'Dat is een oeroud computerfreakgrapje,' zei LuEllen verveeld. 'Hij bedoelt het telefoonboek.'
'Krijg de pest met je analoge database,' zei John tegen mij, en hij keek naar buiten. 'Hoe kan het hier zo allejezus heet zijn? Ik dacht dat het in Longstreet heet was.'
'Het is niet alleen de warmte,' begon ik op serieuze toon.
'Hou je kop,' zei LuEllen.
Het duurde een tijdje voordat we een telefoonboek vonden, maar uiteindelijk hadden we succes in een winkelcentrum. LuEllen liep door om drie kaneelbroodjes te gaan kopen en ik vond één Carp in de telefoongids, ene Melissa Carp in Slidell, dat aan de andere oever van Lake Pontchartrain lag. Het telefoonnummer klopte.
'We hebben hem,' zei John. 'Laten we er meteen heen rijden.' Onderweg, terwijl hij weer naar buiten zat te kijken, mompelde hij: 'Verdomme, dat arme kind.'

We reden naar Slidell over de I-10, niet een van de meest attractieve routes van de Verenigde Staten. Carps huis was een trailer in een buurt vol trailers aan de oostkant van de stad, of net erbuiten. Vanaf de weg was alleen een bijna twee meter hoge betonnen muur te zien, met daarbovenuit de daken van de trailers en wilgen die met Spaans mos waren bedekt.
'Buurten als deze kunnen een probleem zijn,' zei LuEllen toen we erlangs reden. 'Ik ken mensen die in dit soort buurten wonen. Alles staat dicht op elkaar, straten zijn hier lanen, je kunt niet snel in en uit rijden en iedereen ziet je komen en gaan.'
'Bemoedigend,' zei John.
'En de bewoners zijn van een apart slag,' zei LuEllen. 'Tenminste, dat was zo in de parken waar ik ben geweest. Als dit een blank park is, zul je op zijn minst opvallen, John.'
'Nog beter.'

Ten slotte reden we kort na zonsondergang het park binnen en gingen op zoek naar het juiste adres. Alle straten waren naar bomen genoemd: kersen, kastanje, olijf en perzik. Zoals LuEllen had voorspeld, ging het om kleine percelen grond die schots en scheef naast elkaar lagen en waarvan sommige keurig onderhouden en andere dat niet waren. We passeerden een stel dat in een kleine voortuin aan het barbecuen was en daarna een dubbel perceel met een zwembad naast het huis. Verder zagen we hier en daar een paar jonge kinderen, en een wat grotere jongen die aan het skeeleren was, met zijn handen op zijn rug en oortelefoons in om hem af te zonderen van de rest van de wereld. Voor het overige waren de straten vooral verlaten, waarschijnlijk omdat het nog steeds zo warm was.

Maar de straatnamen waren in elk geval aangegeven en we vonden Quince Street aan de uiterste rand van het park, in een bocht die vlak achter de betonnen muur langs liep. De trailer was ooit mosgroen geweest maar de kleur was door de zon verbleekt, met een wit dak, ramen met dichtgetrokken gordijnen en een gammele garage aan het uiteinde. In de garage stond een stoffige rode Toyota Corolla. Aan de achterkant scheen licht door het raam maar aan de voorkant was alles donker.

'Wat doen we nu?' vroeg LuEllen.

'We rijden nog een keer rond om te zien hoe de straten op elkaar aansluiten, dan rij jij door en gaan John en ik op de deur kloppen. We kunnen wel voor politiemensen doorgaan.'

'Ik vraag me af wie Melissa Carp is. Zijn moeder? Zijn vrouw? Zijn exvrouw? Zijn zus?'

We reden nog een rondje om ons te oriënteren en daarna zette LuEllen ons ongeveer dertig meter voorbij Carps trailer af. In het merendeel van de trailers brandde licht of was het blauwwitte geflikker van tv's te zien. Ergens verderop draaide iemand *Strange Brew*, een oude hit van de Cream, maar verder hoorden we vooral het gezoem van airconditioners.

'Als ik politieman was en hier iemand moest arresteren, zou ik in mijn broek schijten,' mompelde John toen we naar Carps voordeur liepen.

Ik klopte op de deur, die rammelde in zijn sponningen, en we voelden dat er binnen iets veranderde, alsof iets wat nauwelijks hoorbaar was geweest, nu helemaal was gestopt. Misschien, dacht ik, alsof iemand was opgehouden met typen.

We hoorden voetstappen. Er werd een gordijntje opzij geschoven. Degene die naar buiten keek – het was binnen donker dus we konden geen gezicht zien – zou alleen John zien, want ik had een stap opzij gedaan en stond naast de deur. Na nog een paar voetstappen en wat gerammel aan de binnenkant van de deur ging die open en keek er een man naar buiten.

Hij was jonger dan John en ik, vermoedelijk achter in de twintig of begin dertig, met een pafferig hoofd in de vorm van een football, een lange, vlezige neus en sluik bruin haar. Hij had zich niet geschoren en op zijn wangen en rondom zijn dikke lippen was een vlekkerige stoppelbaard zichtbaar. Hij had kleine ogen die knipperden toen hij ons aankeek en vroeg: 'Wie zijn jullie?'
'Ben jij James Carp?' vroeg John.
Er kwam een rimpel in zijn voorhoofd. 'Eh... dat is mijn broer.'
'Is hij thuis?' vroeg John.
Hij stond op het punt om tegen ons te liegen. Ik zag het aan zijn gezicht. 'Hij is eh... Hij is achter.'
'We willen hem graag even spreken,' zei John terwijl hij zijn bovenlichaam in de deuropening wrong. 'Het is nogal belangrijk.'
'Ik eh... Ik zal hem gaan halen,' zei de man.
Hij keek ons nog een laatste keer aan, wilde de deur dichtduwen en toen zei John: 'Jij bent het, hè, Jimmy James?'

Carp rende de trailer in en John en ik gingen hem achterna. We botsten tegen elkaar aan toen we ons door de deuropening wilden wringen en eenmaal binnen, in het donker, rende ik tegen de hoek van een klaptafeltje aan en ging bijna tegen de grond. Dat redde me waarschijnlijk het leven, want op het moment dat ik opzij viel, loste Carp snel achter elkaar drie schoten op ons.
Ik liet me vallen, hoorde de schoten en zag de lichtflitsen uit de loop. En ik hoorde John tegen de deur vallen en dacht: hij is geraakt. Dus kroop ik zijn kant op en liet me als een slang door de deur naar buiten glijden.
Er bestond een kans dat Carp ons achterna zou komen, dus trok ik snel de deur dicht en zocht naar een plek waar we ons konden verstoppen. John zat op zijn knieën en probeerde overeind te komen op het moment dat ik me naar buiten liet rollen. Hij keek langs de trailer, riep: 'Hé!' en ik keek ook die kant op.
Er was blijkbaar een achterdeur, uit het zicht, of hij was door een raam ontsnapt, want daar liep Carp met de laptop onder zijn arm en het netsnoer eraan. Hij stapte in de Corolla maar toen ik overeind kwam, richtte hij het pistool op ons dus doken we weer weg, tegen de trailer aan. Hij startte de auto met zijn linkerhand, reed de straat op en even later was hij in de schemer verdwenen.

John keek me aan. 'Alles oké?'
'Ja, en jij? Ben je geraakt?'
'Nee, nee.'
LuEllen stopte voor de deur. We stapten in en ze reed weg, de eerste honderd meter flink hard, maar toen minderde ze vaart. 'Was dat een pistool?' vroeg ze.
'Ja, dat was een pistool,' zei ik, en ik had het gevoel dat ik elk moment kon gaan beven. 'Dat was Carp. Hij rijdt ergens voor ons, in die Corolla.'
'De knallen klonken niet hard,' zei ze. 'Misschien was het een .22.'
'Ook met een .22 kunnen ze je kop van je romp schieten,' zei John, en na een korte stilte: 'Nou, misschien niet je hele kop.'
Twee minuten later waren we het park uit en reden we terug naar de I-10. We naderden een benzinestation en een bord gaf aan dat er een telefoon was. 'Stop daar,' zei ik. Het was nog maar drie of vier minuten geleden sinds we de trailer uit waren gerend.
Ik belde 911 en toen ik de alarmdienst aan de lijn kreeg, riep ik: 'Er is een schietpartij geweest op Quince Street 300 in het Langtry-trailerpark. Er is iemand neergeschoten. Hij is ernstig gewond. Ik moet gaan, ik moet gaan.'
De vrouw aan de andere kant van de lijn riep: 'Wacht! Wacht!', maar ik hing op.
In de meeste 911-alarmcentrales kunnen ze zien waar je vandaan belt. We maakten ons zo snel mogelijk uit de voeten en voegden ons even later in het drukke verkeer op de I-10.
'Wie heb je gebeld?' vroeg John.
'911. Ik hoop dat ze een paar politiewagens sturen.' Op dat moment hoorden we de eerste sirene en hielden we allemaal onze mond dicht toen vanuit de tegenovergestelde richting een patrouillewagen ons met hoge snelheid voorbijreed. 'Ik hoop dat we Carp op die manier op de vlucht kunnen houden. Ik hoop dat hij denkt dat hij een smeris heeft neergeschoten.'
'Ik hoop dat niemand daar onze nummerplaten heeft gezien,' zei LuEllen.
'Ik heb niemand gezien die dichtbij genoeg of nieuwsgierig genoeg was om ernaar te kijken,' zei ik.
'Ik dacht dat die klootzak je had geraakt, Kidd,' zei John. 'Je ging als een baksteen tegen de grond.'
'Geen schade,' zei ik.

'Ik haat verrassingen,' zei LuEllen. En dat was waar, want als ze aan het werk was, werd alles eerst tot in de puntjes gepland. Onze voorbereiding op de ontmoeting met Carp was verre van grondig geweest.
'We zijn de laptop kwijt,' zei John. 'Maar we hebben in elk geval twee antwoorden: Carp heeft het gedaan en hij heeft de laptop.'
We hoorden weer een sirene en een tweede patrouillewagen kwam ons voorbijvliegen.
'Rij door, Jimmy James,' zei ik. 'De bloedhonden zijn je op het spoor.'

9

Na het fiasco met Carp trokken we ons terug in het motel om na te denken. Als dit een misdaadroman was geweest, waren we over de stille wegen gaan rijden om Carp te zoeken en hadden we hem misschien zelfs gevonden. Maar dit was geen roman. Bovendien waren we niet van de politie en kenden we de stad niet, dus beschikten we niet over de middelen om hem op te sporen. Trouwens, al hadden we hem gevonden, dan had hij een pistool en wij niet. Noch wisten we een manier om snel aan een wapen te komen, als we dat gewild zouden hebben.

'Als we hem de volgende keer vinden, moeten we hem verrassen, ontwapenen en de laptop afnemen,' zei John. 'Als we hadden geweten hoe hij eruitzag, hadden we hem naar buiten kunnen trekken voordat hij zijn pistool kon pakken.'

'We hadden onderzoek naar hem moeten doen voordat we bij hem op bezoek gingen,' zei LuEllen. 'Dan zouden we zeker een foto van hem hebben gevonden.'

'Ja, we hebben het zelf verknald,' zei John, en tegen mij: 'Wat wil je nu doen?'

'Het net op gaan en doen wat we eerder hadden moeten doen,' zei ik. 'Onderzoek naar hem doen.'

'Toen hij op jullie schoot, kon ik de schoten maar net horen,' zei LuEllen. 'Hij was in de trailer. Er was niemand in de buurt en aangezien iedereen zijn airconditioning aan heeft staan, is het heel goed mogelijk dat niemand de schoten heeft gehoord. Als niemand de politie heeft gebeld en heeft gezegd dat het om Carps huis ging, kunnen we daar misschien nog een keer naar binnen gaan.'

'Als het echt niet anders kan,' zei ik.

'Misschien kunnen we er dingen vinden die ons vertellen waar hij naartoe is... tenminste, als de sirenes Carp hebben weggejaagd en niemand de schoten heeft gehoord.'

Ik keek John aan en hij knikte.

'En nog iets,' zei LuEllen. 'Ik vind het niet leuk om er weer over te beginnen, maar ik zie niet in wat het voor kwaad kan als we iemand ver-

tellen dat Bobby dood is. Als we dat niet doen, gaan ze misschien op zoek naar mensen van wie ze vermoeden dat ze Bobby kenden. In de hoop dat die iets weten. We kunnen onmogelijk inschatten hoe ver ze daarin zullen gaan. Het punt is dat Carp het nu op politici heeft gemunt. We weten allemaal dat ze dat niet leuk vinden.'
John haalde zijn schouders op. 'Ik zie geen onoverkomelijke problemen als we het aan iemand vertellen. De vraag is alleen: aan wie?'
'Misschien weet ik iemand.' Ik keek LuEllen aan. 'Rosalind Welsh.'
LuEllen dacht daar even over na en knikte toen. 'Ja, dat zou kunnen.'
'Wie is Rosalind Welsh?' vroeg John.
We hadden Welsh maar één keer eerder ontmoet, vertelde ik hem. Het akkefietje had ertoe geleid dat een auto compleet uitbrandde in de parkeergarage van een winkelcentrum in Maryland, LuEllen en ik een busje stalen van een huisvrouw en er zwarte helikopters... nou ja, of heel donkergroene...
'Ze waren gewoon groen,' zei LuEllen.
... groene helikopters op het parkeerterrein landden, de mensen als mieren en met hun armen zwaaiend uiteenstoven en er van alle kanten brandweerwagens kwamen aanrijden.
'Ze werkt bij de Binnenlandse Veiligheidsdienst,' zei LuEllen tegen John. 'Ze is expert op het gebied van beveiliging, niet van computers. Ze is vijftien pond te zwaar en ze denkt dat Kidd Bill Clinton is.'
'Hm,' zei John. 'Klinkt perfect.'
We besloten haar die dag nog te bellen. Ik had al haar telefoonnummers, tenzij ze was verhuisd of was overleden, en ik wist zeker dat ze het leuk zou vinden om weer eens van me te horen. Maar eerst moesten we een Radio Shack zien te vinden.
Als er geen Radio Shacks hadden bestaan, zou ik waarschijnlijk schaapherder zijn geworden in plaats van de geharde crimineel en kunstschilder die ik nu was. Maar Radio Shack bestaat wel, en na het ontmoedigende gesprek met John en LuEllen keek ik op mijn horloge en zag ik dat we nog een minuut of twintig hadden om er een te vinden.
Gelukkig zijn er in de omgeving van New Orleans net zoveel Radio Shacks als blueszangers, dus rende ik vijf minuten voor sluitingstijd mijn favoriete winkel binnen en zocht razendsnel bij elkaar wat ik nodig had – een contra-aansluiting type N die ik op mijn moederbord kon schroeven, een rolletje twaalfaderig koperdraad, soldeer, een krulsnoer met een type N-stekker aan de ene kant, een goedkoop

draadtangetje, een meetlint en een soldeerbout – en liep ermee naar de toonbank.
De verkoper bekeek mijn aankopen en herkende me als een kenner. Hij sloeg de bedragen aan en vroeg op opgewekte toon: 'Ga je *war-driven*?'
'Hè?' zei ik terwijl ik hem betaalde.
'Ah, je begrijpt me wel,' zei hij. Hij was heel lang en heel mager en had zich die ochtend in ongeveer twaalf seconden aangekleed om naar zijn werk te gaan. Of nog sneller. 'Heb je geen Lucent Goldcard nodig?'
'Wat kost dat?' vroeg ik.
'Ongeveer negentig dollar,' zei hij.
Ik haalde twee biljetten van vijftig uit mijn portefeuille en wachtte. Hij verdween even naar achteren en kwam terug met een Lucent-kaart in zo'n afsluitbaar plastic zakje, dat meestal wordt gebruikt om marihuana of cocaïne in te verpakken... of misschien verpakken ze er tegenwoordig ook wel snoepgoed en pinda's in; dat weet ik niet. Hij gaf me de kaart, ik gaf hem het geld en zei: 'Hou de rest maar', en hij stak het in de borstzak van zijn overhemd.
'Als je negen blokken doorrijdt, zie je daar een avondwinkel die Dinty Moore-hachee verkoopt,' zei hij voor de tien dollar extra. 'Ik kan je het blikje aanbevelen. Als golfgeleider is het vrijwel perfect. En het gebied rond Tulane staat heel goed bekend als wi-fi-gebied.'
'Je bent een heer,' zei ik. 'Een prettige dag nog.'
Had ik u verteld over de goede service van Radio Shack?

Ik stopte bij de avondwinkel, kocht een blikje Dinty Moore en een blikopener, reed terug naar het motel en maakte daar de antenne. Het doorspoelen van de koude hachee in de wc was het moeilijkste onderdeel, want het wilde gewoon niet verdwijnen. John stond erbij en keek grijnzend in de pot. Hij drukte op de knop zodra het waterreservoir zich weer gevuld had en zei: 'Man, dat ziet er écht smerig uit. Alsof iemand heel erg ziek is geweest.' De volgende ochtend zou er nog steeds een feloranje rand in de pot staan.
Nadat ik het blikje had schoongemaakt, ging ik het net op, zocht een website over antennes, deed wat rekenwerk met mijn calculator en soldeerde vervolgens een leuke, kleine wi-fi-antenne in elkaar. Wi-fi staat voor 'wireless fidelity' en werkt als een draadloos plaatselijk netwerk met een hoge frequentie. Het is een goedkoop hulpmiddel dat diverse mensen in verschillende kamers van hetzelfde huis – of een school of

een kantoor – in staat stelt gebruik te maken van dezelfde internetverbinding. Het zal volgende week wel weer achterhaald zijn, maar vandaag kwam het me buitengewoon goed van pas. Gewoonlijk blijft het bereik beperkt tot de omvang van een groot huis, maar met een antenne...

Normaliter zou ik nooit gebruikmaken van de internetverbinding van een ander, gewoon omdat het niet nodig was. Je kon overal op legale wijze voor een paar cent een verbinding krijgen. Maar de problemen met Carp hadden me nerveus gemaakt en als ik gebruikmaakte van de verbinding van een ander, kon ons onderzoek onmogelijk getraceerd worden. En het zou een stuk sneller zijn dan vanuit de motelkamer inloggen op het net. Een telefoonverbinding was immers vergelijkbaar met druppels water die een voor een op je voorhoofd terechtkwamen.

De jongen van Radio Shack had de omgeving van Tulane aanbevolen als een goed jachtgebied, maar ik had daar mijn eigen ideeën over. Ik had ontdekt dat veel voorraadloodsen wi-fi gebruikten omdat er voortdurend spullen kwamen en gingen en al die wijzigingen via internet werden doorgeseind naar het hoofdkantoor. En deze systemen waren zelden beveiligd.

LuEllen en ik reden de I-10 richting Kenner en New Orleans International op, met LuEllen achter het stuur, terwijl ik het scherm van de laptop in de gaten hield. Na een tijdje vonden we een parkeerterrein voor vrachtwagens naast een gebouw dat eruitzag als een goederenloods, waar ik een signaal van een wi-fi-netwerk ontving dat sterk genoeg was.

Het was een snelle verbinding ook, misschien wel een T-1. In het daaropvolgende uur haalde ik zo veel mogelijk informatie weg bij het National Crime Information Center, kredietregistratiekantoren, verzekeringsmaatschappijen en drie verschillende creditcardbedrijven. Toen ik klaar was, had ik nog steeds geen foto van Jimmy James Carp maar had ik wel een beeld van hem, en dat beeld beangstigde ons.

'Er bestaat een kans dat Carp voor de Inlichtingendienst van de Senaat werkt,' riep LuEllen naar John toen we terug waren in Baton Noir. John lag languit op zijn bed naar CNN te kijken. 'Als een soort spion of zoiets.'

John ging rechtop zitten en zette zijn voeten op de vloer. 'Wat?'

'De laatste werkgever die ik van hem kan vinden, of in elk geval de

laatste die sociale verzekeringen voor hem heeft betaald, was de Amerikaanse overheid,' zei ik. 'En het referentienummer verwijst naar de Inlichtingendienst van de Senaat.'
'Is Bobby vermoord door de Amerikaanse overheid?'
'Dat weet ik niet,' zei ik. 'De betaling van de sociale verzekeringen is een maand geleden gestopt, maar als hij voor de Inlichtingendienst werkt, hoeft dat niets te betekenen te hebben. Aan de andere kant had ik in dat trailerpark niet de indruk dat we met een overheidsoperatie te maken hadden. Als de FBI wist wat er op die laptop staat, hadden ze die zeker ergens in een kluis opgeborgen.'
'Ik heb er een slecht gevoel over,' zei LuEllen.
'En ik zal je nog iets vertellen,' zei John, en hij wees naar de tv. 'Hij heeft het weer gedaan. Bobby. Carp. Er was net een item over hoe een of andere binnenlandse veiligheidsdienst mogelijk een virus in San Francisco heeft losgelaten, om te zien hoe het zich zou verspreiden. Het moest zogenaamd een test zijn voor het geval er een aanval met een pokkenvirus zou komen, om te zien wat er dan zou gebeuren. Ze hebben een virus gebruikt dat eh... Newport heet? Dat is niet de goede naam, maar zoiets was het. Hoe dan ook, er zijn heel wat mensen ziek geworden en er wordt beweerd dat er vier mensen zijn overleden. Iedereen is woest en CNN zegt dat het lek bestaat uit een aantal geheime computerbestanden van de overheid, en dat de oorsprong overeenkomsten vertoont met de informatie van Bobby die in de afgelopen paar dagen is vrijgegeven.'
'Norwalk?' vroeg LuEllen. 'Het Norwalk-virus?'
Hij knipte met zijn vingers. 'Dat was het.'
'Is een tijdje geleden niet een heel stel cruiseschepen door een epidemie getroffen?'
'Precies!' zei John. 'Ze zeggen – maar dat is alleen een vermoeden – dat ze eerst een paar tests van meer beperkte omvang wilden doen voordat ze het virus in San Francisco loslieten.'
'O, man, dat houdt in dat er onbeveiligde informatie op die laptop staat, of dat hij het wachtwoord heeft gevonden.'
'We moeten die schoft zien te vinden,' zei John.
'Waarschijnlijk zit hij niet meer dan dertig kilometer hiervandaan,' zei LuEllen.
'Hij kan net zo goed in Chicago zitten,' zei ik. 'Ik heb de nummers van zijn creditcards, dus als hij die gebruikt...'
'Iedereen is nu naar hem op zoek,' zei John.

'Nee, iedereen is op zoek naar Bobby, tenzij wij hun vertellen dat Bobby dood is,' zei ik. 'Of naar een van Bobby's vrienden, totdat wij besluiten iets te zeggen. Wij zijn de enigen die op zoek zijn naar Jimmy James Carp.'

We praatten erover door terwijl we naar CNN keken en op een zeker moment zei LuEllen: 'Trouwens, we hebben Melissa gevonden. Melissa Carp.'
'Ja?' zei John.
'Melissa was zijn moeder. Ze is dood. Ze is een maand geleden omgekomen bij een auto-ongeluk.'
'Misschien zijn toen bij hem de stoppen doorgeslagen,' zei John.
En we praatten over andere klussen die we samen hadden gedaan, en over Longstreet, over Rachel Willowby en wat er van haar zou worden. 'Als zij dacht dat Jimmy James Carp haar alleen aansprak omdat hij met haar naar bed wilde, houdt dat in dat er echt mensen zíjn die haar aanspreken omdat ze met haar naar bed willen,' zei John. 'Tien tegen een dat ze later op straat zal belanden.'
Iets om over na te denken. Nog later, nadat we meer nieuws over het Norwalk-virus hadden gehoord en nog meer hadden gepraat, besloten we de Binnenlandse Veiligheidsdienst te vertellen dat Bobby dood was.

Later die avond ging ik weer op pad – een heel eind op pad – en reed ik via de I-10 naar Baton Rouge. Ik vond een telefooncel op het parkeerterrein van een bar en belde met behulp van LuEllens anonieme telefoonkaart interlokaal naar Glen Burnie in Maryland. Het toestel ging zeven keer over voordat Rosalind Welsh opnam. Ze klonk alsof ze had geslapen en ik besefte dat het daar twee uur 's nachts was. 'Hallo?'
'Rosalind? Bill Clinton hier. Ken je me nog? Ik hoop dat ik je niet wakker heb gemaakt, maar ik neem aan dat dat wel zo is.' Op dat moment – ik zweer het – kwam er een grote rat langs de telefooncel lopen, die achteloos en vol zelfvertrouwen, als een kat die naar huis ging, naar de ingang van de bar liep. 'Jezus,' zei ik.
'Wie?' Welsh was nog niet helemaal wakker. 'Jezus?' Ik hoorde een mannenstem vragen: 'Wie is dat?'
'Ben je hertrouwd?' vroeg ik op opgewekte toon.
'Wat wil je?' vroeg ze kortaf. 'Spreek ik met de gemaskerde man?'
'Wie is dat?' vroeg de man, en ik hoorde haar antwoorden: 'Laat maar; het is voor mij.'

'Dus je weet nu wie ik ben,' zei ik. 'Je bent wakker.'
'Ja, ik ben wakker.' Maar niet blij, zo te horen.
'Herinner je je die Bobby die jou zo'n hoop problemen heeft bezorgd? Naar wie je op zoek bent geweest en van wie je toen een flinke afstraffing hebt gehad? En die nu al die problemen veroorzaakt met die foto's en verhalen over het Norwalk-virus en zo?'
Een lange stilte. 'Ja. Waar is hij?'
'Hij is dood,' zei ik. 'Al een paar dagen.'
'Wat?'
'Heb je in het nieuws dat item gezien over de zwarte man die in Jackson, Mississippi, is vermoord, en dat brandende kruis in zijn voortuin?'
'Ja, natuurlijk.'
'Dat was Bobby. Hij is vermoord. Iemand heeft hem vermoord om zijn laptop, waar al die dingen op staan die je nu op tv ziet. Wij denken dat er misschien, heel misschien een kans is dat jullie het hebben gedaan, dat jullie een of ander soort overheidsoperatie op hem hebben losgelaten. Is dat zo, Rosalind?'
'Je bent niet goed snik,' riep ze. 'Wij doen dat soort dingen niet.'
'Wie is dat?' riep de man op de achtergrond. 'Laat mij met hem praten.'
'Je hebt het hier tegen Bill Clinton, Rosy... Ik wéét wat je doet,' zei ik. 'Daarom stel ik nu voor dat je, voor je eigen welzijn, ophoudt met het opjagen van onschuldige computermensen en uitzoekt wie Bobby heeft vermoord. Want als je dat niet doet, gaan wij jou weer een tijdje pesten. Weet je nog hoe dat de vorige keer is gegaan? Hoe al je Keyhole-satellieten op hol sloegen en alle veiligheidsdiensten het in hun broek deden van angst? Dat wil je toch niet nog eens meemaken?'
'Luister, Bill,' zei ze op serieuze toon, 'heb je hier bewijzen van?'
'Geen bewijzen die je zult geloven,' zei ik. 'Maar als je zelf wat onderzoek doet naar de vermoorde zwarte man in Jackson, zul je gauw genoeg ontdekken wie hij was. De FBI is er al bij betrokken; je hoeft ze alleen maar een zetje in de goede richting te geven.'
'Bobby DuChamps?' vroeg ze. Dat verbaasde me. Ze hadden dus een naam van hem.
'Bijna goed,' zei ik. 'Zijn echte naam was Robert Fields. Heb je dat? En hoor eens, Rosalind, en ik meen het: een prettige dag nog.'
Ik hing op met het gevoel dat ik erg hard tegen haar was geweest. Maar bij veiligheidsmensen – ze was tenslotte hoofd van de Binnenlandse Veiligheidsdienst – was dat echter soms de enige manier die werkte. Van haat werd je wakker, en het werkte bevrijdend.

'Heb je het gedaan?' vroeg John toen ik de motelkamer binnenkwam. Hij en LuEllen keken naar de ontknoping van een film die *xxx* heette.
'Ja. Ik kan niet voorspellen wat er nu gaat gebeuren, maar misschien zullen een paar mensen van de FBI... Hoe zeg je dat?' Ik keek LuEllen aan.
'Zich heroriënteren?' stelde ze voor.
'Precies,' zei ik. 'Zich heroriënteren.'

John sliep in de ene kamer en LuEllen en ik in de andere. We waren bekaf. We hadden 24 uur lang gereden, gehackt en op ons laten schieten en hadden dringend behoefte aan slaap. We spraken af voor de volgende ochtend om acht uur, wensten John welterusten en kropen in bed.
Even voordat we in slaap vielen zei LuEllen: 'Denk aan Carps trailer. Tien uur 's ochtends is de beste tijd om een open doelwit als dat binnen te dringen. Denk daarover na in je slaap.'
En dat deed ik.

Er bestaat geen beter adres voor inbrekersbenodigdheden dan de plaatselijke Target-winkel. Je kunt er alles krijgen: goedkoop gereedschap, rubberhandschoenen, walkietalkies, rugzakken en alles om je uiterlijk te veranderen. Zoals kakikleurige korte broeken bijvoorbeeld.
Iedereen weet hoe een inbreker eruitziet: een of andere duistere figuur met een bivakmuts die in de inktzwarte nacht in de bosjes zit te wachten totdat de kust veilig is. Dat is ook de reden dat de echte profs inbreken om tien uur 's ochtends of twee uur 's middags, op werkdagen, als de kinderen naar school zijn en er waarschijnlijk niemand thuis is. En ze kloppen altijd netjes op de deur voordat ze naar binnen gaan.
Op weg naar Carps huis stelden we de golflengten van de walkietalkies op elkaar af, ik trok mijn nieuwe korte broek aan, trok het prijskaartje van een halfronde zonnebril en zette een Galloway-golfpetje op.
We reden eerst een keer om het park heen, maar achter de muur bij Carps trailer was geen enkele activiteit te bespeuren. Toen draaiden we het park in en reden een keer langzaam door Carps straat. Aan de achterkant van zijn trailer was de deur die we de avond daarvoor niet hadden gezien en waar Carp door naar buiten was gevlucht, en die deur stond op een kier.
De voordeur, waar John en ik in het gras waren gedoken, was dicht,

zoals we de situatie hadden achtergelaten. Om de hoek, vier trailers verderop, was een oudere man het gras aan het maaien met een kleine elektrische maaimachine. Hij keek onze kant op toen we langsreden en LuEllen zei tegen John: 'Als we zijn uitgestapt, rij je rechtdoor en neem je een andere weg het park uit, zodat je die man niet nog een keer passeert.'
John knikte. 'Oké.'
LuEllen keek me aan. 'Ben je er klaar voor?'
'Ik zie niets wat me daarvan weerhoudt.'
John zou buiten het park op ons wachten. Als we hem opriepen en zeiden: 'Dave, kom je?', zou hij op zijn gemak het park in rijden en ons komen halen. Als we zeiden: 'Hé, Dave, schiet een beetje op', zouden we over de muur klimmen en zou hij daar op ons wachten.

In onze korte broeken en golfshirts, en met de rugzak achteloos over de schouder geslagen, vormden LuEllen en ik een onopvallend, praktisch onzichtbaar stel toen we op Jimmy James Carps deur af liepen en erop klopten, net hard genoeg om de aandacht te trekken van iemand die binnen was. Er kwam geen antwoord en ik probeerde de deurknop. De deur ging open en we zwaaiden naar John. Toen hij wegreed, stapten we naar binnen alsof iemand ons had uitgenodigd.
Het was donker binnen, want alle gordijntjes en jaloezieën waren dicht. Ik deed het licht aan en zag dat we in de keuken stonden. Het was daar een zootje en het aanrecht stond vol vuile vaat. Tussen de kleine eettafel en de keukenkastjes ertegenover stond een overvolle vuilniszak op de vloer. De pizzadozen, plastic bakjes, papieren zakken en dozen van kant-en-klaarmaaltijden puilden eruit en de hele trailer stonk naar bedorven gesmolten kaas.
Naast de keuken was het woonvertrek, waar de meubels rondom een grote tv stonden opgesteld. Over de meeste meubelstukken lag een grijs waas van stof en de vloer was bezaaid met kranten en tijdschriften: de *New York Times*, de *LA Times*, sensatiebladen, populair-wetenschappelijke tijdschriften en een *Penthouse*, die omgekeerd lag. Op een tafeltje in de hoek stond een stereosetje met een stapel van ongeveer 25 cd's ernaast. Aan de muur hing een kleurenlitho van de *Biddende handen*, die een beetje uit de toon viel.
Achterin leidde een korte gang naar twee slaapkamers. De eerste was van een vrouw, maar die was niet veel netter en zelfs nog stoffiger dan de rest van het huis. De tweede was van Carp. Op de vloer rond-

om het bed lag een tiental computerboeken en handleidingen die op twee na allemaal over IBM-hardware gingen. Van de twee overige boeken ging er een over beveiliging en was de andere O'Reilly's Handboek C++-computertaal.
Ik zette de rugzak bij de achterdeur, die ik dichtdeed en op slot draaide, en daarna begonnen we de trailer te doorzoeken. We hadden niet lang nodig, want we hadden dit wel vaker gedaan. Binnen twee minuten had ik een grote stapel papier verzameld: oude rekeningen, nieuwe rekeningen, bankafschriften, aantekeningen en papieren over zijn werk. Plus twaalf computerdiskettes en een zestal beschrijfbare cd's. Ik stopte alles in de rugzak toen LuEllen in de deuropening van het woonvertrek verscheen. 'Kom eens,' zei ze.
Ik stak mijn hoofd om de hoek van de deur. 'Wat is er?'
'Een laptop,' zei ze.
'O, ja?' Ik liep het woonvertrek in en inderdaad, onder de bank lag een Toshiba-notebook. Het netsnoer zat nog in het stopcontact. Het zag eruit alsof iemand op de bank had gelegen met de laptop op zijn buik en die toen onder de bank had geschoven om te voorkomen dat hij erop zou gaan staan. Ik wist dat omdat ik dat zelf honderden keren had gedaan. Ik trok de stekker uit het stopcontact en pakte de laptop op.
'Is dat die van Bobby?' vroeg LuEllen. 'Of is dat te veel gevraagd?'
'Ja, dat is te veel gevraagd,' zei ik terwijl ik de laptop in de rugzak stopte. 'Baird zei dat Bobby een IBM had. En deze heeft geen cd-drive. Het is een reiscomputer, net als mijn Vaio. Die van Bobby is waarschijnlijk een stuk zwaarder door al die ingebouwde extra's. En hij ging nooit op reis.'
We waren vijf minuten binnen geweest en mijn inwendige eierwekker zei dat het tijd was om weg te gaan. Hetzelfde gold voor LuEllen. 'Tenzij je nog iets speciaals zoekt...'
'Nee, we gaan,' zei ik. Op dat moment hoorden we buiten het knarsende geluid van een autoband in het grind.
LuEllen gaf een tikje op mijn arm en liep naar het raam. Ze kon door een kier aan de zijkant naar buiten kijken. 'Twee mannen,' siste ze naar me. 'Ze komen naar de deur.'
Ik kon zelf niet naar buiten kijken, maar ik zag de fonkeling in LuEllens ogen, een fonkeling van plezier. Want ze vond dit leuk, kreeg hier een kick van, en voor die kick leefde ze.
Ze wees naar de achterdeur en we slopen er op onze tenen en zonder

adem te halen naartoe. Huizen geven namelijk trillingen af, van voetstappen, van lichaamsgewicht dat van plaats verandert, en zelfs van stemmen. Trailers, die veel lichter zijn gebouwd dan normale huizen, zijn op dit punt het ergste. Bij de achterdeur legde LuEllen haar hand op de deurknop en wachtten we af. Het is de kunst om jouw deur open te doen op hetzelfde moment dat de andere persoon zijn deur opendoet, want dan heffen het geluid en de trillingen elkaar op.

Maar ze kwamen niet binnen. Ze klopten een keer, hard. We hoorden hen tegen elkaar praten, waarna de ene naar de achterkant van de trailer liep en even later op de deur klopte waarachter wij stonden. Er werd aan de deurknop gerammeld – LuEllen haalde snel haar hand weg – en toen liep hij weer terug naar de voorkant.

Ik sloop naar het raam en gluurde naar buiten. Twee mannen: een zwarte en een blanke, beiden gekleed in een kakibroek en een overhemd met korte mouwen. Ze zagen er verhit uit, als kantoormensen die nooit aan sport doen, beiden te zwaar en beiden met een zorgvuldig gebeeldhouwd kapsel van dertig dollar. De blanke man, die blond haar, een roze gezicht en zwembandjes had, had een zorgvuldig ontwikkeld swingend loopje dat moest aangeven hoe cool hij was, en ik vermoedde dat hij saxofoonles had. De zwarte man had een roze overhemd aan en zag er tiptop uit.

Ze praatten met elkaar, op verhitte toon, stelde ik me voor, en keken de straat in beide richtingen af alsof ze op zoek waren naar iemand die ze konden ondervragen. Toen liepen ze naar hun auto, stapten in en reden weg. Ik las hun kentekennummer voor aan LuEllen, die het met een balpen op haar onderarm schreef. Daarna bracht ze de walkietalkie naar haar mond en zei: 'Dave, kom je?'

We vertrokken via de achterdeur, met de rugzak, en liepen over het gras naar de straat. John kwam aanrijden, minderde vaart en we stapten in. De oudere man was klaar met grasmaaien en zat in een tuinstoel een flesje bier te drinken. Hij keek niet eens op toen we voorbijreden.

'Verdomme,' zei ik.

'Niks gevonden?' vroeg John.

'Er kwamen twee mannen op de deur kloppen toen we binnen waren,' zei LuEllen. 'We hebben hun kentekennummer.'

'O, shit, daar heb ik niks van gemerkt. Ik stond buiten het park.'

'Een Ford Taurus. Het kan een huurauto zijn geweest.'

'Politie?'

'Volgens mij niet,' zei ik. 'Ze zagen eruit als kantoormensen, mensen

die weinig buiten komen. Misschien kunnen we meer te weten komen via het kentekennummer.'
'Verdomme,' zei John. 'Hebben we onze tijd verspild en zijn we nog bijna gepakt ook.'
'Nee, nee... We hebben een laptop,' zei ik. 'We hebben een laptop gevonden.'
'Wat?'
Hij keek me aan om te zien of ik een grapje maakte. 'Jimmy James heeft hem achtergelaten toen hij er gisteravond vandoor ging. Niet Bobby's laptop, maar misschien kunnen we nu meer over Jimmy James te weten komen.'

Ik had mijn conservenblikjesantenne in de auto laten liggen. Voordat we met Carps laptop aan de gang gingen, reden we nog een keer langs het parkeerterrein voor vrachtwagens bij de goederenloods. Ik ging het net op, zocht contact met een paar vrienden om de juiste ingang te vinden en zat even later in de database van het bureau Kentekenregistratie van de staat Louisiana. De auto van de twee mannen was gehuurd bij Hertz. Gelukkig was Hertz een oude bekende van me. Twee minuten later zat ik in de database van Hertz en vond de naam van William Heffron uit MacClean in Virginia. Hij had betaald met een creditcard die was verstrekt door de Amerikaanse overheid.
'MacClean,' zei LuEllen. 'Waren we daar niet toen...'
'Ja, dat ligt nog geen anderhalve meter van Washington.'

10

We bleven die middag in Baton Noir. Op de eerste verdieping was een klein maar leuk zwembad en LuEllen besloot zich in een bescheiden zwarte bikini aan de zon en de blikken van handelsreizigers en rondreizende advocaten bloot te stellen. John begon Carps papieren door te nemen en ik concentreerde me op de laptop.

Tussen de papieren vond John een flink aantal rekeningen, waarvan het merendeel onbetaald. Hieruit bleek dat Carp in totaal bijna dertigduizend dollar aan diverse creditcardbedrijven schuldig was. De meeste rekeningen waren gestuurd aan een adres in Washington D.C. Hij vond ook Carps internetgegevens, e-mailadressen en een aantal brieven, naar en van de advocaat die de nalatenschap van zijn moeder beheerde, die steeds onaangenamer van toon werden. In de laatste brieven beschuldigde Carp de advocaat min of meer van het leeghalen van zijn moeders bankrekeningen. John had de indruk dat toen de advocaat klaar was, er voor Carp niet veel meer was overgebleven dan de oude trailer en een paar duizend dollar... maar ook dat er afgezien daarvan niet veel meer wás.

'Maar hij heeft duidelijk zwaar de pest in,' zei John. 'Als ik die advocaat was, zou ik oppassen voor mannen in klokkentorens.'

'Dus hij is wanhopig op zoek naar geld,' zei ik. 'Zijn moeders nalatenschap is jarenlang een soort droom voor hem geweest, maar die is nu dus in rook opgegaan.'

Ik begon aan Carps laptop en moest me eerst om zijn wachtwoord heen werken. Ik koppelde mijn laptop met een USB-kabel aan de zijne, draaide een programma waarmee ik zijn harde schijf kon openen, wiste het beveiligingsbestand en ik was binnen. Zo moeilijk is het allemaal niet.

Het eerste wat ik zag was dat Carp tientallen documenten van de Inlichtingendienst van de Senaat had, CIA-rapporten over Cuba, Venezuela, Korea, Nigeria, Zimbabwe en een zestal landen in het Midden-Oosten, waaronder enkele negatieve beoordelingen van de regeringsleiders van Israël, Syrië, Saudi-Arabië en Egypte. Geen van de documenten was beveiligd.

In een andere map vond ik brieven aan senator Frank Krause van Nebraska, het hoofd van de Inlichtingendienst van de Senaat. Ik kon niet nagaan of de brieven ook werkelijk waren verzonden, want in diverse ervan zaten nog typefouten, maar ze waren allemaal geschreven om te protesteren tegen Carps ontslag, dat drie maanden daarvoor had plaatsgevonden. De antwoorden op de brieven stonden niet op de laptop en John kon ze ook niet tussen de papieren vinden, dus het was niet helemaal duidelijk waaróm hij precies was ontslagen. Te oordelen naar Carps protesten had het te maken met zijn politieke ideeën, die verder niet werden vermeld. En er was een kopie van een brief aan iemand anders, ook een lid van het comité, tegenover wie hij zich beklaagde over de oneerlijkheid van zijn ontslag, dat hij zelf weet aan een bespottelijk feministisch beleid.
De brieven gaven aan dat hij een soort IT'er was; hij hield de computers van het comité draaiende en loste de voornaamste problemen met software en beveiligingszaken op. In een e-mailbestand vond ik een paar honderd klachten en vragen die typerend waren voor een kantoornetwerk: vragen over ethernetverbindingen, verdwenen e-mails, adressenlijsten, wachtwoordwijzigingen en upgrades van apparatuur en software.
LuEllen kwam terug met een blikje cola in haar hand, om haar zonnebrandcrème te pakken. Het begon drukker te worden bij het zwembad, dus switchte ze van onopvallend naar quasi-uitdagend.
Ze wilde net de kamer uit lopen toen ik op de jackpot stuitte, een map met foto's en filmpjes waarvan we er inmiddels twee op tv hadden gezien: de militaire executie en het zwart gemaakte gezicht. Ik kwam niets tegen over het Norwalk-virus.
'Dat zijn Bobby's bestanden,' zei LuEllen. 'Dit zijn ze.'
We namen de foto's door en keken naar de onderschriften. John, die het grootste deel van zijn leven in de politiek had gezeten, was bijzonder geboeid. 'Je kunt met dit materiaal een ongelofelijke hoeveelheid schade aanrichten,' zei hij. Hij was niet alleen enthousiast maar werkelijk onder de indruk. 'Als dit spul echt is, kun je enkele van de grootste hufters van het Congres neerhalen.'
'Wat doen die bestanden in Carps laptop?' vroeg LuEllen.
'Hij heeft ze overgezet van die van Bobby, denk ik,' zei ik. 'Als back-up of zoiets, voordat hij met de originelen aan de slag ging.'
'Oké,' zei John, die nog altijd meekeek over mijn schouder. 'O mijn god, moet je dat zien. Is dat niet iemand uit de ministerraad? Huey of zoiets?'

We praatten enige tijd over de gevolgen die de foto's konden hebben. LuEllen meende dat ze voldoende waren om een revolutie in gang te zetten, maar John schudde zijn hoofd. 'Je leest wel eens van die boeken over mensen die het lichaam van Christus vinden, wat dan een eind aan het christendom maakt,' zei hij. 'Of over de president die met kleine jongetjes in bed duikt, wat dan een atoomoorlog tot gevolg heeft. Maar zo werkt het niet. Zo simpel is het niet. Materiaal als dit kan een carrière ruïneren en misschien tijdelijk de politieke verhoudingen op zijn kop zetten, maar verder draait de wereld gewoon door.'
'Je bent een optimist, John,' zei LuEllen. 'Ik ga weer naar het zwembad. Er is daar een heel stel Texanen.'
'Wat een zegen,' zei John. 'Dat wil je niet missen.'
Ik richtte mijn aandacht weer op de laptop en John ging door met de papieren. Na een halfuur keek John op van zijn stapeltjes papieren en zei: 'O, man.' Hij had een strook papier in zijn hand, schudde zijn hoofd en gaf hem aan mij. Het was een rekening van de telefoondienst, voor reparatiewerkzaamheden aan zijn kabelaansluiting, op naam van Robert Fields. Bobby's adres stond eronder. 'Dit moet hij bij Baird hebben meegenomen.'
'Ja, dat denk ik ook,' zei John.

LuEllen kwam terug, nog nagloeiend van de zon, liep in haar bikini de badkamer in om zich op te frissen en aan te kleden, en toen ze weer naar buiten kwam, zette ze de tv aan. Na een poosje zapte ze van *Oprah* naar CNN en zei: 'Moet je zien.'
Het verhaal over het Norwalk-virus was in een stroomversnelling geraakt en de president in eigen persoon beloofde een volledig onderzoek. Als die zogenaamde test daadwerkelijk had plaatsgevonden, zei hij, zouden de verantwoordelijke personen voor de rechter worden gedaagd. Hij voegde eraan toe dat de regering geen bewijzen van een dergelijke test had en sloot niet uit dat deze zogenaamde onthulling misschien een nieuwe vorm van terrorisme was om het Amerikaanse leger in diskrediet te brengen en de financiële markten op stang te jagen.
'Het begint grimmiger te worden,' zei John.
Ik ging door met de laptop. In een map met de naam 'Carly' vond ik dertien brieven die aan een vrouw waren geschreven. De eerste daarvan waren vriendelijk van toon en bevatten technisch advies over het printen van foto's van haar nieuwe digitale camera. Geleidelijk aan werden de brieven meer persoonlijk van toon en probeerde hij haar

te verleiden tot een avondje uit. Zonder succes, zo te zien. In een map die 'Linda' heette zaten zes brieven aan een andere vrouw, die hetzelfde van toon waren. En er waren nog twee mappen, 'Shannon' en 'Barb', met brieven die wat zakelijker van toon waren. Er sprak echter toch een soort belangstelling uit, waarvan de meeste vrouwen nerveus zouden worden.
Een andere map bevatte een reeks glamourfoto's van beroemde fotomodellen en een grote verzameling harde porno. De helft daarvan werd gevormd door jonge Japanse schoolmeisjes in geruite rokjes, of zonder geruite rokjes, beter gezegd. Aan de resolutie te zien waren de foto's gedownload van internet.
In een map met de naam 'contacten' vond ik de adressen en telefoonnummers van Thomas Baird en Rachel Willowby. In zijn Windows-adresboek zaten een paar honderd e-mailadressen en in een Palm-Pilot-bestand zaten dertig tot veertig privé-adressen en telefoonnummers van mensen van wie ik nog nooit had gehoord.
Toen struikelde ik over een map die 'werkgroep DDC – Bobby' heette en waarin ik een lijst namen, e-mailadressen, een zestal telefoonnummers en een paar memo's vond. In een van de memo's werd gesproken over een werkgroep Deep Data Correlation, wat het DDC verklaarde. Ik liet het aan John en LuEllen zien.
'Wat kan dat zijn?'
'Dat weet ik niet, maar ik denk dat we dat moeten uitzoeken,' zei ik, en tegen John: 'Heb jij nog iets gevonden?'
'Nee, het meeste kan weg,' zei hij, en hij klopte op de stapel papieren op het bed. 'Allemaal rommel.'
'Gooi het dan weg,' zei ik. 'Ik ga een van deze nummers bellen en daarna ga ik het net op om te kijken of er nieuws is van de jongens van de kring.'

Ik reed weer naar het parkeerterrein voor vrachtwagens. Er was een telefooncel en ik belde het eerste van de reeks nummers van de werkgroep Deep Data Correlation. Na de gebruikelijke tikjes van de interlokale verbinding kreeg ik een computertoon en hing op. Ik belde het tweede nummer en kreeg weer een computertoon. Oké, verbinding met een computer, maar nog geen manier om binnen te komen, nóg niet.
Daarna checkte ik mijn verborgen e-mailadressen en kreeg een alarmtoon van het adres dat ik aan Rachel Willowby had gegeven. *Jimmy James Carp staat voor de deur geparkeerd, om 16.17,* schreef ze.

Ik keek op mijn horloge; het was een paar minuten over halfvijf, dus de e-mail was nog maar net binnengekomen. Ik startte de auto en reed snel terug naar het motel. John en LuEllen waren speelkaarten in de prullenmand aan het mikken toen ik binnenkwam.
'We moeten haar gaan halen,' zei John toen ik hem over het bericht vertelde.
'Als er problemen komen...' Ik dacht aan wat Marvel had gezegd over de bekendheid van Johns vingerafdrukken. 'En hij heeft een pistool.'
'We moeten toch gaan,' zei hij, al op weg naar de deur.
'Niet zo slim van ons om geen pistool mee te brengen,' zei LuEllen, één stap achter hem. 'Iedere klootzak in Louisiana heeft een pistool in zijn auto, behalve wij. Als je er een nodig hebt, zegt de schietbond, heb je er een nodig.'
'Ik betwijfel of de schietbond het leuk zou vinden als ík een wapen had,' zei John.
'Laten we onderweg proberen iets te bedenken,' zei ik. 'Er is vast wel iets wat we kunnen doen, behalve hem op straat laten struikelen.'

We zaten nog steeds onbruikbare plannen te bedenken toen we New Orleans binnenreden en er geen tijd meer was, want je kunt nu eenmaal weinig doen wanneer de man tegenover je een pistool heeft en jij niet.
'Het belangrijkste is dat geen van ons drieën zich een confrontatie met de politie kan veroorloven,' zei LuEllen. 'We kunnen hem niet op straat op zijn nek springen en een auto in sleuren. Dat is kidnapping, dat ziet eruit als kidnapping en als iemand ons kentekennummer opschrijft, zijn we er geweest.'
'We moeten hem achtervolgen en pakken als hij ergens naar binnen gaat...'
'Maar het meisje dan?' vroeg John. 'Er kan maar één reden zijn dat hij haar is komen opzoeken, namelijk om te weten te komen wie hem naar de trailer is gevolgd.'
'Twee redenen,' zei ik. 'De andere is om haar het zwijgen op te leggen. Zij kan hem in verband brengen met Bobby.'
'Ah, jezus, en aangezien hij Bobby al heeft vermoord...'
'Je kunt beter een beetje gas geven, Kidd,' zei LuEllen.
'We moeten nog steeds iets bedenken voor dat pistool.'
'Als we hem op straat pakken, durft hij het misschien niet te gebruiken,' zei ik.

'We moeten eerst het meisje in veiligheid brengen,' zei John. 'Dat is het belangrijkste.'

We reden rechtstreeks naar Rachels huis. We zagen nergens een Corolla staan, alleen de gebruikelijke gedeukte Chevy's en Oldsmobiles. Verderop in de straat stond een man zijn vloermatten schoon te spuiten, maar verder zagen we niemand.
Bij Rachels huis was John al uitgestapt en op weg naar de deur voordat de auto goed en wel stilstond. Ik stapte ook uit en riep: 'Rustig aan, John. Rustig aan.' LuEllen kwam mij achterna, met grote passen om me in te halen, terwijl ik John probeerde in te halen. Die liep echter een meter of tien voor me en ik wilde niet rennen, want rennen trekt de aandacht.
Toen hij bij de voordeur was, klopte hij niet maar duwde de deur meteen open en zodra hij naar binnen was verdwenen, begon het geschreeuw. 'Hé, hé, hé...' Even later was ik ook binnen en moesten mijn ogen zich aanpassen aan het duister. John stond halverwege de kleine woonkamer, Rachel Willowby zat aan de keukentafel, achter haar laptop, en Carp stond ernaast.
Hij had het pistool in zijn hand.
'Wie zijn jullie, verdomme?' riep Carp.
'Vrienden van Rachel,' zei John onmiddellijk. 'Wij zijn vrienden van Rachel, en Rachel zei dat ze een probleem had, dus komen we haar helpen.'
'Is hij een vriend van Rachel?' vroeg Carp terwijl hij de loop van het pistool mijn kant op zwaaide. 'Waar komt hij verdomme vandaan? En wie is dat?' Hij keek langs me heen en ik draaide me half om. LuEllen stond in de deuropening en zei: 'Ik heb 911 gebeld; de politie is onderweg.'
Carp keek naar de achterdeur aan de andere kant van de keuken en ging met zijn tong langs zijn lippen. 'Jullie zijn van de werkgroep. Zeg tegen Krause dat hij me verdomme met rust laat, anders zal hij er spijt van krijgen. Dan blaas ik de hele groep op.'
'Groep? Wat voor groep?' vroeg John. 'Waar heb je het over?' Hij deed nog een stap naar Carp toe, maar hij keek naar mij. Nog een paar stappen.
'Krause,' zei Carp.
'Wie?' vroeg John, en hij deed nog een stapje.

Carp schoot hem neer.
Het pistool was een .22, maar zelfs een .22 klinkt als een kanon als je het afschiet in een kleine ruimte. De flits uit de loop verblindde ons, John wankelde en ging tegen de grond en Carp was de keuken al door gerend en schoot de achterdeur uit. Ik rende naar de deur en zag hem door de tuin naar de opening tussen twee duplexwoningen in rennen. Hij had zijn auto een straat verderop geparkeerd, vermoedde ik. Hij had een vreemde manier van lopen en ik wist dat ik hem kon inhalen, maar toen ik twee stappen de tuin in had gedaan, werd ik teruggefloten door LuEllen. 'Kidd!'
Ik stopte en ging terug.
'John is gewond. We moeten hier weg.'
Rachel zat als versteend achter haar laptop. John krabbelde overeind, met zijn linkerhand op zijn rechterbovenarm gedrukt. Hij keek Rachel aan en zei: 'Ik ben een aardige man en woon een stukje noordelijker aan de Mississippi, met een aardige vrouw en twee kinderen. Als je wilt kun je bij ons komen wonen totdat we je moeder hebben gevonden. Maar je moet nú beslissen.'
Ze bleef hem drie seconden lang aankijken en zette toen haar laptop uit. 'Ik ga mee. Laat me even mijn tas pakken.'

John was midden in de triceps geraakt en hoewel hij niet dacht dat het bot gebroken was, sloot hij niet uit dat de kogel het had geraakt. Dus waarschijnlijk zat de kogel nog in zijn arm. Hij wankelde toen hij naar de auto liep en trilde van de shock en de vrijgekomen adrenaline. Het was licht en ik hoorde verkeer voorbijrijden, een vliegtuig overvliegen en muziek uit een huis klinken, maar we schenen verder geen aandacht te trekken. Ik had wel eens horen vertellen dat je ergens één keer een pistool kunt afschieten zonder meteen in de problemen te komen. Het is meestal het tweede of derde schot dat de aandacht trekt. Misschien klopt dat ook wel. Hoe dan ook, we kregen John zonder problemen op de achterbank van de auto.
LuEllen kwam naast hem zitten, aan zijn gewonde kant, en Rachel, die een grote plastic tas vol kleren bij zich had, ging voorin zitten.
Ik had geen idee waar Carp was gebleven. We zagen nergens een Corolla. En het kon me op dat moment ook niet schelen ook.

LuEllen keek naar het kogelgat en zei: 'Er wordt geen bloed uit gepompt maar je bloedt wel. Wat wil je doen?'

'Terug naar Longstreet,' zei John. 'Als ik eenmaal thuis ben, overleef ik het wel.'
'Dat is zes uur rijden, man.'
'De pijn valt nog wel mee. We kunnen er in het motel een drukverband omheen doen.'
'Ik heb een potje Vicodin in het motel,' zei LuEllen terwijl ze me aankeek. 'Als hij niet doodbloedt, halen we Longstreet wel.'
'Is daar kans op, dat hij doodbloedt?' vroeg ik. Rachel zat op haar knieën, had zich omgedraaid op haar stoel en keek met grote ogen naar John op de achterbank.
'Ik denk het niet,' zei LuEllen. 'Niet als we er voldoende druk op houden. Maar een half litertje zal hij wel kwijt zijn tegen de tijd dat we daar aankomen.'

Dus deden we dat. We maakten een drukverband van een schone handdoek, bonden die strak om Johns arm en vertrokken uit de Baton Noir. We konden niet te hard rijden, moesten ons aan de maximumsnelheid houden. Toen we New Orleans achter ons hadden gelaten, belde John interlokaal naar Memphis en vroeg hij ene Andy te spreken. Hij moest even wachten en zei toen: 'Hé man, John hier. Ik ben gebeten... ja... in de triceps. Niet echt ernstig... geen slagaderlijke bloeding, maar het is niet door en door.' Hij legde uit hoe we hem hadden verbonden en waar we waren. 'We zijn ongeveer vijf uur van Longstreet en komen vanuit New Orleans. Ik zou het erg waarderen als je George kon laten komen om ernaar te kijken. Ja... ja... dat is goed. Er is hier iemand die me... eh... Vicodin heeft gegeven, en de pijn valt mee. Ja, oké. Bedankt.'
Verder praatten we niet veel. Ik hield mijn aandacht op de weg gericht en John probeerde te slapen. We vingen van diverse zenders flarden nieuws op en die gingen allemaal over het Norwalk-virus, en verder over de komende footballcompetitie van de middelbare school. Op een zeker moment zei John: 'Jezus, wat is dit ongelofelijk saai.' En na een tijdje: 'Carp zei dat we tegen Krause moesten zeggen dat hij uit zijn buurt moest blijven. Hij moet de senator bedoeld hebben, het hoofd van het comité.'
'Zei Carp dat?' vroeg LuEllen. 'Dat heb ik niet gehoord.'
'Hij vroeg aan mij of er een meneer Krause had gebeld,' zei Rachel, 'of iemand anders van de regering. Ik dacht dat hij jullie bedoelde, omdat hij het over een zwarte en een blanke man had.'

'Wat heb je toen gezegd?'
'Ik heb gezegd dat er een zwarte en een blanke man langs waren geweest die zeiden dat ze vrienden van Bobby waren en dat ze naar Bobby op zoek waren.'
John zuchtte en zei: 'Dat is foute boel.'
'Hij was van plan me te vermoorden,' zei Rachel. 'Hij zei dat hij me in mijn oog zou schieten, en dat zou hij gedaan hebben ook. Die man is gek. En hij wilde echt met me naar bed.'

Toen we Longstreet naderden, maakten we een korte tussenstop bij een Super 8-motel, waar LuEllen een kamer nam. Ze had voor vandaag al genoeg nieuwe gezichten gezien en bovendien was het niet echt nodig dat ze meeging. Nadat we haar hadden afgezet, reden John, Rachel en ik door naar Johns huis. Er stond een nieuwe Chevrolet op de oprit en Marvel ijsbeerde getergd door de tuin. Toen ze me zag aankomen, kwam ze naar het raampje rennen, keek achterin en toen ze John zag, rukte ze het portier open en riep: 'Hoe erg is het? George is er. Hoe erg is het?'

Marvel was boos, ongelukkig en bang, en ook bezorgd om Rachel, hoewel ze niet precies begreep wat de relatie tussen het meisje en ons was. George, zo bleek, was arts, een grote kerel met een vierkante kop en hoekige schouders. In een ander leven zou hij uitsmijter kunnen zijn geweest, maar hij was bereid de ingreep in huis te verrichten. Hij fronste zijn wenkbrauwen toen hij mij – een blanke – zag binnenkomen, maar hij stelde geen vragen.
John was de kalmste van ons allemaal en hij nam de tijd om Marvel uit te leggen hoe de situatie met Rachel precies in elkaar zat. Toen hij klaar was, nam George zijn bloeddruk op, één keer en toen nog een keer, en hij knikte. 'Bloeddruk is goed,' zei hij tegen Marvel.
Toen dat gebeurd was, zei John tegen Marvel dat ze weg moest gaan: 'Maakt niet uit waarnaar toe, als je maar niet met je neus erbovenop komt zitten.' Toen liepen we naar de keuken, waar George een steriele doek op de keukentafel had uitgespreid.
Nadat Johns arm was gereinigd met een ontsmettingsmiddel, gaf George hem een pijnstillende injectie, trok een paar steriele gummihandschoenen aan, knoopte een chirurgenmasker voor en ging aan het werk. Hij had niet de beschikking over röntgenfoto's, maar hij scheen bekend te zijn met schotwonden en lokaliseerde de .22-kogel

met een lange steriele naald. Het kostte enige tijd voordat hij de kogel los had en hij gebruikte instrumenten die deden denken aan die van een tandarts. Maar twintig minuten later lag de kogel in zijn met gummi bedekte handpalm.

'Het zal morgen flink zeer doen,' zei hij tegen John. 'Ik zal je wat pijnstillers en antibiotica geven, maar het zal toch flink zeer doen.'

De sfeer was geladen, vooral van Marvels kant, want ze had enorm de pest in. Dus reed ik om een paar minuten over twee naar het Super 8-motel en kroop naast LuEllen in bed.

Het eerste wat ik de volgende ochtend deed, was kijken of er e-mails voor me waren, met de telefoonlijn van Super 8 en zonder me veel zorgen te maken over mijn beveiliging.

Er was niets van de kring, maar er was wel een e-mail van Bobby.

Kidd,

Ik ben er al een tijdje niet meer. Ik neem aan dat ik dood ben, of anders ben ik te ziek om te voorkomen dat dit bericht wordt verstuurd. Wat belangrijk is, is het volgende: een goede vriend van me, iemand die zich Lemon noemt, heeft een speciaal voor hem geselecteerde set van mijn werkdocumenten en hij zal mijn werk voortzetten nu ik er niet meer ben. Hij kent jou niet en weet ook niets van je, tenzij er tussen jullie een contact was waar ik niets van weet, maar hij zal je aannemen als client. Om je bij hem aan te melden, moet je jezelf identificeren als 118normalgorgeousredhead op lemon@ebonetree.net en hem een e-mailadres opgeven. Misschien wil je je beveiliging herzien, dus dat laat ik aan jou over. Hij is geen slechte vent en beschikt over aanzienlijke bronnen en contacten. Hoe dan ook, veel succes en vaarwel. Het was leuk om met je te werken.

Bobby

Ik voelde een koude rilling over mijn rug lopen; een stem uit het hiernamaals, min of meer.

LuEllen had hetzelfde. 'Dode mensen moeten dood blijven. Ze moeten niet tegen mensen praten als ze eenmaal dood zijn.'

'Misschien is hij niet helemaal dood.'

'Wat?'

'Hij is meer dood zoals Janis Joplin of Frank Sinatra dood zijn. Toen ik die avond naar Jackson reed, hoorde ik *Me and Bobby McGee* op de ra-

dio. Janis is dood, maar ik heb haar nooit persoonlijk gekend. Ik ken wel haar liedje, en dat is er nog steeds, dus is het net alsof ze nog leeft.'
'Ja, maar dit... Ik bedoel, hij heeft het tegen jou, persoonlijk.'

George, de arts, was naar huis. LuEllen, niet langer bang dat een onbekende haar gezicht zou zien, ging met me mee naar Johns huis. Marvel werkte de kinderen de deur uit, zodat ze niet zouden horen wat ze tegen ons zei, of schreeuwde, en wat ongeveer klonk als: 'Wat ging er verdomme in jullie hoofd om? Wat dachten jullie nou? Hij hád al een keer op jullie geschoten. Jullie waren bij zijn trailer bijna voor jullie raap geschoten. Wat gaf jullie verdomme het idee dat hij deze keer níét zou schieten? Jullie wisten dat die gestoorde idioot een pistool had, want hij had al een keer op jullie geschoten. Waarom hebben jullie niet de politie gebeld? Laat die laptop de pest krijgen! Wat ging er verdomme in jullie hoofd om? Hebben jullie geen hersens meer? Moet je die stomme sukkel nu aan de keukentafel zien zitten, met zijn arm in het verband en die stomme grijns om zijn mond alsof hij verdomme net een hap stront heeft gegeten. O, Heer, waar heb ik dit aan verdiend...'
Om u een indruk te geven...

Met John was alles in orde. Tenminste, het zou weer in orde met hem komen, want George had gelijk gehad: hij zat te verrekken van de pijn. Ook met Rachel was alles in orde. Marvel had een paar afspraken met haar gemaakt en ze zat nu met John aan de keukentafel een bord cornflakes te eten en ondertussen van Marvels voorstelling te genieten. Nadat we Marvel hadden gekalmeerd – 'gekalmeerd' was niet echt het juiste woord; meer 'het zwijgen opgelegd' – reed ik terug naar het motel. Ik wilde met Carps laptop doorgaan en het net opgaan om namen, plaatsen en data op te zoeken. LuEllen ging op bezoek bij een oude vriend, een boer, die aan de overkant van de rivier woonde. Toen ze vroeg in de middag terugkwam, vertelde ze me dat het Norwalk-virus het nieuws van de dag was en dat er bijna niets anders meer op tv te zien was.
'Het lijkt een beetje op de dagen na 11 september,' zei ze. 'Net zo massaal.'

Ik bleef aan het werk, aangezien ik niets beters te doen had.
Twee derde van de namen van het PalmPilot-bestand was te identificeren met behulp van Google; ik typte gewoon de naam in het venstertje en de informatie verscheen op het scherm. De meeste namen hadden te

maken met de Inlichtingendienst van de Senaat en behoorden toe aan de mindere goden in Washington. De overige namen waren van computermensen en slechts enkele schenen van persoonlijke vrienden te zijn.
Die laatste waren het moeilijkst na te gaan. Van de twaalf namen wist ik er ten slotte wel acht te identificeren, maar afgezien van zijn tandarts wist ik geen speciale band tussen Carp en de genoemde persoon te ontdekken.
En 'werkgroep DDC – Bobby' bleef een mysterie.

'We stuiten op een blinde muur,' zei ik. We waren weer bij John thuis, met zijn drieën. Marvel was met Rachel naar het stadhuis, waar ze werkte, en de kinderen deden een dutje.
'Kunnen we niet bij CNN inbreken en hem daar traceren als hij contact met hen zoekt?' vroeg John.
Ik schudde mijn hoofd. 'Nee, of we zouden zijn telefoonlijn moeten vinden op het moment dat hij iets naar hen opstuurde. Dan zouden we honderden telefoontjes moeten nagaan.'
'Kan dat niet via zijn e-mailadres?'
'Nee. Waarschijnlijk gebruikt hij een wi-fi-aansluiting, net zoals wij hebben gedaan, in combinatie met een eenmalig e-mailadres. Ik weet bijna zeker dat hij dat doet, anders had de FBI hem allang te pakken gehad. Hij doet het net zoals Bobby; hij verschijnt uit het niets en verdwijnt daar ook weer in.'
LuEllen stelde een belangrijke vraag. 'Wat is hij voor iemand?'
'Het kan zijn dat hij gestoord is,' zei ik. 'Waarschijnlijk heeft hij Bobby vermoord, is hij zijn baan kwijtgeraakt, heeft hij geen geld en zit hij diep in de schulden. Hij heeft blijkbaar geen vrienden, vrouwen vinden hem eng, zijn moeder is pas overleden en hij denkt dat zijn advocaat hem heeft bestolen.'
'Ben je niks over een hond tegengekomen?' vroeg John.

Nadat we nog wat hadden gepraat, besloot ik contact te zoeken met Lemon, Bobby's opvolger. Ik moest hem onder andere vertellen dat Bobby dood was, voor het geval hij dat nog niet zeker wist, en ik moest een lijn opzetten waarmee we met elkaar konden communiceren. Bovendien wilde ik weten hoever het FBI-onderzoek gevorderd was.
Die avond reden LuEllen en ik naar Greenville, waar we een goederenloods met een ons vriendelijk gezinde wi-fi-aansluiting vonden. Ik brak

eerst in bij de FBI, ging rechtstreeks naar de computer van mijn contact en stuitte op een stel korte berichten, van en naar Jackson, waaruit bleek dat ze geen centimeter opschoten. Ik logde uit en ging op zoek naar Lemon.

aan: Lemon
van: 118normalgorgeousredhead

Ik ben een vriend van Bobby en lid van de kring. Ben naar Bobby's huis geweest met een ander lid van de kring, heb Bobby daar dood aangetroffen en gezien dat zijn laptop is gestolen. Zijn echte naam was Robert Fields en hij woonde in Jackson, Mississippi; zie nieuwsberichten over man aan brandend kruis in Jackson. We hebben zijn identiteit onthuld aan de Binnenlandse Veiligheidsdienst om aanvallen op de computergemeenschap te voorkomen. We hebben Bobby's dvd's met back-ups, maar die zijn beveiligd. Degene die de laptop nu heeft, pleegt aanvallen op politici onder de naam van Bobby. Blijkbaar zijn de laptopbestanden niet allemaal beveiligd. We proberen de laptop terug te vinden. We zijn op zoek naar iemand die James Carp heet en tot voor kort voor de veiligheidsdienst van de Senaat heeft gewerkt. We denken dat hij de laptop heeft en de aanvallen op de politici doet. Alle hulp is welkom. We denken dat het heel belangrijk is dat wij Carp vinden voordat de overheid hem vindt. We vermoeden dat de FBI al naar hem op zoek is.
Estragon

Ik verstuurde de e-mail met een retouradres en ging toen in een andere richting zoeken. We hadden de nummers van al Carps creditcards van de afschrijvingen die we in de trailer hadden gevonden. De databases van creditcardbedrijven zijn vrij simpel en ik bekeek of er betalingen waren gedaan met de nummers die we hadden, maar voorzover ik kon zien, had hij al een maand geen creditcard gebruikt.
LuEllen had een idee. 'Ga de creditcards van zijn moeder na.'
Dat deed ik en ik vond meteen een Shell-card waarmee een betaling was gedaan. De kaart was gebruikt op de middag dat hij John had neergeschoten, een uur daarna, in de buurt van Slidell. Was hij teruggegaan naar het huis van zijn moeder of had hij de I-10 in oostelijke richting genomen? Dat was onmogelijk na te gaan. Maar daarna was de kaart gebruikt bij een benzinepomp in Meridian, Mississippi, aan

de I-59, een stuk noordelijker. En de ochtend daarna, ongeveer op het moment dat Marvel ons de huid vol schold over het neerschieten van John, had hij hem gebruikt om benzine en eten te betalen in Chattanooga, Tennessee.
'Hij gaat naar het Noorden,' zei ik. 'En snel ook.'
'Hij is op weg naar Washington.'
'Dat kan.'

Toen we een halfuur later klaar waren met de creditcards, ging ik terug naar mijn verborgen e-mailadres. Ik had antwoord van Lemon.

Estragon,
Je móét die laptop terugvinden. Toen ik on line was met Bobby, heeft hij me meervoudig beveiligde bestanden van de laptop gestuurd en de beveiligingscodes staan volgens mij op de laptop. Ik weet niet precies waar, maar het kan zijn dat hij ze in een ander beveiligd bestand heeft opgeborgen. Hoewel Carp misschien niet in staat is ze te kraken, is elke decoderingsdienst dat zeker wel, tenminste, als ze op die manier zijn opgeborgen. Zorg dat je die laptop te pakken krijgt! Ik ga op zoek naar Carp en hou je op de hoogte op dit adres. Veel informatie over Carp op het net. Zijn huidige woonadres is Clay Street 1448, appartement 523, Washington D.C.

Als antwoord stuurde ik Lemon de drie e-mailadressen die we van Carp hadden. Ik stelde voor dat hij ze in de gaten zou houden, zonder zijn aanwezigheid prijs te geven.

Misschien moeten we Carp via zijn e-mail zien te vinden, als al het andere niet werkt.

Hij antwoordde meteen.

Oké, ik begin meteen aan mijn onderzoek. Ga jij naar Washington?

Ik antwoordde:

Ik denk het wel. Ik hou je op de hoogte. Ik meld me hier elke zes uur.

Hij vroeg:

Wie heeft dat brandende kruis gedaan?

Ik antwoordde:

Wij. We wilden dat de FBI *de zaak onderzocht, zodat we het onderzoek konden volgen. Dat doen we nu. Ze hebben nog niks gevonden, maar binnenkort zullen ze vanuit de Bobby-hoek gaan werken.*

Hij schreef:

Oké, zie je over zes uur.

'Gaan we naar Washington?' vroeg LuEllen.
'Dat vertel ik je zo meteen. Ik wil eerst even controleren of die Lemon de waarheid spreekt.'
Ik ging het net weer op, zocht in een paar databases en vond een telefoonrekening – een forse telefoonrekening – voor Carp in Clay Street in Washington. 'Het klopt,' zei ik.
'Dus...'
'Alles leidt die kant op. Carp is op weg ernaartoe, Lemon zegt dat hij daar een appartement heeft, AT&T zegt dat ook, en dan hebben we die werkgroep nog. Ik denk dat het daar allemaal gebeurt.' Ik draaide me om en legde mijn arm om haar schouders. 'Maar voor een eenvoudig inbreekster begint het wel een wat vreemde zaak te worden,' zei ik.
'Ik blijf nog wel even. Ik begin een bloedhekel aan die Carp te krijgen.'

De volgende ochtend gingen we op weg naar Washington, met de auto, want in de Verenigde Staten is dat de enige manier om anoniem te reizen. Op welke andere manier je ook reist, je naam komt altijd in een database terecht.
Zelfs met de auto valt het niet mee om anoniem te blijven, want als je een motel of benzine met een creditcard betaalt, als je een bon krijgt voor te hard rijden, of zelfs als je je mobiele telefoon gebruikt, beland je in een computer en sta je op een bepaald tijdstip op een bepaalde plek geregistreerd. Ik had een keer ontdekt – en u kunt het zelf nagaan – dat wanneer je de parkeergarage van Minneapolis/St. Paul Airport uit rijdt en afrekent, je een bonnetje krijgt waar je kentekennummer op geprint staat. Er zijn dan amper vier seconden verstreken nadat je bij het hokje

bent gestopt, wat betekent dat je kentekennummer ergens onderweg wordt geregistreerd.
LuEllen en ik hadden allebei een paar alter ego's. Allemaal hadden ze hun eigen creditcards waarvan de betalingen zorgvuldig werden bijgehouden. Een van de hare gebruikten we voor het enige motel waar we op weg naar het Noorden gebruik van hoefden te maken. Het creëren van een alter ego is zoiets als het stelen van een identiteit, maar toch ook weer niet. Want je creëert eerst een niet-bestaand leven, in plaats van dat je het leven van iemand anders gebruikt. Als je het goed aanpakt, is het leuk.
De rit verliep redelijk aangenaam, ongeveer 1.500 kilometer met de onvermijdelijke nederzettingen langs de snelweg, waar je op zoek kon naar een wc of iets te eten. We deden het in één lange en één relatief korte dag, van de I-40 naar de I-81 onder de brandende zon, langs de Appalachen en door de Shenandoah, en daarna over de I-66 naar Washington.
De eerste nacht, toen we een kamer hadden genomen in een gezinshotel, ging ik on line en vond een boodschap van Lemon.

Er is gisteravond en vanochtend zes keer gebeld vanuit Carps appartement in Washington.

Ik antwoordde:

Ben onderweg. Moet nieuwe aanpak verzinnen.

We stopten bij een Holiday Inn in Arlington, waar we ons apart inschreven en ieder een eigen kamer namen, hoewel we er waarschijnlijk maar één zouden gebruiken. Je kunt beter een vluchtplek hebben en die niet nodig hebben dan er een nodig hebben en er geen hebben.
LuEllen schreef zich eerst in en bracht haar tassen naar haar kamer. Toen kwam ze door de parkeergarage naar buiten en gaf mij haar kamernummer. Daarna schreef ik me in, zette één tas in mijn kamer, hing een jasje in de kast. Toen ik de dekens half van het bed had getrokken en een deuk in het kussen had geslagen, hing ik het bordje NIET STOREN aan de deurknop en bracht de rest van mijn spullen naar LuEllens kamer. Die had één groot bed en was uitgevoerd in kleuren die je onmiddellijk vergat zodra je er niet naar keek. En het rook er naar schoonmaakmiddelen, zoals alles tegenwoordig.

'En?' vroeg LuEllen. Ze trok het gordijn een stukje open, keek naar buiten maar zag alleen asfalt en auto's. De zon stond nog boven de horizon. 'Wat doen we eerst? Carps huis?'
'Lijkt me een goed plan. We kunnen in elk geval een kijkje in de buurt nemen. Maar laten we eerst even naar het nieuws kijken.'

We hadden het oorspronkelijke bericht gemist omdat we toen in de auto zaten, maar senator David Johnson van Illinois werd ervan beschuldigd dat hij een aanrijding van zijn oudste dochter, die dronken achter het stuur had gezeten, in de doofpot had gestopt. Volgens 'een bron die ons bekend is als Bobby', zoals CNN het noemde, was Debra Johnson in het stadje Normal in Illinois met haar auto frontaal tegen een fietser van middelbare leeftijd gereden. De man had zijn pols gebroken, schaafwonden en blauwe plekken opgelopen en van zijn fiets was weinig meer over geweest.
Debra Johnson had een boete voor onverantwoordelijk rijden betaald, maar de oorspronkelijke bekeuring, nadat haar de blaastest was afgenomen, was voor rijden onder invloed geweest. Ze was na het ongeluk overgebracht naar een plaatselijk ziekenhuis omdat ze hoofdpijn had en was nooit op het politiebureau geweest.
De fietser was akkoord gegaan met twintigduizend dollar schadevergoeding voor de pijn die hij had geleden. Rapporten toonden echter aan dat het geld afkomstig was uit Johnsons campagnefonds, en dat was verboden.
Johnson had nog geen verklaring afgelegd, maar de gieren cirkelden al rond boven zijn hoofd. Het nieuwsitem ging vergezeld van een foto van een jonge vrouw. Ze zag er flink aangeschoten uit zoals ze daar in een straat tussen een politiewagen en een Saturn in stond en recht in de camera keek. Door het flitslicht had ze felrode ogen.
'Verdomme,' zei ik. 'Hij blijft aan de gang.'
'Meer olie op het vuur,' zei LuEllen.
Na het item over Johnson ging CNN meteen door met het verhaal over het Norwalk-virus in San Francisco, wat, volgens de nieuwslezer 'in stijl overeenkwam met de eerdere onthullingen uit de bron die zich Bobby noemde'.
California was van plan de federale overheid aan te klagen voor een miljard dollar, voor de schade die door het experiment met het virus was ontstaan, aldus CNN. Het geld zou worden gebruikt voor research van het virus en om het gat in de begroting van de staat te dichten. Een

advocatenkantoor in San Francisco had via zijn website zeventigduizend mensen verzameld voor een massaproces. Daarin zou worden vastgesteld dat het virus onherstelbare schade had aangericht aan de gezondheid van de slachtoffers en aan het werk dat ze deden. Het had de toeristen weggejaagd, er waren fouten in de huizenbouw door opgetreden, het had honden en katten aangemoedigd met elkaar te copuleren en het had gezorgd voor de opmars van de Russische netel in het ecosysteem. Ook zij eisten een miljard dollar.
Een meer serieus onderzoek door de universiteit van Berkeley stelde dat er in San Francisco vier mensen waren overleden als gevolg van complicaties die door het virus waren veroorzaakt. Huilende familieleden van alle vier de slachtoffers werden langdurig in beeld gebracht door camera's, die met liefde inzoomden op de tranen die over hun dikke wangen rolden. Alle vier de slachtoffers waren in goeden doen geweest.
De regering ontkende nu dat het experiment ooit had plaatsgevonden, maar niemand geloofde dat meer. Er stond inmiddels te veel geld op het spel.
Om het onderwerp Bobby af te ronden, vertelde de presentator dat de officier van de Special Forces, die werd beschuldigd van het executeren van een Arabische gevangene, naar Washington was overgevlogen om verhoord te worden door leden van de afdeling Strafrechtelijk Onderzoek van het Amerikaanse leger.

Daarna verscheen er een mediaspecialist in beeld, die het probleem vanuit een andere richting benaderde. 'De vragen die iedereen stelt, zijn: "Wie is die Bobby, waar haalt hij zijn informatie vandaan en wat wil hij eigenlijk?"' Om antwoord op die vragen te krijgen, had hij gesproken met twee congresleden die zo recentelijk waren gekozen, dat ze als redelijk betrouwbaar konden worden beschouwd. Verder had hij gesproken met twee media-adviseurs – pr-mensen, vermoedden wij – en de burgemeester van San Francisco.
Na het gebruikelijke geleuter was het uiteindelijke antwoord dat ze geen idee hadden wie Bobby was, waar hij zijn materiaal vandaan haalde of wat hij wilde. Een van de mediajongens suggereerde dat Bobby een hacker was die zijn informatie uit de databases van de overheid haalde en dat hij waarschijnlijk niet alleen werkte. Hij had zelfs een naam voor de groep bedacht: 'Al-Code-a'.
'Dit is niet goed,' zei ik.

'Carps levensverwachting wordt nu net zo lang als die van Bobby,' zei LuEllen. 'Als we hem niet gauw vinden, pakt iemand anders hem.'

Carps appartement was in het District, ruim drie kilometer ten noorden van het Witte Huis, in Clay Street, tussen 14th en 15th Street, vlak bij Meridian Hill Park. Het gebouw van bruine baksteen zag er verwaarloosd uit en telde vijf verdiepingen. We reden er een keer omheen en zagen dat de helft van de bewoners op de balkons aan de achterkant de was te drogen had gehangen. De hele buurt was armoedig en je moest er voortdurend over je schouder kijken. Opgeschoten jongens met hun handen in hun zakken, omgeven door een air van hiphopstoerheid; groepjes skateboarders; een drugsdealer wiens ogen dwars door me heen keken; vrouwen in kantoorkleding die met hangende schouders en gebogen hoofd voorbijsnelden alsof ze een harde wind in de rug hadden; steegjes met rondhangende mensen, rotzooi op straten en stoepen, en hier en daar graffiti op de muren.
Tegenover het appartement, op de heuvel, was Meridian Park, met een fontein die in een reeks treden afliep naar de zuidkant van het park. Daar was 14th Street, met winkeltjes, een paar garages, nagelsalons, een pizzeria, een cafetaria en het filiaal van een bank, dat soort zaken. Er was zoveel autoverkeer, dat niemand ons een tweede blik waard achtte toen we langs Carps huis reden. Overal langs de stoepranden stonden auto's geparkeerd, de meeste oud en gedeukt, maar er was nergens een Corolla te zien.
Van zijn papieren wisten we dat Carp op de vijfde verdieping woonde en van buitenaf gezien was dat dus de bovenste. Toen we bij 14th Street langs de voet van de heuvel reden, zag ik hoe aan de overkant een bejaarde Ford Explorer achteruit van zijn parkeerplek wegreed. Ik wrong de auto door het aankomende verkeer en nam de plek in.
We stonden nu een meter of zestig van de ingang van het appartementengebouw, voor een bedrijfje dat óf Lost & Damaged Freight óf Major Brand Overstocks heette, of allebei; daar ben ik nooit achtergekomen. Na een tijdje wachten en kijken ging ik weer door met het cryptogram in de *New York Times*, want ik zat vast ergens midden in de puzzel, met een woord van elf letters. De omschrijving was: keurig bordeel voor één Frans gezin.
'Hoerentent?' stelde LuEllen voor, waarmee ze ook mijn eerste gedachte verwoordde.

Ik telde de letters na op mijn vingers. 'Dat zijn maar tien letters. Bovendien slaat het nergens op.'
'Zoek het dan op. Het zal wel een of ander Frans woord zijn.'
'O, man.' Maar ik startte de laptop op en opende de Merriam-Webster. Elf letters...
We zaten ruim twee uur in de auto, stapten af en toe even uit en zagen de zon achter de huizen verdwijnen terwijl ik nog steeds nadacht over het cryptogram. Er gebeurde niets in mijn hersenen wat me ook maar iets dichter bij het antwoord bracht, maar ik zat er nog steeds over te piekeren toen de straatlantaarns aangingen.
'We kunnen beter nadenken over wat we nu gaan doen,' zei ik ten slotte.
'Wacht,' zei LuEllen. 'Moet je die mannen zien.'
Er liepen twee mannen naar de ingang van het appartementengebouw waar Carp woonde. Ze waren door het weinige licht niet goed te zien, maar de ene was zwart en de andere blank.
'Zijn het dezelfde mannen die je bij Carps trailer hebt gezien?' vroeg ik op fluistertoon, hoewel niemand ons kon horen.
'Volgens mij wel,' zei ze. 'Ze lijken er veel op. Misschien volgen ze hem ook, net als wij.' De mannen bleven voor de ingang staan, keken naar links en naar rechts de straat in en daarna langs de voorgevel omhoog. De ene had een kakibroek, een T-shirt en een jasje aan en de ander een polo en een bandplooibroek. Ze hoorden duidelijk niet thuis in deze buurt.
'Een soort politiemensen?' zei ik toen ze het appartementengebouw binnengingen.
'Volgens mij niet,' zei LuEllen. 'Ze dragen geen wapens, tenzij ze van die kleine enkelholsters hebben. Ze hebben ook niet al die rommel aan hun broekriem hangen, zoals smerissen dat hebben. Geen piepers, geen mobiele telefoons, geen handboeien...'
'Dus we weten dat Carps huis in de gaten wordt gehouden. Misschien hebben ze iemand binnen, iemand van de FBI.'
'Dat kan. Ze hoeven maar één man binnen te hebben, in de gang of op de trap naar boven, en we zouden gepakt zijn.'
Een snelle beweging bij Meridian Park trok mijn aandacht. 'O, o,' zei ik. 'Kijk dan, daar.' Een mollige man kwam in rustige looppas naar de ingang van het appartementengebouw. 'Krijg nou wat, dat is Carp,' zei ik.
'Nee, deze is blond.' Sluik blond haar danste op en neer boven de vlezige schouders van de man.

'Dat kan me niet schelen; dat is Carp,' zei ik. 'Kom op, we gaan.'
'Waarnaar toe?' Ze pakte mijn arm vast.
'De heuvel op. Dan kunnen we zien wat er gebeurt.'
'Ik weet het niet,' zei ze weinig enthousiast, maar ik was al uit de auto gestapt, en toen ik 14th Street overstak en Clay Street in liep, hoorde ik haar portier ook dichtslaan.
Verderop, aan het eind van het blok, zag ik hoe Carp een auto ontweek en de treden van het appartementengebouw opliep. Ik rende ook die kant op, maar LuEllen riep: 'Kidd, rustig aan, rustig aan.'
Ik ging langzamer lopen. Rustig aan is altijd het beste. 'Hij had de laptop niet bij zich,' zei ik. 'Dus die is op zijn appartement of in zijn auto. Als we die kunnen vinden, de rode Corolla, maken we een kans.'
'Maar als hij de laptop in zijn appartement heeft, houdt dat misschien in dat er meer mensen bij betrokken zijn. Misschien werkt hij samen met de twee mannen die we net zagen. Misschien hadden ze in New Orleans met hem afgesproken, maar hebben wij hem weggejaagd voordat ze elkaar konden ontmoeten.'
Ze had mijn arm weer vastgepakt, net boven de elleboog, en kneep erin om me tegen te houden. Maar ik liep door en we waren een stukje de heuvel op gelopen toen we de schoten hoorden.
Dit was geen .22. Dit waren drie of vier schoten met een wapen dat een stuk zwaarder was. We bleven staan en LuEllen zei: 'Draai je om, draai je om.' We draaiden ons om zodat we met de rug naar de heuvel toe stonden. Op de treden van een appartementengebouw aan de overkant zat een zwarte man de krant te lezen, maar toen hij de schoten hoorde, stond hij snel op en verdween naar binnen.
'Doorlopen, doorlopen,' zei LuEllen. We liepen de heuvel weer af, achteromkijkend en af en toe struikelend over de ongelijke stoeptegels. Op dat moment kwam de blanke man die we naar binnen hadden zien gaan – dezelfde man die we bij de trailer hadden gezien, meenden we – door de ingang van het appartementengebouw naar buiten wankelen. Op de stoep zakte hij in elkaar. Hij probeerde op te staan, maar was zwaargewond en zakte opnieuw in elkaar.
Toen kwam Carp naar buiten. Hij liep naar de man toe, richtte het pistool en schoot hem één keer in het hoofd, waarna de man roerloos op de stoep bleef liggen.
'O, jezus,' zei ik, en LuEllen jammerde: 'O nee, o nee.' Haar nagels drongen in mijn onderarm.
Carp stopte het pistool in zijn zak en rende de heuvel op, naar het park toe.

Boven ons, op de eerste verdieping van het appartementengebouw, werd een raam opengedaan en riep een vrouw: 'Bel het alarmnummer! Bel het alarmnummer!' Ik vroeg me af waarom ze dat zelf niet deed, totdat ik bedacht dat ze misschien geen telefoon had. Een oude blanke man kwam het appartementengebouw uit en wees met trillende vinger in de richting van de wegrennende Carp. 'Daar gaat hij, daar gaat hij,' riep de man, maar er was niemand om te kijken of hem achterna te gaan.
'Niet rennen,' zei LuEllen. Haar nagels drongen nog dieper in mijn onderarm en Carp was inmiddels verdwenen. 'Niet rennen maar wel doorlopen. Gewoon doorlopen.'
'Wie waren die kerels?' vroeg ik me hardop af.
'Ik weet het niet, maar ik durf te wedden dat Carp dacht dat jullie het waren, jij en John.'
'Denk je dat?'
'Een blanke en een zwarte man, die hem kwamen opzoeken zoals jullie dat bij de trailer en bij Rachel hebben gedaan.'
'Maar hij weet dat hij John heeft neergeschoten.'
'Nee, dat weet hij niet. Hij weet dat hij op John heeft geschóten, maar hij was er al vandoor toen John tegen de grond ging.' We hoorden sirenes naderen en LuEllen duwde me de hoek om. 'Politie. Blijf doorlopen. Ze willen getuigen en de mensen hebben ons gezien.'

We staken 14th Street over, stapten in de auto en reden rustig weg in noordelijke richting. Een blok verderop draaide ik 15th Street in en volgde de straat langs Meridian Park. We konden beneden Carps huis zien, waar inmiddels twee witte patrouillewagens van bureau District voor de deur stonden. Er was nergens een ambulance te zien, maar we hoorden nog meer naderende sirenes.
'Als dit zo doorgaat,' zei LuEllen, 'moet ik misschien op pad voor wat Heilzame Hulp.'
'Hè nee! Kom op, verdomme.' Heilzame Hulp was haar benaming voor cocaïne. Ze snuift het al sinds ik haar ken en ik heb het opgegeven om te proberen haar ervan af te krijgen. Maar ik haat die rotzooi. Als de Amerikaanse samenleving ooit ten onder gaat, is het aan drugs.
'Misschien heb ik er behoefte aan,' zei ze.
'Waarom ga je dan niet naar huis?' zei ik. 'Ik zie je liever gaan dan dat je die rotzooi in je neus stopt.'
'Echt?'

'Je gaat eraan dood,' zei ik, zonder antwoord te geven op haar vraag. Want ik wilde graag dat ze bleef.
Ze bleef enige tijd zwijgen, maar toen we ongeveer een kilometer van het hotel waren, zei ze opeens op knorrige toon: 'Maisonnette.'
'Wat?' Ik was nog steeds boos.
'Elf letters. Keurig bordeel voor één Frans gezin.'

11

We beefden en waren misselijk van angst. Na een tijdje begon tot ons door te dringen dat we getuige waren geweest van een executie. 'Die vuile schoft,' begon LuEllen. 'Die vuile schoft heeft hem gewoon vermoord. Die man lag op straat en hij schoot hem gewoon in zijn kop, die vuile schoft...'

'Ik weet het, ik weet het,' zei ik alsmaar.

'Hij kon niets terugdoen. Heb je dat gezien? Hij lag gewond op straat. Ik bedoel, Carp had hem al neergeschoten en hij was gewond en dan loopt Carp gewoon op hem af en schiet hem in zijn kop. *Wham!*'

Begeleid door deze verontwaardigde, onsamenhangende tirade reden we het District uit. Terug in het hotel zetten we de tv aan en keken naar CNN, waarbij we om de zoveel tijd 'die vuile schoft' naar elkaar riepen.

Die avond, terwijl we nog steeds in een shocktoestand verkeerden, gingen we weer op zoek naar een wi-fi-aansluiting. We hoefden niet ver te rijden, want Washington is op dat punt een doelwitrijk gebied. Niet ver van het hotel, in Rosslyn, vonden we een nieuw, bakstenen kantoorgebouw waar ik een sterk signaal opving. Ik parkeerde de auto in de straat ernaast, ging het net op, brak in bij de FBI en opende het Jackson-bestand.

De FBI was op zoek naar een man die Stanley Clanton heette en uit de plaatselijke Ku-Klux-Klan was geschopt omdat hij niet goed snik was. Toen Bobby was vermoord, had hij aan vrienden verteld dat híj degene was geweest die 'de band had gerold', wat schijnbaar KKK-idioom was voor een aanslag op een zwarte man.

'Ze heeft het hun niet verteld!' riep LuEllen verbijsterd. 'Welsh heeft de FBI niet verteld dat het Bobby is. Ze zijn op jacht naar een of andere gestoorde racist.'

'O, man,' zei ik. 'Als ze hem pakken, zal ik aan iemand moeten vertellen dat wij de truc met het brandende kruis hebben uitgehaald.'

LuEllen haalde haar schouders op. Ze hing tegen me aan en haar gezicht was vlak bij het mijne, zodat ze op het schermpje van de laptop kon kijken. 'Waarom? Hij heeft dan misschien Bobby niet vermoord, maar hij klinkt wel als de soort klootzak die wacht op een gelegenheid om zoiets te kunnen doen.'

'Jezus christus, LuEllen, ik laat iemand die ik niet ken niet in de gevangenis opsluiten voor iets wat ík heb gedaan, en niet hij.'
'Wat je wilt,' zei ze. Ze was nog steeds van streek en chagrijnig als gevolg van de executie.

Tijdens de rit naar het Noorden vanuit Mississippi had ik de lijst in het bestand 'werkgroep DDC – Bobby' zorgvuldig doorgenomen, de namen opgezocht op internet en de meeste ervan gevonden. Ze waren van overheidsambtenaren, van wie ik er een paar met behulp van hun creditcardgegevens kon traceren als werkzaam voor het ministerie van Justitie. Drie van hen waren lid van de staf van de Senaat. De computernummers verwezen naar een database van justitie ergens in North Virginia. Toen ik contact daarmee zocht, kreeg ik een scherm waarop ik me moest aanmelden en verder niets; geen mogelijkheden om via een zijdeur binnen te komen.
Uiteindelijk schreef ik een e-mail die ik naar alle stafleden van de werkgroep verstuurde:

De staf van senator Krause zal volgende week beginnen met een dagelijks verslag van de activiteiten en het politieke programma van de senator, wat van belang kan zijn voor degenen die met de senator werken en de leden van werkgroep DDC. Het is de bedoeling dat dit een doorlopende dialoog wordt, min of meer vergelijkbaar met de persoonlijke websites van politici, die tegenwoordig zo populair zijn. De website zal u ruimte bieden tot het stellen van vragen aan de senator en het uitwisselen van commentaren op recente politieke ontwikkelingen. Als u toegang wilt tot de website, stuur ons dan een gebruikersnaam en een wachtwoord naar keuze. U kunt reageren op...

Hier moest ik even stoppen en in mijn notitieboekje bladeren om een van mijn anonieme e-mailadressen op te zoeken.
Toen ik het opschreef, vroeg LuEllen: 'Wat schieten we hiermee op?'
'Iedereen wil graag een kans om met de grote baas te praten,' zei ik. 'Maar niemand wil nog meer wachtwoorden onthouden dan ze nu al moeten doen, want iedereen heeft er al veel te veel. Minstens een paar van deze mensen zullen me dezelfde gebruiksnaam en hetzelfde wachtwoord sturen die ze gebruiken om in te loggen in het systeem van het comité.'
'O, ja?'
'Succes verzekerd,' zei ik, en ik drukte op een toets om de e-mails te

versturen. 'Maar we zullen tot morgen moeten wachten voordat de antwoorden binnenkomen.'
'Dan kunnen we misschien ergens goed gaan eten. Kan dat? Ik bedoel, ik voel me nog steeds opgefokt.'
'Ja, best.'
'Iets Frans, met slakken of zo. Of fijngestampte ganzenlever. Of Italiaans, dat is ook goed. Zolang het maar geen gebakken *catfish* is, want daar heb ik inmiddels schoon genoeg van.'
Voordat we vertrokken, deed ik een onderzoekje naar William Heffron uit MacLean in Virginia, een van de mannen die we bij Carps trailer hadden gezien. Ik vond zijn privé-adres en telefoonnummer, maar geen werkgever. Toen ik zocht in de database van een van de grote creditcardbedrijven vond ik: 'Ministerie van Justitie, 1989 tot 1996' en daarna: 'Amerikaanse regering, 1996 tot heden'. Voor een creditcardbedrijf is dit meestal niet voldoende. Die willen details, en aangezien ze daar niet om hadden gevraagd, nam ik aan dat Heffron voor de een of andere inlichtingendienst van de overheid werkte.
'Hij is dood,' zei LuEllen.
'Dat weet ik. Waarschijnlijk kunnen we morgen meer over hem te weten komen.'
Ik sloot de laptop af en we gingen op zoek naar een restaurant.

Waarschijnlijk heb ik het helemaal en compleet mis – onder voorwaarde dat 'helemaal' en 'compleet' niet hetzelfde betekenen – maar ik heb altijd de indruk dat de helft van de mensen in Washington rotzooit met mensen met wie ze niet hóren te rotzooien, in seksuele of in politieke zin, of allebei. Een gevolg daarvan is dat je overal in de stad en de buitenwijken geweldige restaurantjes hebt met tafels waaraan je kunt zitten zonder gezien worden. Precies het tegenovergestelde van bijvoorbeeld Los Angeles.
We kwamen terecht aan de overkant van de Potomac, in Birdie, een Frans restaurantje in Georgetown, een half blok voorbij M-Street, waar LuEllen een paar dingen at die verboden zouden moeten worden. Ikzelf hield het bij rotsduiven, het mogen dan misschien duiven zijn, maar ze zien er op je bord uit als spreeuwen, met pootjes zo dun als lucifers. Er lagen donzige, ongekookte bladeren van een of andere plant overheen gedrapeerd. Ik tilde een van de bladeren op, keek om me heen en LuEllen zei: 'Nee, niet op de grond gooien. Geef ze maar aan mij.'

We dronken een fles wijn bij het eten en omdat we niet gezien of gehoord konden worden, praatten we over Carp.
'Het interessante is dat de FBI op zoek is naar de moordenaar van Bobby, maar dat die er nog steeds van uitgaat dat het een raciale moord is,' zei LuEllen. Ze was in het zwart gekleed, zoals altijd wanneer ze een fatsoenlijk restaurant ten oosten van Ohio bezocht, en had kleine oorknopjes met diamanten in. 'Maar we weten ook dat een hoge pief van de veiligheidsdienst weet dat Bobby Bobby is. Die zou zich dus op het onderzoek geworpen moeten hebben, maar dat is dus niet zo.'
Ik wees met mijn vork naar haar. 'En iemand anders, niet de FBI, is op jacht naar Carp, en die zit nu met één of meer lijken,' zei ik. 'Weten ze dat Carp Bobby heeft vermoord? Weten ze dat hij degene is die in Bobby's naam informatie openbaar maakt? Of is dit een of andere operatie van de overheid? Van de Binnenlandse Veiligheidsdienst misschien, wat heel goed mogelijk is aangezien Rosalind Welsh blijkbaar niets tegen de FBI heeft gezegd. Maar een van de mannen die op zoek zijn naar Carp heeft vroeger voor justitie gewerkt, en de FBI is een tak van het ministerie van Justitie. Wat moeten we daar verdomme uit opmaken?'
'Dat overheidsmensen, wie het ook zijn, elkaar om zeep aan het helpen zijn.'
'Nee, het is Carp die overheidsmensen om zeep helpt. Zoals jij al zei, zagen die jongens eruit alsof ze ongewapend waren. Ze zaten ongeveer in dezelfde situatie als wij, toen ze hem onverwacht tegenkwamen. Ik kan niet echt geloven dat de overheid mensen zou vermoorden... behalve in oorlogen dan... en in nog een paar andere situaties...'
'Ik deel je vertrouwen niet,' zei LuEllen. 'Ik wéét dat er smerissen zijn die mensen hebben vermoord omdat die hen kwaad hebben gemaakt.'
'Akkoord, maar die handelden zelfstandig. En hoewel dat soort zaken misschien minder grondig wordt onderzocht dan je zou mogen verwachten, is het geen regel dat dat gebeurt. Als zo'n moord wordt ontdekt, komt er een proces.'
'Dus? Hebben we te maken met een groep die buiten de wet opereert?'
'Dat kan,' zei ik. 'Maar ik zal je één ding zeggen: als de FBI niet kan uitdokteren dat Bobby Robert Fields is en als Welsh weigert het hun te vertellen, dan moeten wíj dat doen. Carp mag niet ongestraft blijven.'
'We weten niet eens zeker of Carp degene is die Bobby heeft vermoord,' zei LuEllen. 'Misschien hebben die twee mannen dat wel gedaan.'
'Ah, onzin.' Ik stak het grootste deel van een vleugel in mijn mond.

'Die mannen waren een stel amateurs. En we weten dat Carp gestoord is. Toen we bij de trailer waren, de allereerste keer dat we hem zagen, raakte hij in paniek en schoot hij op John en mij zonder ons te vragen wie we waren en wat we kwamen doen. Absoluut gestoord.'

'Oké, Carp is gestoord,' zei ze. 'Er zijn een paar dingen die we nog niet weten en wel zouden moeten weten. De belangrijkste daarvan is: werkt Carp voor iemand? Als dat zo is, kan het zijn dat hij de laptop al heeft weggegeven. Of kopieën heeft gemaakt en die heeft weggegeven. En dat we, als we hem ooit pakken, voor meer problemen staan dan we dachten.'

'Ja... nou, misschien kunnen we morgen iets bedenken.'

'Laten we hopen dat hij niet wéér met schokkend nieuws komt,' zei LuEllen. 'Hij heeft het hele land al in rep en roer gebracht. Wat wil hij nog meer?'

We rommelden die avond nog wat in bed. De sfeer bleef echter bedrukt en in de stilte na de seks vertelde LuEllen waarom ze overwoog om met inbreken te stoppen.

'Niks hoogdravends, alleen maar een programma dat ik op tv zag toen ik in Texas was. Het ging over vrouwen die in de gevangenis zaten. Ze hadden allemaal lange straffen, zaten daar voor moord en... nou, het merendeel voor moord, en toen begon ik te denken dat ik daar ook terecht kon komen. Er is maar één fout voor nodig. Eén alarm dat ik niet zie, of een val die iemand heeft gezet, of ik raak gewond en kan niet meer wegkomen. Dan ga ik ook de gevangenis in. Het was niet zozeer de gevangenis die me beangstigde, het waren de vrouwen. Ze zagen er allemaal zo ellendig uit. Zo beschadigd en triest... de meest trieste mensen die je je kunt voorstellen. Ik hang mezelf nog liever op dan dat ik me daar laat opsluiten.'

Ik wist niet wat ik daarop moest zeggen. Maar ze had gelijk; het kon gebeuren. Het kon ons allebei overkomen.

'Het meest trieste waren de bezoekdagen,' vervolgde ze, 'als hun kinderen op bezoek kwamen en hoe gelukkig ze waren als ze hun kinderen zagen. Er waren kinderen bij die zich hun moeder amper konden herinneren. En er waren vrouwen die dachten dat hun kinderen zouden komen maar die dan niet kwamen opdagen, en die dan stilletjes in een hoekje zaten te huilen. En ik bedacht toen dat ik niet eens iemand héb die me kan komen opzoeken als ik daar zou zitten.'

'LuEllen,' zei ik, 'je weet dat...'

'Nee, jij komt niet,' zei ze. 'En zelfs al zou je willen komen, dan zou ik niet willen dat je me zo zag. Maar ik bedacht nog iets. Als ik gepakt zou worden, zou niemand weten wie ik was. Hoe ik heette. Afgezien van een paar mensen met wie ik op school heb gezeten. Verder niemand.' Ze ging opeens rechtop zitten. 'Tot nu toe is mijn leven oké geweest. Ik heb niet veel keuzes gehad. Het was dit of verpleegster worden zoals mijn moeder, met po's vol poep door een verpleeghuis lopen.'
'Daar ben je te slim voor.'
'Slim zijn alleen is in dit land niet genoeg. Je moet de juiste dingen leren, vanaf het eerste begin. Je moet een goede opleiding hebben, of geld van je ouders, of...' Ze liet zich weer terug op het bed vallen. 'Ik weet het niet. Maar ik moet iets anders gaan doen. Ik krijg er nog steeds een kick van als ik ergens binnen ben, maar ik moet ermee ophouden voordat het te laat is.'
Dit vormde de basis voor een goede, ontspannen nachtrust. Dit en de alsmaar terugkerende dromen waarin een te zware man plat op zijn gezicht op straat viel...

De volgende dag was het zaterdag. We werden allebei vroeg wakker, bleven nog even liggen in een poging dat laatste kwartiertje slaap in te halen, maar ten slotte gaf ik het op, pakte de afstandsbediening en zette de tv aan. Boven aan het scherm verscheen een zwart balkje waarin de dag, de datum en de tijd werden weergegeven. Het drong eerst niet tot me door, maar toen zei ik: 'Verdomme, het is zaterdag. Als ze onze e-mail nog niet gelezen hebben, krijgen we geen wachtwoorden terug.'
'Ik durf te wedden dat mensen in de politiek om de vijf minuten kijken of ze e-mails hebben,' zei LuEllen terwijl ze rechtop ging zitten en zich uitrekte. 'Laten we eerst ontbijten en daarna gaan kijken.'
Terwijl zij zich ging opfrissen, zapte ik langs de plaatselijke zenders om te zien of er nog nieuws was. Ik vond wel een nieuwsuitzending, maar over de schietpartij van de afgelopen avond werd geen woord gezegd.
We gingen op pad, namen een Frans ontbijt – LuEllen was opvallend opgewekt, mogelijk omdat ze zich een beetje geneerde voor haar bekentenissen van de afgelopen nacht – en reden naar ons wi-fi-gebouw om het net op te gaan.
LuEllen had de mensen in de politiek juist ingeschat. Ze keken in hun postbakjes. Op mijn e-mailadres waren zeventien antwoorden binnen-

gekomen. Ik kopieerde ze naar Carps laptop en ging naar de eerste pagina van werkgroep DDC. Ik kreeg het scherm waarop ik me moest aanmelden en begon namen in te voeren. Darryl Finch, de zesde naam op de lijst, had me Dfinch/Bluebird9 opgegeven voor de website van de senator. Die combinatie leverde niets op, maar Dfinch/bluebird5 wel. Dfinch/bluebird5 gaf me toegang tot een pc met allerlei informatie over de stafleden, maar geen bestanden over James Carp of Bobby. Maar toen ik een bestand over een zekere Linda Soukanov bekeek, stuitte ik op een brief die een reactie was op een klacht die een collega over Carp had ingediend. Soukanov was lid van de werkgroep. Ze schreef dat ze er getuige van was geweest dat Carp 'ongewenste interesse' had getoond voor een collega op de werkplek naast de zijne. Die collega heette Michelle Strom en ze maakte deel uit van de werkgroep.

'Uitstekend,' zei ik.

'Heb je iets gevonden?' LuEllen klonk verveeld.

'Misschien... Geef me nog een minuutje.'

Ik zocht de map over Michelle Strom op en vond de klacht. Daarin werd gesteld dat Carp haar in de lift had aangeraakt, 'zijn voorkant tegen mijn achterkant duwde', en dat hij een andere keer haar borst had aangeraakt onder het mom dat hij de foto op haar legitimatiepasje wilde bekijken. Ze schreef dat ze de incidenten niet eerder had gemeld omdat ze er niet zeker van was dat hij haar met opzet had aangeraakt, maar nu ze had gehoord dat andere vrouwen ook over hem hadden geklaagd...

Ik bekeek de aanmeldingen voor de website van de senator. Linda Soukanov stond er niet tussen, maar Michelle Strom wel: Mickey/DasMaus1. God sta me bij.

Ik logde uit bij Dfinch en probeerde Mickey/DasMaus1, maar ik werd geweigerd, dus probeerde ik de daaropvolgende vijf minuten alle mogelijke varianten en kwam ten slotte binnen met Mickey/Mauser. Hackers met een beetje geduld komen een heel eind.

Meestal tenminste, meestal. Ik kwam in Michelle Stroms computer en merkte dat ik wel berichten en memo's kon invoeren maar er niets uit kon halen zonder een extra code in te toetsen. Zoals de beveiliging was opgezet, kreeg ik de indruk dat het systeem me zou buitensluiten in plaats van me mijn gang te laten gaan, en aan de beheerders zou melden dat iemand had geprobeerd met behulp van Stroms wachtwoord het systeem te kraken.

'Ik loop dood,' zei ik.
Ik probeerde nog vier combinaties van namen en wachtwoorden. Daarmee kwam ik wel binnen, maar ik merkte ook dat de beveiliging beter was dan ik had gehoopt. Ik kon de administratieve bestanden openen, maar daar hield het een beetje mee op. Voordat ik de zaak afsloot, voerde ik de naam William Heffron in een algemene zoekmachine en kreeg onmiddellijk een zestal berichten van websites van nieuwszenders in Washington. Ik opende het eerste bericht en las het voor aan LuEllen.
'Twee mannen uit Virginia zijn vrijdagavond doodgeschoten in een appartementengebouw bij Meridian Park, door een dader die de ene man in het trappenhuis van het gebouw doodschoot en de andere op de stoep voor het gebouw, toen hij probeerde te vluchten, meldde de politie van District zaterdag.
Terrance Small uit Alexandria en William Heffron uit MacLean, beiden werkzaam op de afdeling Informatieverwerking van het ministerie van Justitie, wilden blijkbaar een vriend bezoeken toen ze werden doodgeschoten. De politie vermoedt dat ze per ongeluk terecht zijn gekomen in een drugstransactie die op dat moment in het Marlybone-gebouw in Clay Street plaatsvond.
De politie heeft gezegd dat beide mannen van heel korte afstand één keer in het hoofd zijn geschoten, in executiestijl, nadat ze beiden ook al enkele malen in het lichaam waren geraakt. Geen van beide mannen had een strafblad, meldde de politie. Terry Banks, hoofd van de afdeling Informatieverwerking van het ministerie van Justitie, verklaarde: "Dit is een buitengewoon tragische gebeurtenis. Het ging hier om twee prima mensen die iedereen graag mocht. Ik kan gewoon niet geloven dat iets als dit kan gebeuren. Iedereen op de afdeling zal diep geschokt zijn als het nieuws bekend wordt." '
Er kwam nog meer, maar dit waren de hoofdzaken.
'Een drugstransactie?' zei LuEllen. 'Praat de overheid dan niet met de politie als hun eigen mensen worden vermoord? Dan zijn ze net zo gek als Carp.'
'Misschien weten ze het echt niet,' zei ik. 'Misschien wisten ze niet wat Heffron en Small daar deden, en dat Carp daar een appartement had.'
Ik ging terug naar de zoekmachine en typte Carp in, maar ik kreeg alleen maar websites over karpers. 'Helemaal niks over Jimmy of James Carp.'
LuEllen schudde haar hoofd en trok haar mondhoeken naar beneden.

Ik ben zelf nogal sceptisch als het op de overheid aankomt, maar LuEllen is op dat punt een aantal graden erger dan ik.

'En wat nu?' LuEllen draaide zich om op haar stoel en keek naar de voorbijgangers. 'We staan hier al een tijdje.'
'Als jij beter inbrekersgereedschap nodig had in plaats van dat spul van Target, zou je dat hier in de buurt dan kunnen kopen?'
'In Philly,' zei ze. 'Je kent hem; je hebt hem ontmoet.'
'Ik dacht dat hij alleen in wapens deed.' Hij had me een keer een wapen verkocht voor een confrontatie in West-Virginia. Ook iets waar ik liever niet over droomde.
'We kunnen spullen bestellen,' zei ze.
'Ik krijg de rillingen van die knaap.'
'Dat moet ook, want het is een engerd,' zei ze. 'Maar hij kan alles leveren en is betrouwbaar. Gaan we ergens inbreken?'
Ik wreef over mijn kin en dacht na. 'Michelle Strom is interessant,' zei ik. 'Ik zou graag eens in haar huis rondkijken. Wacht even...'
Ik ging weer in de pc met het Dfinch-wachtwoord en opende het dossier van Strom. Ze was alleenstaand, 33 jaar oud, had een graad in geschiedenis en een doctorale graad in Russisch. Ze had een of andere leidinggevende functie, maar ik kon niet vaststellen over hoeveel mensen ze de leiding had. Er zaten twee goede foto's van haar in het dossier, die vermoedelijk waren gebruikt voor haar identiteitskaart. Ik kopieerde haar privé-adres en alle telefoonnummers, van thuis, van kantoor en van haar mobiele telefoon.
'Dus...?'
'Als we naar binnen en weer naar buiten kunnen zonder dat ze iets merkt, kan het de moeite waard zijn.'
'Moeten we een tijdje binnenblijven?'
'Eh... Ja,' zei ik. 'Acht tot tien minuten, in elk geval niet langer dan een kwartier.'
'Dat is een eeuwigheid. Vertel me waarom, in 25 woorden of minder.'
Dat was een grapje tussen ons; als je niet in minder dan 25 woorden kon vertellen waarom je ergens wilde inbreken, had je er niet goed over nagedacht. Ik zei: 'Iedereen neemt werk mee naar huis, ook vertrouwelijk werk. We kunnen niet inbreken in Stroms kantoor of in haar computer, dus nemen we haar huis. Hoeveel woorden zijn dat?'
'Precies 25,' zei ze. 'Tenminste, als je die laatste vraag weglaat.'

LuEllen maakte een telefonische afspraak en we reden naar Philadelphia. We gingen op bezoek bij iemand die Drexel heette, een wapenhandelaar. Ik had hem twee keer eerder ontmoet, toen ik voor andere klussen in de omgeving van Washington was. Tijdens die ontmoetingen had hij in een rustige buitenwijk gewoond, in een huis dat van een boekhouder had kunnen zijn. Inmiddels woonde hij aan de westkant van de stad, naast een sloopbedrijf voor trucks, in een huis dat bijna de helft kleiner was dan het vorige.
Hij deed open, glimlachte en zei: 'Het pakketje is een kwartier geleden aangekomen.'
'Leuk huis,' zei LuEllen toen hij ons had binnengelaten. De inrichting was afgeprijsd Scandinavisch, begin eenentwintigste eeuw. 'Waarom ben je verhuisd?'
'Zodra mijn dochter van school kwam, zijn mijn vrouw en zij vertrokken,' zei hij. Hij was lang en mager, droeg een brilletje met een dun metalen montuur en zag eruit als een boer op het schilderij *American Gothic* van Grant Wood. Hij was altijd heel vriendelijk, maar toch eng, en veel te beschaafd voor iemand die in wapens handelde. Een wapenhandelaar uit de onderwereld moest toch minstens een zwarte ooglap dragen? Hij pakte een laptop op en nam ons mee naar de kelderdeur. 'Volgens mij vonden ze me al jaren niet aardig meer.'
'Goh,' zei LuEllen, alsof dat ondenkbaar was. Ze keek me aan en haar ogen zeiden: je zegt het niet.
We liepen achter hem aan de keldertrap af. In zijn vorige huis had hij zijn werkplaats ook in de kelder gehad en deze leek daar heel veel op. Alles was schoon, kurkdroog, netjes opgeruimd en met militaire precisie georganiseerd. Er liepen elektriciteitsdraden langs het plafond en ik vermoedde dat hij de ruimte zorgvuldig had beveiligd. 'Ja, nou... Ik wilde alleen dat ze het eerder hadden gezegd, dan hadden we niet al die jaren bij elkaar hoeven blijven. Ik mocht die twee namelijk ook niet.'
'Dus toen heb je het huis verkocht,' zei LuEllen.
'Ik moest wel. Mijn vrouw heeft het geld gekregen, maar ik ben tenminste overal van af. Geen alimentatie, niks. Ik klaag niet.' Hij liep naar de werkbank, knipte de lichtbak erboven aan, trok een la open en haalde er een plastic doosje uit. 'Deze juweeltjes zijn heel moeilijk te vinden. Ik geloof dat de CIA er ooit mee begonnen is... Maar als er ergens een opduikt, zit de politie er onmiddellijk bovenop om te zien waar ze blijven.'

‘Deze is schoon?’ vroeg LuEllen terwijl ze het doosje opende.
‘Ja, van een slotenmaker die is gestorven... een natuurlijke dood, een hartaanval.’
In het doosje zat een tweede doosje, ongeveer zo groot als een pakje sigaretten, maar matzwart. Uit de bovenkant stak een staafje waaruit een dikke kunststof haar stak, en onder in het doosje zat een USB-poort. Het plastic beschermdoosje bevatte ook een USB-datasleutel en een korte USB-kabel.
‘Er zijn vijf extra glasvezelstaafjes,’ zei Drexel tegen LuEllen. ‘Als je ze allemaal breekt, weet ik niet hoe we aan nieuwe moeten komen. Maar ze schijnen vrij duurzaam te zijn.’
‘Ja, ze zijn goed,’ zei LuEllen. ‘Ik heb één keer een apparaat als dit gebruikt, maar dat had ik gehuurd. Ik heb er altijd zelf een willen hebben. Hoeveel?’
‘Zevenduizend.’
Ze hield haar hoofd schuin. ‘Oké, het geld ligt in de auto. Maar laten we hem eerst in de laptop pluggen.’

Drexel zette de laptop aan, legde mij uit dat de USB-sleutel de software bevatte die op elke Windows-computer kon draaien en dat hij die al op zijn laptop had geïnstalleerd toen hij het apparaat kocht. Hij startte het programma op en sloot het apparaat met de USB-kabel aan op de laptop.
‘Er zit een yaleslot in de deur van de voorraadkast, als je hem wilt proberen.’
‘Bedankt.’ LuEllen droeg de laptop en het zwarte doosje naar de kast en stak het stukje glasvezel in het slot.
Het was ongeveer twee millimeter dik en werkte als een cameralens. Oorspronkelijk was het ontwikkeld voor hart- en vasculaire chirurgie. Wanneer je het stukje glasvezel in een gewoon slot stak, kon je alle palletjes en sleuven in het slot zien op het beeldscherm van de laptop. Als je bekend was met sloten – LuEllen was geen expert maar ze wist er genoeg vanaf – kon je met behulp hiervan voor jezelf een sleutel maken. De software maakte het overbodig om de binnenkant van het slot echt te bekijken, aangezien de software de baarden, sleuven en spatiëring herkende van vrijwel alle sloten die in de Verenigde Staten en Europa gangbaar waren, maar, vertelde Drexel, de meeste mensen vonden het gewoon leuk om in het slot te kijken. ‘Dat geeft ze het vertrouwen dat de nummers de juiste zijn.’

We keken toe terwijl LuEllen met het slot bezig was. Het bewegende beeld van het interieur van het slot was op het scherm van de laptop te zien. Ze keek nog een laatste keer, gromde zacht en zette de laptop uit. 'Ik ga het geld halen,' zei ze, waarna ze de spullen aan Drexel gaf en de trap opliep.

Toen ze halverwege de trap was, deed Drexel zijn hand omhoog om het licht boven de werkbank uit te doen, maar ik legde mijn wijsvinger op mijn lippen en hij stopte. Toen we LuEllen door de gang hoorden lopen vroeg ik: 'Heb je misschien een klein handwapen voor me? Iets wat goed in de hand ligt, niet te veel lawaai maakt maar er wel bedreigend uitziet?'
'Je moet mensen niet bedreigen met een wapen,' zei Drexel nuchter. 'Als het zover komt dat je besluit je wapen te trekken, kun je maar beter de trekker overhalen. En als het eenmaal zover is, maakt het niet veel meer uit hoeveel lawaai je maakt. Het verschil in geluidsniveau tussen een .380 en een .357 is te verwaarlozen als je je wapen afschiet in een motel met allemaal mensen in de buurt. Je bent hoe dan ook te horen, dus dan kun je net zo goed kiezen voor een wapen dat de klus klaart.'
'Oké. Wat heb je?'
Hij glimlachte. Wapens waren altijd zijn grote liefde geweest en hij vond het leuk om erover te vertellen. 'Hangt ervan af waarvoor je het gaat gebruiken.'
'Hoor eens, daar kan ik nu niet te diep op ingaan, en ik zou het graag afgehandeld hebben voordat mijn vriendin terugkomt.'
Zijn wenkbrauwen gingen omhoog. 'Je gaat toch niet...'
Ik begreep even niet wat hij bedoelde, maar zei toen: 'Jezus christus, nee, natuurlijk niet. Ik ga niet op háár schieten. We hebben te maken met iemand die nogal gestoord is, maar als ik een wapen koop, gaat LuEllen waarschijnlijk bezwaar maken.'
Hij knikte. 'Mooi zo. Ik ben blij te horen dat zij het niet is. Ze is altijd een goede klant geweest en ik zou haar niet graag kwijtraken. Oké, je bent geen echte liefhebber, je hebt het nodig voor zelfverdediging op korte afstand en hoeft geen toeters en bellen. Ik heb het juiste wapen voor je. Zevenhonderd dollar.'

We liepen net de trap op toen LuEllen terugkwam en het wapen woog zwaar in mijn broekzak. Het was een Smith & Wesson, een revolver zonder hamer – want hij mocht niet in je kleren blijven hangen als je hem snel moest trekken – geladen met zes .38-patronen. Wapens zijn om te doden. Sommige mensen schieten voor de sport, als tijdverdrijf of hobby, maar dat is misbruik van de werkelijke functie van wapens. Wapens zijn om te doden en handwapens zijn om mensen te doden; het idee stelde me niet gerust.

En ik vertelde het aan LuEllen zodra we bij Drexel waren weggereden.

'Daar heb je niets over gezegd,' zei ze.

'Ik dacht er pas aan toen we in die kelder waren,' zei ik terwijl ik de revolver uit mijn zak haalde en onder de stoel legde. 'En ik wilde niet dat jij je veto erover uitsprak.'

'Dat zou ik in deze situatie niet hebben gedaan,' zei ze. 'Niet nadat ik die executie heb gezien. Hoewel ik de zenuwen krijg van wapens. Maar waarom vertel je het me nu wel?'

'Als we worden gepakt terwijl we binnen zijn, en ik heb een wapen...'

'Ja.'

In de meeste staten kreeg je een paar jaar extra als je gewapend inbrak in een huis. Niet dat we van plan waren ons te laten pakken.

12

Michelle Strom had een appartement in Arlington, net als de helft van de andere leden van de werkgroep. Het bevond zich in een complex dat op een kwartier rijden van ons hotel lag. Vanaf de straat zag het eruit als een verzameling keurig onderhouden gebouwen van gele baksteen, zes verdiepingen hoog en met een zwembad en een parkeergarage. Op de begane grond van de gebouwen waren vooral winkels – Crate & Barrel, Pottery Barn, Williams-Sonoma, Barnes & Noble – en er waren veel voetgangers en winkelende mensen.

'Alleenstaanden in goeden doen, voornamelijk,' zei LuEllen. 'Het gebouw binnengaan zal geen probleem zijn. Hopelijk is het op de gang bij Stroms appartement minder druk.'

We stelden eerst vast in welk deel van het complex ze woonde en belden haar toen op. Er werd niet opgenomen.

Daarna ging ik weer in de auto zitten, waar ik de ingang in de gaten kon houden. LuEllen, die een katoenen tas met de laptop en het apparaat bij zich had, zat op een laag stenen muurtje op een paar meter afstand van de ingang, alsof ze zat te wachten op iemand die haar kwam afhalen. Toen ik binnen in de hal van het gebouw een man naar de deur zag lopen, gaf ik een tikje op de claxon om LuEllen te waarschuwen. Ze veerde overeind en liep met haar sleutels in de hand de treden op. Toen de man naar buiten kwam, hield zij de deur tegen, glimlachte naar de man en was binnen.

Vijf minuten lang zat ik zorgeloos naar buiten te kijken. Toen kwam LuEllen weer naar buiten, zichtbaar kwieker en alerter, want ze genoot hiervan. Ik vroeg me af hoe ze het ooit voor elkaar moest krijgen om met inbreken te stoppen. Ze liep naar de auto, stapte in en zei: 'Een doodgewone Schlage', en weg waren we.

De software gaf ons een typenummer en we stalen drie onbewerkte sleutels in een Home Depot-winkel. We kochten daar ook een driekantig ijzervijltje, waarvoor we gewoon betaalden. Het kostte LuEllen drie uur om de drie sleutels te maken terwijl ze naar de tekening op het scherm staarde en heel zorgvuldig werkte. Toen ze klaar was, reden we terug naar het complex en probeerden de sleutels op de buitendeur. Ze pasten alle drie, maar sloten van buitendeuren stonden erom be-

kend dat ze nogal los in elkaar staken. Het slot van Strom zou waarschijnlijk minder soepel opengaan.
'Vrijgezel, begin dertig, zaterdagavond,' zei LuEllen toen we weer in de auto zaten. 'Hoe groot is de kans dat ze thuis is?'
'Geen idee. We kunnen haar bellen.'
'Het zou beter zijn als we haar konden zien en volgen. Dan kun jij naar binnen en kan ik haar in de gaten houden.'
'In de ideale situatie,' zei ik. 'Maar we zitten nogal krap in onze tijd.'
LuEllen dacht daar even over na. 'We kunnen haar bellen en als ze er is, gaan we weg. Dan wachten we tot maandag of zo. Als ze niet opneemt, ga jij naar binnen. Dan ga ik beneden in de hal staan, doe alsof ik heel ongeduldig op iemand wacht en als ze binnenkomt, bel ik je op je mobiele telefoon en kun je maken dat je wegkomt.'
'Onder voorwaarde dat ze nog steeds op haar foto lijkt. En dat ze niet ergens anders in het gebouw is en ineens voor haar deur staat in plaats van via de hoofdingang binnen te komen.'
'En dat ze de lift neemt in plaats van de trap,' zei LuEllen. 'Als ze bij de buren op bezoek is, kunnen we daar niets aan doen. Als ze ineens thuiskomt, dan hak jij haar hoofd af en zorg je dat het eruitziet alsof Carp het heeft gedaan.'
'Oké. Dan schrijf ik Carps naam op de muren.'
'Met haar bloed.'
'Uiteraard.'
We neigden naar luchthartigheid als we op het punt stonden iets doms te doen, wat in het verleden een paar keer was voorgekomen.
We liepen terug naar het appartementengebouw, heel rustig, gearmd, langs de winkels en etalages, en LuEllen keek omhoog naar de plek waar volgens haar Stroms appartement moest zijn. Het raam was donker. We belden vanuit Barnes & Noble. Er werd niet opgenomen. Ik belde naar haar mobiele telefoon en na drie keer overgaan, antwoordde ze. 'Sharon?' vroeg ik.
'Ik ben bang dat u een verkeerd nummer hebt gedraaid,' zei ze. Strom had een mooie sopraanstem en ze klonk als een aardige vrouw... heel beleefd in elk geval. Ik hoorde andere stemmen op de achtergrond en zei: 'Sorry, dit is toch...' Ik gaf haar een nummer dat leek op het hare.
'Nee, u zit dicht in de buurt, maar u hebt twee cijfers omgedraaid.'
'O,' zei ik. 'Nou, sorry dat ik u gestoord heb.' Ik hoorde nog een stem en gerinkel – van borden – en we beëindigden het gesprek.
Ik keek LuEllen aan. 'Ze zit in een restaurant.'

'Dat kan vijf minuten hiervandaan zijn,' zei LuEllen. 'Waarschijnlijk is dat zo.'
'Een beter moment als dit krijgen we niet,' zei ik. 'Kom op, we gaan.'

Ik had de sleutels in mijn zak en mijn laptop onder mijn arm. We gingen het appartementengebouw binnen en namen de lift naar boven. LuEllen wees me de deur van Stroms appartement aan en ik probeerde de eerste sleutel. De deur ging open. 'Ik ben een genie,' zei LuEllen. 'Ik wacht beneden.'
Ik ging het appartement binnen en zei: 'Hallo?'
Geen antwoord. Ik duwde de deur dicht met mijn voet, deed het licht aan en riep, een beetje harder nu: 'Hallo? Is er iemand?'
Weer geen reactie. Ik liep snel het appartement door, dat twee slaapkamers had, en zocht naar de lampjes van een inbrekersalarm. Nergens een alarm te zien. Het huis rook naar planten en aarde. In de keuken stonden zes potten met Afrikaanse viooltjes, met vochtige aarde, op een groot dienblad op het aanrecht.
Daarna ging ik de tweede slaapkamer binnen, die als werkkamer was ingericht, met een bureau, een Dell-computer en een goede bureaustoel. Naast de stoel, op de grond, stond een zwartleren aktetas van het model dat geslaagde vrouwen voor hun papieren gebruikten. Ik startte de computer op, keek in de tas en kwam de gebruikelijke verzameling kantoorrommel tegen: pennen, potloden, papieren zakdoekjes, een slaapmasker van een luchtvaartmaatschappij, een modemkabel van een laptop – maar geen laptop – een reservebril, een zonnebril met geslepen glazen, ongeveer honderd visitekaartjes en, in een zijvak, een grijze USB-*memory stick*. Geweldig.
Ik stak de stick in de USB-poort van mijn laptop, kopieerde een halve megabyte gegevens naar mijn harde schijf en deed de stick weer in de tas. Ik had geen tijd om te kijken wat er allemaal op stond. Ik was al drie tot vier minuten in het appartement en begon de druk al te voelen. Ik verbond haar computer met mijn laptop en begon de documentenmappen naar de harde schijf van de laptop te kopiëren. De meeste mappen hadden oninteressante namen als 'budget' en 'brieven' en ik had er niet veel vertrouwen in dat ik daar haar wachtwoorden zou vinden. Terwijl ik wachtte totdat alle bestanden waren gekopieerd, keek ik in haar bureauladen, bekeek de onderkant van haar toetsenbord en het bureaublad en doorzocht opnieuw de aktetas. Ik zocht naar cijfer- en/of lettercombinaties die wachtwoorden konden zijn, maar vond niets.

Toch moesten die ergens zijn, meende ik. Goed beveiligde kantoren en bedrijven dragen hun werknemers op wachtwoorden te kiezen die bestaan uit willekeurige combinaties van cijfers, letters en symbolen, zodat die niet door hackers kunnen worden gekraakt. Het probleem is echter dat niemand die wachtwoorden kan onthouden, en ze dus opschrijft.
Het zou slimmer zijn om de houder van het wachtwoord te adviseren een naam of plaats te bedenken die iets voor hem betekent, daar een paar letters van te kiezen en er een paar cijfers aan toe te voegen die ook iets voor hem betekenen. Bijvoorbeeld een deel van de tweede voornaam van je vader, achterstevoren, gevolgd door de verjaardag van je moeder. Op die manier krijg je een wachtwoord dat in geen enkele woordenlijst van een hacker voorkomt maar dat je wel kunt onthouden. Je hoeft het dan ook niet op te schrijven en het kan dus ook niet gestolen worden. Maar in plaats daarvan zagen de meeste wachtwoorden van goed beveiligde kantoren en bedrijven eruit als de registratiecode van een Windows-besturingsprogramma.
En ik kon er nergens een vinden. Ik vond een adresboekje, bladerde het door en deed hetzelfde met haar chequeboekje, haar Rolodex en de muurkalender met foto's van Engelse tuinen. Maar ik vond niets.
Toen alle mappen met documenten waren gekopieerd, doorzocht ik haar computer opnieuw op andere bestanden die iets konden betekenen, maar ook dat leverde weinig op.
Mijn mobiele telefoon ging één keer over: LuEllens signaal dat ik tien minuten binnen was. Nu werd het riskant. Er kunnen te veel dingen gebeuren als je te lang binnen blijft. Mensen zien dat het licht brandt, mensen komen onaangekondigd op bezoek of mensen komen thuis.
Ik kwam hier niet verder. Ik gaf het op en zette de computer uit.

Ik belde LuEllen op weg naar beneden en toen ik de hal in kwam lopen, zag ik haar buiten al in de auto stappen. Ik stapte ook in en ze vroeg: 'En?'
'Ik weet het niet. Misschien niks.'
'Verdorie.'
'Ja, ik heb een hoop materiaal naar de laptop gekopieerd, maar het ziet er allemaal nogal persoonlijk uit.'
'Ze heeft een graad in Russisch, dus zal ze een goed geheugen hebben. Misschien heeft ze haar wachtwoorden uit het hoofd geleerd.'
'Dat kan, hoewel ze bij dat soort instellingen elke maand of elke week van wachtwoord veranderen.'

Ik vond haar wachtwoorden wel degelijk, en dankzij LuEllen een stuk sneller dan ík ze gevonden zou hebben.
Terug in het hotel begon ik met het materiaal dat ik van de USB-memory stick had gekopieerd. Toen ik het opende, bleek het een tekstbestand, een roman, hoofdstuk één tot en met zeventien.
'Ah, shit, ze is een boek aan het schrijven,' zei ik. Ik las een pagina. 'Ze schrijft best goed.'
'Waar gaat het over?' LuEllen las graag boeken.
'Een soort thriller, zo te zien,' zei ik. 'Over een vrouwelijke premiejager of zoiets. Ik weet het niet, maar het vertelt ons in elk geval weinig over de werkgroep.'
Ik sloot het tekstbestand af en begon aan de mappen die ik van haar bureaublad had gehaald. De eerste ging over Stroms financiën en die verbaasden me enigszins. Voor een drieëndertigjarige middenkaderambtenaar zat ze er warmpjes bij. Toen ik wat verder groef, zag ik dat ze geld had geërfd van haar grootvader en dat keurig had geïnvesteerd in Fidelity. De volgende map bevatte zo te zien brieven, maar helemaal zeker was ik daar niet van omdat ze in het Russisch waren geschreven.
Ik sloot de map en masseerde mijn nek. 'Ik ga een tijdje onder de douche staan. Ik heb veel te lang naar dat scherm zitten turen.'
'We kunnen beter een eindje gaan joggen,' zei LuEllen terwijl ze opstond en zich uitrekte. 'Ik voel me zelf ook wat stijf.'
'Oké, dan douche ik straks wel,' zei ik. 'Ik ga even plassen en mijn gezicht wassen.'
'Blijf zitten, dan maak ik je spieren een beetje los.' Ik bleef zitten. Ze masseerde mijn nek en toen ze aan mijn schouders begon, keek ze naar de laptop en vroeg: 'Welke map is het boek?'
Ik stak mijn hand uit, opende de map, klikte een Word-bestand aan en de tekst verscheen in beeld. LuEllen bewerkte de spieren aan weerszijden van mijn ruggengraat met haar knokkels en ik wilde net zeggen: 'Jezus, wat is dat lekker', toen ze ineens ophield, zich over me heen boog en de tekst omhoog liet rollen.
'Wat is er?'
'Dit klopt niet,' zei ze. 'Hoe kom ik in het volgende hoofdstuk?'
Ik klikte Hfdst2 aan. Ze las een tijdje en zei toen: 'Zij heeft dit niet geschreven. Dit is een boek van Janet Evanovich. Ik heb het een paar jaar geleden gelezen.'
'Echt?'

'Ja.' Ze stak haar hand uit en raakte het scherm aan. Dat deed ze soms, en liet altijd een vette vingerafdruk achter. 'Worden boeken tegenwoordig als computerbestanden verspreid?'
'Ik weet dat je er een paar voor PalmPilots kunt kopen... *e-books*. Ik wist niet dat je ze ook in Word kunt krijgen. Misschien steelt de werkgroep ze wel.'
Ze ging door met het masseren van mijn schouders. 'Ik zou op die manier geen boek kunnen lezen. Misschien kunnen jongeren dat, je weet wel, mensen die hun eerste computer kregen toen ze pas geboren waren.'
'Een onprettige manier om een boek te lezen,' zei ik. 'Maar uitstekend naslagmateriaal.' Ik moest ineens aan iets denken en zei: 'Wacht. Ik wil even iets nakijken.' Ik plakte alle hoofdstukken aan elkaar en gaf toen een zoekopdracht voor het cijfer 1. Het leverde één vondst op, maar daar had ik niets aan.
Ook 2 leverde niets op, maar met het cijfer 3 kreeg ik 39@lczt8*p* en ll5f4!35lp0.
'Ze heeft haar wachtwoorden in het boek verstopt,' zei ik. De vondst maakte me zo blij als een kind met Kerstmis, en ik begon hardop te lachen. 'Verdomd slim gedaan. Onzichtbaar, onmiddellijk beschikbaar en ze kan de *memory stick* overal mee naartoe nemen.'
'Ik vraag me af of ze Evanovich om toestemming heeft gevraagd,' zei LuEllen. Maar ze was tevreden met zichzelf, wist ik, want ze gaf me een knuffel.

We reden weer naar onze wi-fi-plek. Ik opende Stroms account en ging toen een stap verder, naar de bestanden. Er werd om een wachtwoord gevraagd en ik had er twee waaruit ik kon kiezen.
'Je kunt niet zeggen welke?' vroeg LuEllen. We stonden op straat, in het donker.
'Voorzover ik kan zien niet.'
'Dan doen we een ik-zie-ik-zie-wat-jij-niet-ziet. Jij bent het eerste wachtwoord, ik het tweede.'
We deden een ik-zie-ik-zie, drie rondes, en LuEllen won. Ik typte het tweede wachtwoord in en de computer barstte open als een bloem in het voorjaar.
'Bingo,' zei ik.

Iedereen maakt in zijn leven wel eens mee dat hij het gevoel heeft dat hij in de grond verdwijnt, zoals Alice in Wonderland in het konijnen-

hol viel. Zo voelde ik me toen ik in 'werkgroep DDC – Bobby' terechtkwam.
Hoewel de oorspronkelijke naam DDC was, zonder Bobby, was Bobby er wel talloze malen in aanwezig. De DDC, zo bleek, was de experimentele tak van een dienst die antiterroristische technieken ontwikkelde en was opgezet door het Amerikaanse leger en diverse inlichtingendiensten. Een van de taken die hun was opgedragen, was het vinden van Bobby met behulp van het hele arsenaal van opsporings- en spionagemethodes via internet.
Ik opende een map met de naam 'Zuid' en vond daar een rapport dat stelde dat Bobby waarschijnlijk in Louisiana woonde omdat de naam DuChamps verwees naar een Cajun-Franse achtergrond, als reactie op andere rapporten, die stelden dat hij in een van de staten aan de Golf van Mexico moest wonen.
Een ander rapport in de map 'Zuid' stelde dat Bobby zich bezighield met rassenkwesties, vermoedelijk zwart was en dus helemaal geen Cajun-achtergrond kon hebben.
'Ze kwamen dichter bij hem in de buurt, maar ze hadden geen idee wie hij was,' zei ik. 'Nog niet. Moet je zien, ze maakten zelfs analyses van zijn gebruik van telefoons.'
'En ze weten geen van allen dat Bobby dood is, want niemand heeft het hun verteld.'

Ik ging door.
'Moet je dit zien,' zei ik verbijsterd. 'Ze hebben het over het afschaffen van contant geld. Jezus christus, ze proberen al methodes uit. Ze zeggen hier "over een paar jaar"!'
'Dat kunnen ze niet.'
'Ja, zeker wel. Ze leggen het hier uit. Iedereen krijgt een smartcard van de bank, verstrekt door de overheid. Daar staat je naam op en het heeft een venstertje waarin je kunt zien wat je saldo is.' Ik tikte op het scherm, waarop een foto van een prototype van de kaart te zien was. 'Je kunt hem voor alles gebruiken, maar ze verplichten je de kaart te gebruiken voor alle bedragen van meer dan twintig dollar. Dus je hebt de kaart en wat wisselgeld, en meer niet. Illegale aankopen zijn niet meer mogelijk. Je kunt ook geen drugs meer kopen met je kleingeld, want als er iemand met duizend dollar in briefjes van twintig komt aanzetten, zal hij moeten uitleggen waar dat geld vandaan komt.'

'Ik zou meteen failliet gaan,' zei LuEllen.
'Dat hangt af van wat je steelt,' zei ik. 'Als je sieraden of postzegels steelt, dingen van waarde, kun je de grens over gaan en ze in Mexico verkopen.'
'Verkopen? En waar laat ik me dan in betalen? In sombrero's?'
'Dat is inderdaad een probleem. Misschien moet je daar dan gaan wonen.'

Ik kwam in een directory die Biometric heette. Het ging over driedimensionale camera's die gezichten en manieren van lopen registreerden, de beelden vergeleken met die van bekende criminelen en terroristen en onmiddellijk de desbetreffende autoriteiten waarschuwden. Ze deden proeven met hun eigen mensen. Die lieten ze bijvoorbeeld naar een overvol sportstadion gaan om te zien of de camera's hen tussen al die mensen konden herkennen.
'Je loopt in een winkel langs een camera en er begint ergens een bel te rinkelen,' zei LuEllen.
'Ja, zoiets.'
Het aantal treffers was nog maar dertig procent, maar het was aan het stijgen, en de afstand waarop de herkenning moest plaatsvinden was vergroot tot 150 meter. Zodra het aantal treffers de vijftig procent was gepasseerd, zouden er camera's worden geplaatst op luchthavens, in winkelcentra, bij autoverhuurbedrijven en op 'geselecteerde observatiepunten', waarvoor je kon invullen: 'aan de overkant van de buurtmoskee'.
'Uiteindelijk kun je dan iedereen observeren,' zei ik. 'Als je wilt weten wat iemand doet, hoef je alleen maar een paar opnamen van hem te maken en de herkenningsformule in te toetsen, en klaar ben je. Je kunt dan nergens meer rondlopen zonder dat de politie weet wie je bent en waar je bent, 24 uur per dag.'
'Zoals in *1984*.'
'Precies. De camera in de woonkamer.'

Ze deden proeven met programma's die telefoongesprekken moesten onderscheppen: alle gesprekken werden afgeluisterd en gecontroleerd op woorden of zinsdelen die konden wijzen op illegale activiteiten.
'Hoe kunnen ze dat doen?'
'Als je bijvoorbeeld zegt: "Laten we de slapende cellen van Al Qaeda wekken", of je praat in het Arabisch over chemische, biologische en

nucleaire wapens en zegt dat je die ongelovige honden naar de hel gaat blazen, legt de computer dat vast. Hij maakt uit het woordgebruik op dat er iets gaande is en de autoriteiten worden gewaarschuwd.'
'Praten terroristen dan niet in code?'
'Dat weet ik niet, maar de meeste terroristen zijn niet al te intelligent. Trouwens, als het met terroristen niet werkt, hebben ze met deze aanpak de mogelijkheid om met iedereen te sollen.'

De werkgroep hield zich ook bezig met simultaanvertalingen waarbij de nadruk op het Chinees en de talen van Centraal-Azië lag. Hierbij werd gesproken over een nieuwe generatie databases die meer gegevens konden bevatten dan ooit mogelijk was geweest.
De reusachtige databases zouden ook worden gekoppeld aan de geldkaart. Die kon immers worden gebruikt om alle aankopen van iedereen te registreren en te analyseren op 'verdachte' activiteiten.
De groep hield zich ook bezig met de ontwikkeling van een computermodel dat tot op zekere hoogte de toekomst kon voorspellen. Zo kon de regering in een vroeg stadium ingrijpen wanneer er iets te gebeuren stond wat men wilde vermijden.
Het was de bedoeling om door analyse van de toekomst bijvoorbeeld een revolutie in Saudi-Arabië te voorkomen. Het probleem was echter dat als het model werkte, men het ook zou moeten gebruiken; dan kon immers worden voorkomen dat de oppositie, de partij die niet aan de macht was, de verkiezingen zou winnen. Ik bedoel, als het werkte, was het gewoon te goed om het niet te gebruiken.

De laatste directory heette 'Achtergrond' en deze liet zien wat er bereikt kon worden met observatieteams, spionnen en goede zoekprogramma's. Wel eens een pornofilm gehuurd? Zij weten het. Een deel van uw aandelenpakket van Intel naar Boeing verplaatst omdat u bij de overheid werkt en via een bron iets hebt vernomen over nieuwe legercontracten? Zij weten het binnen een paar seconden. Halen uw kinderen onvoldoendes op school? Hebt u een druiper opgelopen toen u in het leger zat? Ooit een recept voor Xanax of Viagra gevraagd? Wie was de vrouw, niet úw vrouw, die de afgelopen drie vluchten in de stoel naast de uwe in het vliegtuig zat?
Het programma werd al toegepast op een stuk of vijftig mensen. Er waren namen bij die me vaag bekend voorkwamen, totdat LuEllen ineens zei: 'Deze man hier is senator, in Wisconsin.'

'Krijg nou wat,' zei ik terwijl ik mijn blik over de lijst liet gaan. 'Volgens mij zijn het allemaal senatoren. Of congresleden. Kijk, Bob staat er ook bij. Congreslid Bob. Jezus, moet je die informatie zien. Dit lijkt op de info die Carp verspreidt. Bobby's materiaal. Hoe komen ze verdomme aan Bobby's materiaal?'
We hadden beiden over het scherm gebogen gezeten, maar LuEllen ging opeens rechtop zitten en keek om zich heen. 'Kidd, ga onmiddellijk van het net af. We moeten hier weg. Kom op, we gaan.'
Haar nervositeit was aanstekelijk. Ik trok de plug van de antenne uit de laptop en reed weg, rustig, zoals altijd. Na een tijdje zei LuEllen: 'Weet je wat ik zo vreemd vind?'
'Nou?'
'Dat jij in hun bestanden kunt komen. Ze zijn allemaal zo knap en zo geniaal en ze zitten daar in hun geheime kelder met databases zo groot als de hele planeet... en de eerste de beste hacker kan inbreken in het systeem en zien wat ze allemaal van plan zijn.'
'Dank je,' zei ik. 'Het was me even ontschoten dat ik maar een middelmatige hacker was.'
'Je begrijpt best wat ik bedoel. Ze kunnen zichzelf niet eens beveiligen.'
'Misschien komt er een tijd dat niemand meer veilig is. Dat niemand meer geheimen heeft. Dat ze tegen je zeggen: "Blijf zitten en gedraag je, anders laten we al je geheimen zien op CNN." '
'Ik ga in Argentinië wonen,' zei ze vol walging.
'Het komt overal, zelfs in Burundi,' zei ik. 'Als de technologie eenmaal beschikbaar is, doen ze allemaal mee. Kijk maar naar Pakistan en Noord-Korea; ze kunnen hun mensen amper te eten geven, maar ze hebben wel een atoombom.'
We reden een tijdje door, ieder met onze eigen gedachten. Af en toe wierpen we een blik door de achterruit om te zien of we werden gevolgd. 'Ik ben blij dat mensen niet het eeuwige leven hebben. Ik geloof niet dat ik hier nog wel wil zijn als dit soort dingen normaal gaat worden. Voor mij is het...'
'Een nachtmerrie,' zei ik.

Terug in het hotel begon ik aan de bestanden die ik zonder ze eerst te lezen uit de database van de DDC had gestolen. Meestal als ik op mijn laptop bezig was, werd LuEllen onrustig. Ze ijsbeerde door de kamer of ging tv-kijken, winkelen, golfen, of wat ook, maar nu zat ze naast me en was ze niet weg te slaan.

De werkgroep was zelfs geheim binnen de diverse inlichtingendiensten. Het senaatscomité, als hoofd van de inlichtingendiensten, wist van de werkgroep, maar zo te zien waren ze niet van de details op de hoogte. De senatoren wisten alles van de geldkaart, de analyse van onderschepte telefoontjes en het toekomstmodel, maar van de bestanden in de map 'Achtergrond' waren ze schijnbaar niet op de hoogte.
Het was niet te zeggen of er op dit moment experimenten aan de gang waren, maar ik was in de map 'Achtergrond' een paar bestanden tegengekomen die me aan het denken hadden gezet.
'Weet je wat ik denk? Dat Bobby in dit project is binnengedrongen, in hun systeem. Kijk, ze hebben het over de dochter van die senator, die dronken achter het stuur zat, en het filmpje van Bole met zijn zwart gemaakte gezicht.'
'Misschien waren ze daarom zo bang voor Bobby.'
'Nee, nee... Maar het is wel de reden waarom Carp zo fanatiek achter hem aan zat. Hij vermoedde dat Bobby in het systeem was doorgedrongen, of misschien had iemand hem verteld waartoe iemand als Bobby in staat was. Maar ik durf te wedden dat dát de bal aan het rollen heeft gebracht.'

We vonden ook meer informatie over Carp. Carp had een memo rondgestuurd waarin hij inging op het gerucht dat Bobby arme zwarte schoolkinderen computers cadeau had gedaan en waarin hij voorstelde dat ze de naam van een arm zwart meisje moesten plaatsen op de websites waarvan ze wisten dat Bobby die bezocht. Hij had zelfs al een naam, die van een jong meisje dat goed was met computers en dat hij had gekend toen hij in New Orleans werkte.
Het idee werd afgewezen. In een notitie in een apart bestandje werd Carp een 'techneut' genoemd die 'geobsedeerd' leek door Bobby, hoewel men rekening hield met de mogelijkheid dat Bobby niet echt bestond maar was verzonnen door een stel hackers. In de notitie werd ook voorgesteld dat ze Carp een beetje 'uit de buurt van het lagere personeel' zouden houden, wat kon verwijzen naar de seksuele opdringerigheid waaraan hij zich nog wel eens schuldig maakte.
Er was ook pasgeleden een uitwisseling van memo's geweest, meteen nadat Bobby's aanvallen op de politici waren begonnen. Daarin werd voorgesteld dat ze zich 'heel goed moesten indekken' en Carp moesten vragen of hij contact met Bobby had gehad. Heffron en Small, de twee mannen die we bij de trailer hadden gezien en die de vorige avond

Carps appartementengebouw waren binnengegaan, hadden die taak op zich gekregen. Er was een notitie van Small, die verzocht iemand anders te sturen, aangezien noch hij noch Heffron wist hoe Carp eruitzag, maar het hoofd van de afdeling had in een antwoord laten weten dat ze niemand anders beschikbaar hadden, dat 'de pasfoto's voldoende moesten zijn' en dat het om een 'absoluut officieus' contact ging.
We zochten in het beschikbare materiaal naar informatie die aangaf dat de groep onderzoek deed naar de moord op Heffron en Small, of zich zelfs maar bewust was van het feit dat ze waren gedood, maar daar was nog niets over te vinden. In elk geval niet in de bestanden die ik had gekopieerd.
Ik vond wel mezelf terug in de informatie, in de vorm van een beschrijving van mijn ontmoeting met Rosalind Welsh. 'De verdachte is ongeveer een meter tachtig lang en atletisch gebouwd,' las LuEllen voor. 'In zijn poging te ontsnappen heeft de verdachte met opzet een auto in brand gestoken om sporenmateriaal te vernietigen. Hij moet beschouwd worden als buitengewoon gevaarlijk en het is mogelijk dat hij samenwerkt met een vrouwelijke medeplichtige.'
'Ze hebben je zeker vanuit de helikopter gezien,' zei ik.
'Ik krijg het helemaal warm van dat "atletisch gebouwd en gevaarlijk",' zei LuEllen.
'Daar kunnen we iets aan doen,' zei ik.

De avond daarvoor had LuEllen me in een moment van vertrouwen verteld waarom ze misschien wilde ophouden met stelen. Deze avond, met de lichten gedimd, had ik net mijn vingers achter het elastiek van haar slipje gehaakt tijdens ons nogal onvolwassen spelletje wat-voel-je-als-ik-dit-doe, toen ik opeens werd overvallen door grote twijfel.
Ik ben geen echte computerfreak. Ik heb vroeger geworsteld en ben nu kunstenaar. Maar ik moet bekennen dat ik, terwijl ik haar slipje omlaagschoof, de woorden er opeens uitflapte. 'Jezus christus, het gaat niet.'
'Het gáát niet?' vroeg LuEllen met die speciale toon in haar stem, terwijl ze op haar ellebogen steunde en me verbijsterd aankeek.
'Niet dát, stomkop,' zei ik. Het was de gedachte die in mijn achterhoofd was blijven zitten. 'Dat verzamelen van gegevens over mensen, dát gaat niet. Ze zitten met een fundamenteel probleem. Het werkt gewoon niet.'

LuEllen geeuwde en vroeg, volgens mij met tegenzin: 'Waarom niet?'
'Stel dat ze erin slagen alle databases in heel het land aan elkaar te koppelen en vervolgens op zoek gaan naar patronen. Ze nemen alle informatie door om terroristen en criminelen te vinden. Kun je me volgen?'
'Hm.' Haar interesse hield niet over.
Ik bleef praten want zoals ik al zei, zat het me erg dwars. 'Goed, stel dat die dataverwerkingsmethode van hen over verbluffende kwaliteiten beschikt. Als die 95 procent accuraat is – en dat is veel en veel meer dan ik me kan voorstellen – valt één op de twintig personen uit de boot.'
'Dus er zitten gaten in de methode.' Ze klonk al iets geïnteresseerder.
'Het is erger dan dat. Want één op de twintig personen, iemand die volmaakt onschuldig is, wordt dan onterecht verdacht. Als je dat doorrekent naar de voltallige bevolking van de Verenigde Staten...'– Ik deed wat hoofdrekenwerk – '... dan kom je op vijftien miljoen verkeerd beoordeelde mensen. Vijftien miljoen mensen van wie wordt gedacht dat ze ergens schuldig aan zijn, maar die absoluut onschuldig zijn. Willekeurige slachtoffers. Tenzij je hen nader onder de loep neemt door middel van observatie, telefoontaps en dat soort dingen, zijn ze onmogelijk te onderscheiden van de echte verdachten. Op geen enkele manier.'
'Vijftien miljoen mensen?'
'Ja, met een nauwkeurigheid van 95 procent. En geen enkele methode is zo nauwkeurig. Ik geloof ook niet dat we dat ooit zullen meemaken. Er blijven gewoon te veel ruis en te veel foute informatie in de methode zitten. En hoe willen ze verdomme vijftien miljoen mensen grondig observeren?'
'Dus het werkt niet.'
'Nee.' Ik liet me plat op mijn rug op het bed vallen. 'En ze kunnen er ook niet voor zorgen dat het werkt... al zullen ze dat heus wel proberen. Maar ze moeten beschikken over mensen die slim genoeg zijn om dat te weten.'
'Waarom doen ze het dan?'
'Om geld los te krijgen, waarschijnlijk. Jezus, dit hele verdomde opsporingssysteem is één grote farce.' Ik boog me over haar heen en klopte zachtjes op haar dij. Ik was buitengewoon ingenomen met mezelf.
Na een korte stilte zei ze: 'Wat ben je toch een romanticus. Af en toe kan ik je niet uitstaan.'

13

LuEllen lag de halve nacht wakker en porde me om de zoveel tijd in mijn zij om te vragen: 'Slaap je al?', wat steeds werd gevolgd door een verontrustende vraag. Zoals: 'Hoe liggen onze kansen?', of: 'Waarom denk je dat Carp Bobby's laptop heeft gekraakt?', of: 'Zou Bobby zijn wachtwoorden echt op dezelfde laptop bewaren?'

'Ons probleem is,' kreunde ik midden in de nacht, 'dat we Bobby niet echt goed kenden. We gingen ervan uit dat zijn beveiliging vrijwel perfect was, maar toch is een of andere derderangs federale techneut erin geslaagd Bobby te vinden.'

Ze kwam overeind, steunde op haar ellebogen en keek in het donker op me neer. Haar adem rook nog steeds fris. 'We weten dat ze naar ons op zoek zijn. Naar ons persoonlijk, bedoel ik, naar jou en naar mij.'

'Dat zijn ze al sinds dat gedoe met die satelliet,' zei ik. 'Daar heb ik me hiervóór nooit druk over gemaakt. Want we werden gedekt.'

'Wat gaat er nu gebeuren?' vroeg ze.

'Nou, in de komende drie minuten ga ik eerst proberen om nog wat te slapen. Tenzij jij weer met je vinger in mijn ribben port. Christus, ik heb bijna een spier verrekt.'

'Waarom denk je dat Carp Bobby's laptop heeft gekraakt?'

'Omdat ik nergens iets ben tegengekomen over het Norwalk-virus. Dat is de grootste onthulling die hij tot nu toe heeft gedaan, maar ik kan er geen woord over vinden in de DDC-bestanden. Nergens.'

Toen we de volgende ochtend uiteindelijk waren opgestaan, stond LuEllen erop dat ik een tarot legde. Ik haalde het kistje met de kaarten tevoorschijn en legde een zogenaamd Keltisch Kruis. Dat is een van mijn favorieten, omdat het eenvoud met flexibiliteit combineert. De Hangende Man verscheen weer, maar deze keer niet als uitkomst maar als basis van het probleem. De uitkomst werd gevormd door een kaart die minder geheimzinnig was, de Koning van de Kelken, die ondersteboven lag.

'Is dat slecht?' vroeg LuEllen. Daarna bleef ze stil en keek ze aandachtig toe terwijl ik de kaarten las.

'Het is nogal vaag, net als de Hangende Man,' zei ik terwijl ik de zijden doek om de kaarten wikkelde. 'Het kán verraad betekenen, maar daar schieten we verdomd weinig mee op. Alles in deze zaak is verraderlijk.'
'Dus we zitten vast?'
'Nou... Misschien heb ik een plan. Het is óf een heel slecht plan, óf ik ben een genie.'
Ze keek me met een sceptische blik aan. 'Wat voor plan?'
'Weet je nog dat ik Rosalind Welsh ben gaan opzoeken? Dat heeft een aantal mensen aan het denken gezet. Ik dacht... Als we nu eens senator Krause opzochten? We kunnen uitzoeken waar hij woont en hem overvallen als hij alleen is, of als alleen zijn vrouw thuis is.'
Een paar minuten hiervoor was LuEllen de gang op gerend om een fles sinaasappelsap te halen en die stond ze nu voor mijn neus leeg te drinken. Ze keek me aan, likte de druppels sap van haar bovenlip en zei: 'Dat klinkt als een laatste wanhoopspoging.'
'We hebben niet veel andere mogelijkheden meer. En waar die DDC mee bezig is, maakt me bloednerveus. Ik kan niet geloven dat ze overheidsambtenaren aan het doorlichten zijn. Iemand moet daar op hol geslagen zijn. De zaak ís al uit de hand gelopen.'
'Laten we die wanhoopspoging dan voor het laatst bewaren en een paar andere wanhoopspogingen bedenken die we eerst kunnen doen.'
Maar één ding moesten we onmiddellijk doen: naar ons wi-fi-punt rijden en contact zoeken met Lemon. Hij was er niet – Bobby was er altijd geweest, maar Bobby kon niet lopen – dus liet ik de boodschap achter dat Carp twee mensen had gedood en dat we hem misschien moesten aangeven.

Carp is compleet doorgedraaid. De kans bestaat dat hij meer mensen zal vermoorden. We zullen wachten totdat we van je gehoord hebben.

We gingen ontbijten en daarna het net weer op. Lemon had een ommetje gemaakt, maar geen groot ommetje, want toen we weer het net opgingen, was hij er weer.

Geef Carps naam nog niet door. Eerst de laptop. De FBI mag die niet in handen krijgen. Als dat gebeurt, is het afgelopen met ons. Heb research naar Carp gedaan. Hij heeft een vriendin: Mary Griggs; ze woont in Arlington. Ga haar eerst na voordat je zijn naam doorgeeft. Er is een mogelijkheid dat hij contact heeft gezocht met zijn vroegere

werkgever. Ik ben ermee bezig maar heb nog niets gevonden. Ga naar Arlington en meld je weer.
Lemon

Hij had een bijlage meegestuurd met Griggs' adres en telefoonnummer.
'Man, die Lemon moet eens leren begrijpen dat we geen smerissen zijn,' zei LuEllen. 'We kunnen niet zomaar een deur intrappen en iemand oppakken.'
'Er is een goede kans dat hij dat niet begrijpt,' zei ik. 'De helft van die gasten doet niks anders dan computerspelletjes spelen en woont nog bij hun ouders.'
'Carp is zijn eigen weg gegaan.'
'Ja, maar Carp is gek. Ik denk dat Lemon gelijk heeft; we moeten kijken of we hem kunnen vinden. Hij kan de laptop niet overal mee naartoe nemen. Als we hem kunnen traceren en we zien hem weggaan met Griggs, kunnen we inbreken in het appartement, of in zijn auto, de laptop pakken en de FBI inschakelen.'
'Ik weet het niet,' zei ze humeurig. Ze zat te draaien op de autostoel en keek om de zoveel tijd door de achterruit. Al dat DDC-gedoe had haar de stuipen op het lijf gejaagd. 'Ik heb het gevoel dat alles anders aan het worden is.'
'Wil je ermee ophouden?'
'Nee, ik wil zien wat jij gaat doen. Maar deze keer nemen we de revolver mee.'

Ik toetste Griggs' nummer in. Dat leek me de meest logische eerste stap. De telefoon ging over en ik gaf het toestel aan LuEllen, die lange tijd luisterde en ten slotte vroeg: 'Hallo, eh... is Terry daar?'
Ze vroeg het met de stem die vrouwen gebruiken wanneer ze weten dat een onbekende man of vrouw de telefoon opneemt die zich lijkt af te vragen: wie heb ik aan de lijn? De loodgieter? Een minnaar? Een verkrachter? Daarna luisterde ze enige tijd en zei: 'O, sorry, wat dom van me.'
Ze zette het toestel uit en keek me aan. 'Een mannenstem.'
'Dan gaan we daar een kijkje nemen.'
'Hm... hij klonk niet als Carp. Ik heb Carp maar heel even horen praten, toen bij Rachel, maar die had een beetje een kwaakstem, en vrij hoog ook. Deze klonk meer als man. En hij klonk... cool.'
'Ik weet niet wat ik daarvan moet denken,' zei ik, en dat was ook zo.

Mary Griggs woonde in een klein appartementengebouw in het Ballston-district van Arlington, een aardige buurt op licht glooiend terrein, een park van een paar hectare in het midden en alles bijna net zo groen als in Longstreet. Het was een drukkend hete dag met een hoge luchtvochtigheid. Daar stond tegenover dat het park er aangenaam en koel uitzag, met grote bomen die schaduw boden en bankjes met – zo te zien – kantoormensen die er hun lunch gebruikten.
We zetten de auto een blok voorbij het park en liepen terug door een drukke straat. LuEllen had een broodjeszaak gezien toen we voorbijreden. We maakten er een tussenstop, merkten dat de witte lunchzakjes met de broodjes, die we zagen in het park, hier vermoedelijk vandaan kwamen, en staken even later met onze lunch in de hand de straat naar het park over. We vonden een bankje dat uitzicht bood op de voorkant van Griggs' appartementengebouw en begonnen aan onze broodjes. Links van ons lag een vrouw op een plaid een boek te lezen. Verderop was een speeltuin met een hoge, bochtige glijbaan waar kinderen van afgleden, en een beachvolleybalveld, met een tien centimeter dikke laag echt zand, waar een onderhoudsman het net aan het vervangen was.
Omdat ik de revolver bij me had, had ik ondanks de hitte een jasje aangetrokken. De revolver zat in mijn linkerbinnenzak, dus die kant van mijn jasje zag er wat boller uit, maar het viel niet echt op. Het gewicht tegen mijn borst voelde ik wel.
'Dat soort gebouwen,' zei LuEllen terwijl ze naar Griggs' appartement keek, 'zijn de ergste van allemaal.'
'Erger dan een juwelier in Saddle River met een alarmsysteem van honderdduizend dollar?'
'In zekere zin wel,' zei ze op serieuze, analyserende toon. 'Als je bij een juwelier een insider hebt, kun je uiteindelijk uitdokteren hoe het systeem werkt. Je moet iemand hebben die je vertelt wanneer er niemand is, en als er iemand is, kun je dat van buiten af zien. Maar in een gebouw als dit lopen de mensen voortdurend in en uit en weet niemand wie komt en gaat en hoe laat. Volkomen onberekenbaar. En het gebouw is al wat ouder, dus de muren zullen vrij dun zijn. Als je een deur forceert, zal iemand je waarschijnlijk horen. Of ze zullen de braaksporen zien. Plus het feit dat iedereen vermoedelijk weet wie daar woont of niet.' Ze nam een hap van haar broodje en keek weer naar het gebouw.
'Je gaat toch niet zeggen dat je over het dak naar binnen wilt, hè?' zei ik. Ze hield van klimmen en hangen aan touwen.

'Ik was die mogelijkheid net aan het overwegen,' gaf ze toe. 'Je vermijdt op die manier een hoop obstakels. En het zijn ouderwetse ramen, met een klink. Je slaat er een in, draait de klink om en je bent binnen. Geen risico dat je iemand in de gangen tegenkomt en je hoeft geen deur open te breken. Geen zichtbare schade.'
'Maar je moet wel op het dak zien te komen.'
'Dat kan ik wel.' Ze bleef naar het gebouw staren. Er kwam een man voorbij, met een ouderwets jagershoedje dat er grappig uitzag, en een buldog aan een riem. De man nam LuEllen even aandachtig op terwijl de hond aan de bloemen in een perkje rook. Ze zagen eruit als de Afrikaanse viooltjes die ik op Stroms aanrecht had zien staan, maar dan in meer kleuren.
Hij tilde zijn achterpoot op en plaste op de bloemen.
Het tweetal liep door, ik keek ze na en dat was het moment waarop ik de man met de verrekijker zag. Ik draaide me achteloos om naar LuEllen en zei: 'Als je langs mijn achterhoofd kijkt, zie je een man met een blauw shirt en een verrekijker. Hij observeert ons, of hij bestudeert heel laag vliegende vogels.'
Ze keek me aan, deed haar hoofd achterover, lachte en zei: 'Ja, ik zie hem. Wie is dat? Worden we gevolgd? Hoe kan dat? Wat doen we nu? Zetten we het op een lopen?'
'We kunnen beter niet rennen, maar we gaan wel weg. Ik maak een prop van mijn broodzakje, loop naar de afvalbak en jij blijft nog even zitten. Dan roep ik je alsof ik iets op de grond zie liggen. Dat brengt ons dertig meter dichter bij de auto.'
'Ik hoop dat hij geen camera met een telelens bij zich heeft en onze gezichten heeft gefotografeerd.'
'Zo te zien heeft hij alleen een verrekijker,' zei ik. Als iemand je bekijkt door een verrekijker, of een foto van je maakt met een telelens, neemt hij onbewust een speciale houding aan die verraadt welke van de twee dingen hij aan het doen is. Iemand die met een verrekijker naar je kijkt, bijvoorbeeld, zal met zijn onderarmen en handen een bijna volmaakte driehoek vormen, met de ellebogen naar buiten en de handen vlak bij de ogen. Iemand die een foto maakt zal daarentegen zijn bovenarmen tegen zijn lichaam drukken om de camera en de lens zo stil mogelijk te houden en zijn gezicht zal door de camera helemaal aan het zicht worden onttrokken. Als een van de twee je pad kruist, kun je aan zijn houding meteen zien wat hij aan het doen is.
Ik stond op, pakte LuEllens broodzakje aan en maakte er duidelijk

zichtbaar een prop van. Ze trok haar benen op en zette haar voeten op de bank terwijl ik rustig naar de afvalbak wandelde. Ik gooide de proppen erin, deed of ik iets vreemds zag en wenkte LuEllen naar me toe.
Ze stond op en kwam mijn kant op lopen. Ik keek naar haar, maar toen ik langs haar heen keek, zag ik dat de man met de verrekijker er niet meer was. 'We kunnen beter opschieten,' zei ik toen ze bij me kwam. 'Hij is weg.'
Ze knikte en we draaiden ons om, liepen een stukje naar de rand van het park toe. Ik draaide me om, liep achteruit voor haar uit en zei: 'Babbel-babbel-babbel', alsof ik haar iets leuks vertelde, maar de man met de verrekijker zag ik nergens meer. 'Oké,' zei ik. 'Het is tijd voor een kleine versnelling.'
Ze knikte weer en we begonnen te rennen, staken schuin de straat over, naar de auto, een blok verderop. Op de hoek van de straat keek ik achterom naar het park, maar ik zag niets... en op dat moment kwam ongeveer zeventig meter verderop Carp opeens tussen de bomen uit rennen. Hij was snel voor iemand die zo zwaar was als hij, er bungelde een verrekijker om zijn nek en hij had een pistool in zijn hand.
'Hij komt eraan,' zei ik. 'Carp, met zijn pistool.' LuEllen keek ook achterom en we begonnen harder te rennen. Carp bevond zich ongeveer net zo ver van de auto als wij. Hij schampte een Cadillac op straat terwijl wij over de stoep naar de auto renden. 'Het gaat tijd kosten om in te stappen en te starten,' zei ik terwijl ik de sleutels uit mijn broekzak haalde en ze aan haar gaf. 'Jij rijdt. Als hij begint te schieten, schiet ik terug.'
Ze zei niets terug, want dat zou tijdverspilling zijn geweest. Ze zwenkte opzij, schoot tussen twee geparkeerde auto's door en rende over de rijweg naar de linkerkant van onze auto. Carp kwam bij de broodjeszaak de hoek om rennen toen we nog twintig meter van de auto verwijderd waren. Toen LuEllen was ingestapt, rukte ik het portier aan de passagierskant open en trok de revolver uit mijn binnenzak. 'Instappen,' riep LuEllen, maar Carp, nog een meter of veertig van me verwijderd, minderde vaart, bracht het pistool omhoog en schoot op me.
Ik merkte niet dat er kogels langs mijn hoofd vlogen. Je kunt ze horen als je ver genoeg van het wapen af staat, een geluid dat lijkt op een zweepslag. Maar ik had het daarvoor te druk met andere dingen, namelijk terugschieten. Ik richtte zorgvuldig, nam er de tijd voor, op een boom naast hem. Ik zag verderop in de straat mensen lopen en hoewel

ik niet geloofde dat een .38 zo ver zou reiken, wilde ik geen oud dametje of haar hond raken.
Ik loste vier schoten op hem en opeens hield Carp op met schieten, keek naar zijn pistool en toen naar mij. Ik deed twee stappen zijn kant op, waarop hij zich omdraaide en om de hoek verdween.
Ik stapte in de auto en zei: 'Rijden.' LuEllen reed weg van de parkeerplaats en voegde zich in het verkeer. De eerste honderd meter reed ze flink door en toen waren we om de hoek verdwenen. Terwijl ze dat deed, keek ik door de achterruit naar buiten, maar Carp was nergens meer te zien.
'Je hebt op hem geschoten,' zei LuEllen op de heel kalme toon die ze alleen gebruikte als ze intens gespannen was.
'Niet echt. Ik heb op een olm geschoten. Ik kan Carp niet doodschieten totdat we de laptop hebben. Maar ik heb hem verdomme wel tot staan gebracht.'
'Ben je ongedeerd?'
'Ja,' zei ik. 'Volgens mij heeft hij zijn hele pistool leeggeschoten. Zes schoten, denk ik. Maar dit is geen spelletje Quake achter je computer.'
'Jezus.'
'Hij stond te ver weg,' zei ik. 'En hij was veel te opgefokt. Ik probeerde rustig te blijven, om die boom te raken, maar ik stond te trillen als een rietje.'
'Je zit nog steeds te trillen, en je praat veel te veel.' Ze begon te lachen. 'Ik denk niet dat iemand ons heeft gezien. Al die mensen die in het park waren, en toen ik achteromkeek, zag ik ook geen mensen op straat. Ik denk niet dat iemand ons heeft gezien. En we zaten er toch middenin.'
'Ze zouden wel gek zijn,' zei ik. 'Als iemand hem met dat pistool zag zwaaien... zouden ze niet de moeite nemen om naar ons te kijken.'
LuEllen lachte weer en begon zo hard te rijden, dat ik haar tot de orde moest roepen. 'De adrenaline,' zei ze. 'De adrenaline.'

14

We reden een kleine kilometer, niet te hard, en zochten om ons heen naar alles wat sneller bewoog dan wij. Na een minuut of vier keerde LuEllen de auto, reden we terug naar waar we vandaan waren gekomen en keken of we de Corolla ergens zagen. We zagen hem nergens en Carp evenmin. Het leven in en om het park ging gewoon door; nergens politie, nergens mensen die zich verbijsterd op het hoofd krabden. We schrokken op toen er iemand begon te rennen, maar het was maar een jongetje dat aan het spelen was. We hadden een hele schietshow gehouden en het kon niemand iets schelen.
'Laten we naar een dierentuin of zoiets gaan,' zei LuEllen. Ze stond nog steeds stijf van de adrenaline; haar ogen fonkelden en haar wangen gloeiden. 'Laten we een stuk gaan lopen, of gaan joggen. Laten we in elk geval iets gaan doen. We moeten weg uit die hotelkamer. Ik kan daar niet meer nadenken.'
'Misschien kunnen we...' Er kwam een gedachte in me op.
Na een korte stilte vroeg LuEllen: 'Wat?'
Ik staarde uit het autoraampje naar een grote vrouw in een feloranje blouse, die een hondje ter grootte van een marmot uitliet. 'Doorrijden, en niet tegen me praten.'
Ik schoof mijn stoel zo ver mogelijk achteruit, klapte de leuning achterover, legde mijn arm over mijn ogen en probeerde mijn gedachten te ordenen. Eén en één bij elkaar op te tellen. Ik dacht aan de tarot, aan de omgekeerde Koning van de Kelken. Op een zeker moment vroeg LuEllen: 'Voel je je wel goed?' Ik voelde de wielen van de auto over de oneffenheden in de weg gaan, voelde hoe de auto tot stilstand kwam voor een verkeerslicht... voelde dat LuEllen naar me keek.
Nadat ik vijf minuten had nagedacht vroeg LuEllen: 'Kom op, Kidd, wat is er aan de hand? Heb je een beroerte of zoiets?'
Ik ademde langzaam uit, zette de stoelleuning rechtop en keek naar buiten. We reden in een winkelstraat, recht voor ons was het Washington Monument en links daarvan zag ik witte strepen die afstaken tegen de blauwe lucht. Het was een mooie dag. 'De vuile schoft.'
'Wie?'
'Carp is Lemon.'

We waren bijna door een rood verkeerslicht gereden voordat het tot haar doordrong. Toen het op groen sprong zei ze: 'Vertel op.'
'Ik kreeg die e-mail, zomaar uit het niets. Die kón van Bobby zijn maar dat hoefde niet per se. Maar die kwam wel van iemand die wist dat Bobby dood was. Er werd niet aangedrongen op contact; dat mochten we zelf bepalen, zodat we ons veilig zouden voelen. Maar we werden wel naar Washington gedirigeerd. John is zwart en ik ben blank, en die twee mannen die naar zijn appartement gingen...'
'Waren zwart en blank.'
'Het was bijna donker en hij wachtte op ons, op een zwart en blank duo. Hij wist dat we zouden komen, want hij had ons zelf het adres gegeven, en hij wist op dat punt ook dat we niet van de overheid waren, want we hadden op zijn e-mail gereageerd. Hij wist dat we vrienden van Bobby waren omdat we hem dat hadden verteld. Hij wist dat we naar het adres zouden gaan dat hij ons had gegeven, om te kijken of Carp daar was. En dat hebben we ook gedaan. Het was dezelfde techniek die hij heeft gebruikt om Bobby te vinden. Het is als vissen met vliegen. Je werpt uit, laat de vlieg drijven en wacht tot je beet hebt.'
'Maar hij...'
'Ja, zijn grote fout – en dat moet hem flink in de war hebben gemaakt – was dat hij niet wist dat er twee duo's naar hem op zoek waren, en dat die allebei uit een zwarte en een blanke man bestonden. Hij moet hebben gedacht dat als twee onbekende mensen uit Minnesota en een ander stadje in een slechte buurt zouden worden neergeschoten, niemand het verband met zijn appartement zou leggen. Maar hij vermoordt een paar overheidsjongens die hem in zijn appartement kwamen opzoeken, dus nu...'
'Heeft hij het verprutst.'
'Nou, misschien kunnen ze het niet bewijzen. Hij droeg die pruik, dus hij zal in zijn signalement als blond beschreven staan.'
LuEllen dacht enige tijd na en kwam toen met een tweede bezwaar.
'Maar hij had John neergeschoten, en als hij wist dat John dood of gewond was...'
'Dat wist hij niet zeker. Hij was al op de vlucht toen hij de trekker overhaalde. En als hij had gemerkt dat hij werd achtervolgd, was omgekeerd en was teruggereden om naar de auto te kijken, had hij John met ons naar buiten zien komen. Op die manier moet hij de nummerplaat van de auto hebben gezien.'
'Daarna, na de blunder bij zijn appartement, leest hij in de krant dat

hij het verkeerde duo te grazen heeft genomen en probeert hij ons in de val te lokken,' maakte LuEllen voor me af. Ze dacht er een ogenblik over na en zei toen: 'Ah, shit.'
'Precies. Misschien heb ik het mis, maar ik zou zeggen dat er tien tegen één kans is dat Carp en Lemon dezelfde persoon zijn.'
'We zijn stom geweest.'
'Dat is het belangrijkste probleem niet. Ik bedoel, we leven in elk geval nog. Het belangrijkste probleem is dat hij contact met me heeft gehad. Op mijn eigen naam. Hij weet wie ik ben.'
Ik zat naar haar te kijken en toen ze haar hoofd omdraaide, zag ik in haar ogen iets wat op angst leek. 'Dat is... erger dan dat kan niet.'
'Afgezien van dood zijn, dan. Maar we moeten het net weer op. Ik wil nagaan of ik gelijk heb.'

De staat Minnesota stelt iedereen in staat het kentekennummer van iemand anders na te trekken, maar je moet je wel identificeren voordat de informatie aan je wordt verstrekt. Je naam wordt opgeslagen in een bestand en de persoon van wie je het kentekennummer hebt nagetrokken, kan dat bestand zien. Tenminste, als je het op de legale manier doet. Ik had dat nog nooit gedaan en geloofde niet dat Carp – Lemon – het op die manier zou doen, maar toch...
'Hoe kun je het zien?' vroeg LuEllen terwijl ze naar het scherm van de laptop tuurde toen ik het net op was gegaan en de website van het Bureau Kentekenregistratie had opgezocht.
'Er zijn tellers. Je moet het hele systeem uit elkaar slopen als je daar omheen wilt.' Ik opende de database en voerde mijn kentekennummer in. Mijn naam en adres verschenen op het scherm. De teller gaf aan dat de informatie was opgevraagd op de avond van de confrontatie in het huis van Rachel Willowby.
'Daar staat het,' zei ik. 'Hij heeft de auto gezien toen we bij Rachel waren. Dat was de enige mogelijkheid.' Het gaf me een vreemd gevoel. Ik was zo voorzichtig geweest, al zo lang, zo ongelofelijk, obsessief voorzichtig, dat ik het gevoel had dat er iemand in mijn huis had ingebroken nu mijn dekmantel was gekraakt.
'De vuile schoft. Hij is ons te slim af geweest.' Hoorde ik iets van bewondering in haar stem? Ze knipte met haar vingers toen ze zich de tarot herinnerde. 'Het was die tarotkaart, weet je nog? Het was de...'
'De Koning van de Kelken, omgekeerd. Ja, daar moest ik ook aan denken toen we in het park waren. Toeval duikt op en bijt je in je billen.'

'Jij bent al zo vaak in je billen gebeten, dat je van geluk mag spreken dat je er nog twee hebt,' zei ze snerend. 'Wanneer ga je er nu zelf eens in geloven? Je bent gewoon een soort telepathische zigeuner of zoiets.'
'Nee, nee.' Ik schudde mijn hoofd. 'Nee, het is geen bijgeloof. Maar het is wel interessant.'
'Wat gaan we nu doen?'
'Misschien moeten we hetzelfde doen wat hij bij ons heeft geprobeerd,' zei ik na een korte stilte. 'Ik wil er eerst over nadenken. Hij weet niet dat wij het weten.'
'Maar als hij opnieuw naar je kentekengegevens kijkt, ziet hij dat iemand anders hém is nagegaan, en dan zal hij weten dat jij het was, en waarom.'
'We kunnen nergens zeker van zijn,' zei ik. 'We vissen in troebel water. Laten we een rondje om de Mall lopen en kijken of we iets kunnen bedenken.'

Goed, we bedachten een plan. Wat we bedachten, kostte ons een uur praten – en ruziën – om een analyse te maken van de problemen die we hadden met werkgroep DDC, het bestaan van de laptop en wat de gevolgen daarvan konden zijn, en het feit dat Carp wist wie ik was.
Het denkproces verliep als volgt: LuEllen deed een simpel voorstel. 'Waarom bellen we hem niet gewoon op en proberen we een deal met hem te sluiten? Om erachter te komen wat hij wil. We weten dat hij Bobby heeft vermoord en we kunnen de FBI op zijn spoor zetten. Baird heeft hem gezien en Rachel ook, dus we staan sterk.'
'Hij ook, want hij weet wie ik ben.'
'Precies, dus jullie moeten voorzichtig zijn met de informatie die je over elkaar hebt. We bellen hem op en zeggen dat we de laptop willen zien; verder niks, alleen de laptop bekijken. We kunnen elkaar op een veilige, openbare plek ontmoeten en jij kunt je ervan overtuigen dat er geen belastend materiaal over ons op staat. Daarna gaan we gewoon weer weg.'
Er kleefde een bezwaar aan dat idee. 'Dus je wilt hem ongestraft laten voor de moord op Bobby?' vroeg ik.
'Liever niet, natuurlijk.'
'En als ik het net op ga om contact met hem te zoeken, geven we ons voordeel weg,' zei ik. 'Wij weten dat Lemon Carp is, maar hij weet niet dat wij dat weten.'
'Wat moeten we anders? We weten hoe hij heet, in wat voor auto hij

rijdt en zelfs wat zijn kentekennummer is, maar er wonen bijna een miljoen mensen in Washington. Hoe wilde je hem anders vinden?'
Het idee stond me nog steeds niet aan. 'Maar als hij nu eens niet weet wat voor belastend materiaal hij tegen ons heeft? Er staat waarschijnlijk zoveel op Bobby's laptop, dat Carp misschien niet weet wat hij allemaal in huis heeft. Misschien is hij nu bereid een deal met ons te sluiten, om vervolgens iets bruikbaars op de laptop op te zoeken en zichzelf daarmee te beschermen.'
'Tegen die aanklacht van moord die hem boven het hoofd hangt?'
'Precies. Stel dat hij ontdekt wat we met die Keyhole-satellieten hebben gedaan. Hij zou die informatie kunnen gebruiken om zich onder die aanklacht van moord uit te werken. Ik weet dat de overheid deals sluit, zelfs als het om moord gaat. Je leest soms in de krant dat een of andere moordenaar in een getuigenbeschermingsprogramma verdwijnt en voordat je het weet, is hij coach van het plaatselijke juniorenteam.'
'Verdomme.'
'Die verdomde laptop is een tijdbom,' zei ik. 'We móéten dat ding te pakken zien te krijgen.'

We dachten er nog enige tijd over na. 'Hoor eens,' zei ik, 'we moeten ons ook afvragen waarom hij eigenlijk naar Washington is gekomen. Wil hij een deal met iemand sluiten? Wil hij proberen zijn baan terug te krijgen? Het kan zijn dat hij daarop hoopt, als niemand kan bewijzen dat hij de moorden in dat appartementengebouw heeft gepleegd. En zoals de dingen tegenwoordig in Washington gaan, staat ontslagen worden van rechtsvervolging wegens gebrek aan bewijs gelijk aan onschuldig.'
'Nou, dat werd genoemd in de brieven op zijn eigen laptop... dat hij met de hulp van Krause probeert terug te komen.'
'We kunnen het net op gaan en tegen Lemon zeggen dat senator Krause bereid is een deal met Carp te sluiten. Als we díé vlieg nu eens over het water trokken?'
Toen we dat eenmaal hadden bedacht, vielen de andere stukjes vanzelf op hun plaats, maar het bleef giswerk en het was allemaal heel riskant. LuEllen broedde enige tijd op het idee en zei ten slotte: 'Het is te doen, maar alleen als we eerst Carp weten te vinden. En we moeten uitzoeken waar Krause woont. Als hij in zo'n groot appartementencomplex in de binnenstad woont, het Watergate-gebouw of iets wat daarop

lijkt, zal het niet werken. En zelfs als hij in een gewoon huis woont, kan dat vanwege zijn werk zwaar beveiligd zijn.'
'We bedenken wel een manier om langs de beveiliging te komen,' zei ik. 'En als Krause al twintig jaar in Washington werkt, heeft hij hier een huis. Dat moet niet zo moeilijk te vinden zijn.'

De hinderlaag bij het appartementengebouw van Griggs vormde een belangrijk detail in onze jacht op Carp. Waarom daar, vroegen we ons af. Hoe kwam het dat hij van het park wist? Dat was een perfecte plek voor een hinderlaag: klein genoeg om het vanaf één punt te overzien, met voldoende groen om je te verstoppen en je ongezien te verplaatsen, en stil genoeg om niet door een massa mensen te hoeven schieten.
Ik ging het net op, zocht contact met mijn vriend in Montana, die gespecialiseerd was in overheidsbestanden, en vroeg hem Carps belastingteruggaven op te zoeken en de adressen aan me door te geven. Binnen twintig minuten had ik antwoord. Carp had een jaar in een huis gewoond dat op een paar minuten lopen van het park stond. En nog wat extra achtergrondinformatie: hij was pas een halfjaar geleden naar het appartement in het District verhuisd. Daarvoor had hij in een appartementencomplex aan de zuidkant van Arlington gewoond.
We geloofden niet dat hij naar zijn eigen appartement terug durfde te gaan nadat hij die twee overheidsmensen had doodgeschoten, maar het was wel mogelijk dat hij mensen kende in het huis bij het park, waar hij had gewoond. Het kon zijn dat hij daar bivakkeerde, of dat hij een vriend had in het appartementencomplex en zich daar verstopte. Beide boden een verklaring voor de hinderlaag in het park en het feit dat we hem niet konden vinden.
Terwijl mijn vriend in Montana de adressen bijeenzocht, deed ik een onderzoekje naar Krause. Ik kwam te weten dat hij, voorzover ik kon nagaan op onze kaart, in een buitenwijk aan de noordwestkant van Washington woonde.
'Dus het is mogelijk,' zei ik, 'het plan waarover we het hebben gehad.'
'Als we Carps auto kunnen vinden...'

We wisten dat Carp een rode Toyota Corolla had en wat zijn kentekennummer was. Híj wist wat voor auto wij hadden en wat het kentekennummer was. Geen probleem; we reden naar National Airport en huurden twee auto's, een bij Hertz en een bij Avis, met mijn Visa-card

op naam van Harry Olson en mijn rijbewijs van de staat Wisconsin. En we hadden de walkietalkies uit New Orleans nog.
Dus gingen we op zoek in twee auto's en hielden contact met elkaar met behulp van de walkietalkies.

Het huis in Ballston viel onmiddellijk af. De buurt werd gerenoveerd en het huis waar Carp vroeger had gewoond werd verbouwd en stond leeg. Op de veranda aan de voorkant waren twee timmerlieden bezig en je kon dwars door het huis heen kijken. We reden naar de zuidkant van Arlington.
Fairlington bestaat uit een paar hectare grond met appartementengebouwen van rode baksteen, van twee of drie verdiepingen, met witte raamluiken in achttiende-eeuwse stijl, aan weerskanten van smalle, stille lanen vol weelderige eikenbomen: een heel aardige buurt voor jonge gezinnen, en we zagen dan ook opvallend veel jonge moeders met kinderwagens.
We achtten het mogelijk dat Carp in het White Creek-complex woonde, een U-vormig gebouw met vier witte pilaren bij de hoofdingang en een geasfalteerd parkeerterrein ervoor. Ik reed langzaam langs het parkeerterrein, waar ongeveer honderd auto's konden staan, terwijl LuEllen in de andere auto het volgende blok voor haar rekening nam. Geen Corolla.
'Jij neemt de linkerkant, ik de rechter,' zei ik tegen haar.
'Roger. Over en uit.' LuEllen vond walkietalkies leuk.
Als we hem niet vonden tijdens onze eerste ronde door het complex, hadden we afgesproken dat we later nog eens terug zouden komen, want hij kon natuurlijk even weg zijn om iets te gaan eten.
Maar dat was niet zo.
Een kwartier nadat we waren begonnen met zoeken, vond LuEllen de auto. De walkietalkie piepte, ik drukte de knop in en zei: 'Ja?'
'Ik zie hem,' zei ze.

We stopten bij een broodjeszaak in een winkelcentrum in King Street en kochten twee broodjes kipsalade. 'Kun je niet gewoon de loop van de revolver in zijn oor duwen en dreigen dat je de trekker zult overhalen als hij je de laptop niet geeft?' vroeg LuEllen.
'Dat geeft twee problemen: dan moeten we dicht bij hem komen en hem misschien echt doodschieten. Want hij heeft nog steeds dat pistool. En wat moeten we doen als hij de laptop niet bij zich heeft?'

'Dan doen we het alleen als hij die wel bij zich heeft.'
'Nee, er kijken te veel ramen op ons uit en er lopen te veel moeders op straat.' Ik schudde mijn hoofd. 'We kunnen het beter op de andere manier doen. Zelfs als we hem mislopen, weten we waar hij woont.'
'De simpelste oplossing is meestal de beste. Dit is geen simpele oplossing.'
'Omdat dit verdomme Washington is,' zei ik.
'Oké, oké,' zei ze. 'Eet je broodje op, dan gaan we op zoek naar Krauses huis.'

Krause woonde in een buurt met veel groen aan de noordwestkant van Washington, tegenover de Burning Tree Country Club aan de I-495. We passeerden de ingang van de club en vijf minuten later reden we langs zijn huis. De omgeving was heuvelachtig, met veel bomen, en de straten waren schoon, stil en vol bochten. Krauses huis stond een een meter of dertig van de straat en een geasfalteerde oprit leidde naar een garage voor drie auto's.
'Wanneer doen we het?' vroeg LuEllen.
'Vanavond,' zei ik.
'Hoe weten we dat hij thuis is?'
'Het is zondag. Hij speelt waarschijnlijk een partijtje golf en neemt daarna misschien wat vrienden mee naar huis, maar om een uur of zes, rond etenstijd, moet hij toch wel thuis zijn.'
'Hoe komen we aan een FedEx-shirt?'
'Dat kunnen we namaken,' zei ik.
'Je gezicht zal te zien zijn.'
'Daar is niets aan te doen.'
'Mijn inwendige angstmeter is zojuist gestegen tot tachtig procent,' zei ze.

Het was een gecompliceerd plan om te bespreken, maar de uitvoering viel best mee. Ik moest heel snel heel dicht bij Krause komen, en dat zonder hem bang te maken. Als ik eenmaal voor zijn neus stond, had hij geen andere keus dan met me te praten, maar om in Washington dicht genoeg bij een vooraanstaand politicus te komen om met hem te kunnen praten, zonder andere mensen erbij, was niet eenvoudig.
We reden naar de stad en haalden een FedEx-doos, een stel kartonnen A-4-enveloppen en een paar grotere papieren inpakzakken. Daarna gingen we naar een winkel in teken- en schildermaterialen waar ik

een flesje zwarte acrylverf, een penseel en een stanleymesje kocht. In een warenhuis kocht ik een zwarte polo en in een sportzaak, twee winkels verderop, een zwarte honkbalpet.
Een paar jaar geleden had ik een keer een masker nodig gehad dat mijn hele gezicht bedekte, en ik had er een gevonden in een feestwinkel, een masker van oud-president Bill Clinton. Tot LuEllens opluchting was de winkel er nog steeds. Bovendien was hij open en verkochten ze nog steeds dezelfde maskers. Het mooie van een Bill Clinton-masker was dat het vleeskleurig was en op een afstand van meer dan vier meter voor een echt gezicht kon doorgaan.
We reden met onze boodschappen naar het hotel en gingen naar LuEllens kamer.
Op de achterkant van de kartonnen FedEx-envelop stond een logo dat ongeveer groot genoeg was voor de polo. Ik sneed het uit met het stanleymesje en LuEllen naaide het met zwart garen en grove steken op de borstzak van de polo.
'Goed genoeg tot twee meter,' zei ze, met een kritische blik op de polo. 'Als een agent ons aanhoudt voor een overtreding, kun je het er snel aftrekken.'
'Politie kunnen we niet hebben,' zei ik. 'We zullen de nummerplaten moeten doen als we vlak bij Krause zijn, want de politie trapt daar niet in.'
'Er zal in die buurt best politie zijn,' zei ze.
'Vijf minuten is genoeg,' zei ik tegen haar. 'Vijf minuten om met die man te praten.'
'We kunnen hem bellen.'
'Dan gelooft hij ons niet. En we krijgen maar één kans.'
Terwijl we aan het praten waren, sneed ik nog een logo uit een van de FedEx-zakken en naaide LuEllen het op de honkbalpet. 'Wie weet trouwens hoe een FedEx-uniform eruitziet?' zei ze. 'De mensen kijken alleen maar naar het logo, of niet soms? En naar het pakje dat ze komen brengen.'
Voordat we op weg gingen naar Krauses huis, ging ik via de telefoonlijn van het hotel het net op – gewoon iets opzoeken met Google, dus dat kon wel – en zocht ik een zestal foto's van Krause bij elkaar. Hij had blond haar, een smal gezicht, een spitse neus en een ronde kin. Hij zag er Engels uit, als een Engelse edelman.

Om vijf uur reden we in mijn huurauto voor Krauses huis langs. Het was hoogzomer en nog volop licht. Dat vormde een merkwaardig probleem, want we konden nu niet zien of er iemand thuis was; er brandden geen lichten, er bewoog niets en de garagedeuren waren dicht. We reden nog een keer langs om halfzes, om zes uur, om halfzeven en om zeven uur. In de tussentijd hadden we een basisschool gevonden met een inrit ernaast, die ver doorliep. Daar zou ik het schilderwerk doen, als Krause eindelijk eens thuiskwam.

'Misschien komt hij niet thuis,' zei LuEllen toen we om zeven uur langsreden. Het was nog steeds donker in huis en de zon was bijna onder. 'Dat soort mensen gaat in het weekend vaak terug naar de staat waar ze geboren zijn.'

'Dat had vermeld moeten staan in zijn werkrooster,' zei ik. 'Er werd niets over gezegd... en hij hoeft pas over vier jaar op voor zijn herverkiezing.'

Om halfacht brandde er licht in het huis en ik reed terug naar de school. 'Ben je er klaar voor?' vroeg LuEllen.

'We doen het gewoon.' Ik reed de inrit naast de school in, stapte uit en werkte de voorste nummerplaat snel bij met de zwarte acrylverf. Ik maakte een M van de H, een 1 van de 7 en een 6 van de 5. Toen ik klaar was, draaide ik de dop op het verfflesje, deed het met het penseel in een plastic tas en stopte die in de kofferbak. Daarna zette ik het Clintonmasker op. Het werd op zijn plaats gehouden door een stuk elastiek dat boven mijn oren om mijn achterhoofd heen liep. Vervolgens rolde ik het masker op tot op mijn voorhoofd, zodat de rol plastic aan het zicht werd onttrokken door de klep van de pet, als ik die opzette.

'Klaar,' zei ik terwijl ik in de auto stapte.

LuEllen was achterin gaan zitten. 'Weet je al wat je gaat zeggen?' vroeg ze nerveus. We hadden alle mogelijkheden op weg hiernaartoe doorgenomen.

'Ja.' Ik geeuwde, want ik was net zo nerveus als zij.

Alle tijd en inspanning leverden het volgende op: LuEllen ging plat op de achterbank liggen en ik reed de lange oprit naar Krauses huis op. Als ik binnen was, zou LuEllen achter het stuur plaatsnemen om snel te kunnen vertrekken, als dat nodig was. Ik stapte uit en liep met mijn FedEx-pakket vol oude kranten in de ene hand en mijn Sony-laptop met opgeklapt scherm in de andere op het huis toe. We meenden dat dat er wel FedEx-achtig genoeg uitzag. Als Krauses vrouw opendeed, zou ik beleefd naar haar man vragen. Als zij het pakket wilde aanne-

men, zou ik dat weigeren en zeggen dat ik de volgende dag zou terugkomen. Als dat hem niet naar de voordeur kreeg, zouden we weer weggaan.
Als Krause opendeed, zou ik me afwenden zodra ik hem zag, het masker over mijn gezicht trekken en hem de revolver laten zien. Ik had alle patronen eruit gehaald, want als hij iets onverwachts deed, wilde ik niet dat ik per ongeluk op hem zou schieten. Het probleem was echter dat wanneer je de patronen uit een revolver haalt en die op iemand richt, die persoon kan zien dat de kamers van de cilinder leeg zijn. Dus moest ik ervoor zorgen dat hij de revolver alleen van de zijkant zag.

Het merendeel van de voorbereidingen bleek echter overbodig. Ik liep het stoepje op, belde aan en even later zag ik Krause naar de voordeur komen. Hij had een korte broek en een fleurig hawaïhemd aan in plaats van zijn gebruikelijke lichtblauwe overhemd, maar het smalle gezicht was onmiskenbaar dat van de foto's.
Toen hij bij de deur aankwam, wendde ik mijn gezicht af. Het FedEx-pakket in mijn hand was zichtbaar door het raam in de deur, net als het lichte scherm van de laptop. Ik trok snel het Bill Clinton-masker over mijn gezicht. Toen ik de deur hoorde opengaan, besefte ik dat het licht aan het afnemen was; het schemerde nog niet echt, maar de felle zon was in elk geval verdwenen.
De deur ging open en de senator zei op verbaasde toon: 'FedEx?'
Ik draaide me naar hem om en toen hij het masker zag, deinsde hij achteruit.
Ik bracht de revolver omhoog en zei zacht: 'Ik wil u geen kwaad doen, dus blijf staan en wees stil. Ik moet vijf minuten met u praten en dan ga ik weer weg.' Ik hield de deur open met mijn voet, want ik had het pakket en de laptop nog steeds in mijn linkerhand.
Hij deed nog een stap achteruit, keek achterom en keek mij weer aan.
'Als u me vijf minuten tijd geeft,' zei ik, 'kan ik uw carrière redden. Als u begint te schreeuwen, ga ik ervandoor en neemt u de stomste beslissing die u ooit hebt genomen.'
'FedEx?' vroeg hij weer.
'Nee, luister naar me. Weet u van de moord in Jackson, Mississippi, op die zwarte man die aan dat brandende kruis hing?'
'Ja,' zei hij onzeker. Hij keek weer achterom. Hij overwoog het op een lopen te zetten, maar wist dat hij het niet zou halen.

'De man die is vermoord heette Bobby. Weet u over wie ik het heb? Bobby de hacker?'
Hij fronste zijn wenkbrauwen. Voor het eerst dacht hij aan iets anders dan aan ontsnappen. 'Ik heb het in het nieuws gezien, maar daar zeiden ze niet dat hij een hacker was.'
'Maar u weet wie hij is?'
'Ik heb over hem gehoord, maar ik...'
'Weet u dat iemand gisteren twee mensen van uw werkgroep DDC heeft vermoord?'
'Wie bent u?' Hij was politicus, dus probeerde hij de aanval over te nemen, maar hij had er dus van gehoord.
Ik weerde zijn poging af. 'Ik ben Bill Clinton. Luister, een van uw vroegere stafleden van de Inlichtingendienst, James Carp, heeft Bobby gedood. Hij heeft hem vermoord, hem de hersens ingeslagen en een laptop gestolen waarop informatie staat die mij en andere vrienden van Bobby ernstig kan schaden. Daarna heeft hij twee van úw mensen vermoord, toen ze hem op het spoor waren gekomen. Hij heeft de informatie van de laptop gebruikt – luister naar me – om die aanvallen op politici van de afgelopen week te doen, die zogenaamde Bobby-onthullingen. Over de dochter van de senator in Illinois, de militaire executie, het Norwalk-virus, Bole met zijn zwart gemaakte gezicht... en er gaan nog minstens dertig van dat soort onthullingen volgen. Wij denken dat het merendeel van het materiaal afkomstig was van uw werkgroep DDC.'
'Wat?'
Nu had ik pas echt zijn aandacht. Ik herhaalde wat ik had gezegd en voegde eraan toe: 'Hoe hebt u het in godsnaam in uw hoofd kunnen halen om achtergrondonderzoek te laten doen naar leden van het Congres? Denkt u nu echt dat u daarmee uw carrière kunt redden? Hoe groot acht u de kans dat u níét naar de gevangenis gaat?'
'Ik denk dat u...' Hij keek naar de revolver. 'Meneer, ik ben er niet van overtuigd dat u helemaal... eh...'
'Ik ben niet gek,' zei ik. Ik keek langs hem heen. 'Is er nog iemand thuis?'
Hij aarzelde even maar zei toen: 'Op het ogenblik niet, maar mijn vrouw kan elk moment thuiskomen.'
'Ik wil uw vrouw niet bang maken. Maar als u hier in de buurt een telefoon hebt, kunt u iemand bellen die u zal vertellen dat ik een... hm... betrouwbare bron ben. Er werkt ene Rosalind Welsh bij de Binnenlandse Veiligheidsdienst.'

'Die ken ik niet.' Hij deed een paar stappen achteruit en ik volgde hem naar binnen.
'Misschien kunt u zich dan aan haar voorstellen,' zei ik. 'Ik laat u dat gesprek voeren, maar als u een of andere alarmcode probeert, zal ik dat hoogstwaarschijnlijk merken en dan ben ik vertrokken. Ik ben trouwens allang weg voordat iemand u kan komen helpen, dus het heeft geen enkele zin om om hulp te gaan schreeuwen. En als u dat toch doet, zult u nooit te weten komen wat ik nu nog meer wilde vertellen.'
'U zei dat Jimmy Carp die jongen... eh... die man in Jackson heeft gedood.'
'Hij heeft hem vermoord. Volgens uw FBI-onderzoek heeft hij hem de hersens ingeslagen met een zuurstofcilinder. Bobby was invalide; hij zat in een rolstoel en kon zichzelf niet verdedigen.'
'Ik heb het in het nieuws gezien. U weet zeker dat Carp dat heeft gedaan?'
'Ja, en niet alleen dat, want als wij hem niet hadden tegengehouden, zou hij ook een jong meisje hebben vermoord. En het staat vast dat hij die twee mensen van u heeft vermoord. Hij heeft ze in de val gelokt en ze voor de deur van zijn appartement doodgeschoten.'
'De schoft.' Hij klonk bezorgd.
'Het hele gedoe is begonnen toen hij voor uw inlichtingendienst research deed naar Bobby. Hij heeft nu Bobby's laptop en is bezig het materiaal dat erop staat te decoderen. Hij heeft ook iets over u.'
Krause kneep zijn ogen halfdicht en hield zijn hoofd schuin. 'Over mij? Wat dan? Ik heb nooit iets gedaan.'
'Sommige mensen zullen daar mogelijk anders over denken,' zei ik. 'De vrouw bij de Binnenlandse Veiligheidsdienst is een van hun hoogste veiligheidsmensen.'
Ik volgde hem door de gang, langs een klerenkast en de deur van de woonkamer naar een grote keuken waar een telefoon aan de muur hing. De keuken rook naar brood met pindakaas. Ik gaf hem niet Welsh' nummer en hij vroeg er ook niet om. In plaats daarvan draaide hij uit het hoofd een ander nummer en toen er werd opgenomen zei hij: 'Ik ben het. Bij de Binnenlandse Veiligheidsdienst werkt een vrouw die Rosalind Welsh heet. Op de afdeling Beveiliging. Ik heb haar privénummer nodig en wel meteen. Zoek het op en bel me terug.' Hij hing op en zei: 'Geen alarmcode. Wat heeft Carp over mij?'
'Ik weet niet precies hoeveel hij over u heeft, of niet heeft, maar hij

weet in elk geval alles van uw leningen bij de Hedgecoe Bank. Wat hij heeft, zijn gescande papieren met uw handtekening erop. Ik ben geen bankier, maar het lijkt erop dat ze u buitengewoon gunstige voorwaarden hebben geboden, zonder onderpand, behalve voor de aandelen die u kocht. Aan de papieren in de computer te zien hebben die leningen u tot een rijk man gemaakt. U leende grote geldbedragen in de jaren negentig en kocht aandelen van Amazon, AOL, enzovoort... en inmiddels bent u multimiljonair, of niet soms?'
'Daar is niets mis mee,' zei hij op scherpe toon. 'Dat is gewoon goed zakendoen. Ik heb al dat geld met rente terugbetaald.'
'Ja, maar hoeveel mensen konden in 1990 een lening tegen twee procent krijgen, zonder onderpand, om ermee te gaan speculeren?' Ik keek hem aan en gaf zelf antwoord op de vraag. 'Niemand. U toverde een miljoen dollar uit het niets en maakte er – hoeveel? – vijf miljoen, tien miljoen van?'
'Dat was gewoon...'
'U wist waar dat geld vandaan kwam?'
'Ik kende een paar mensen in de raad van bestuur,' zei hij met schorre stem. 'Zij kenden mij en mijn reputatie.'
'Van de Arabieren. Dat geld kwam uit Saudi-Arabië.'
'Wat?'
'De Arabieren zijn de geldschieters achter de bank en u was op dat moment hoofd van het energiecomité van de Senaat. Helaas waren het voor een deel dezelfde Arabieren die Bin Laden hebben gefinancierd. Dat ziet er minder goed uit, nietwaar? Zeker nu, na 11 september.'
We staarden elkaar aan in de schemerige keuken, maar de ban werd verbroken toen de telefoon begon te rinkelen.
Krause nam op, luisterde, schreef iets op een blocnote en zei: 'Bedankt... Dat vertel ik je later wel.' Hij hing op en gromde. 'Een mobiele telefoon die altijd bereikbaar zou zijn.' Hij draaide het nummer, moest enige tijd wachten en toen er werd opgenomen zei hij: 'Met senator Krause. Spreek ik met Rosalind Welsh? Ja. Ik wil u iets vragen. Wilt u liever mijn nummer nagaan en me thuis terugbellen, om zeker te weten dat ik het ben? Juist, ik begrijp het. Hm. Wat ik u wil vragen is dit: wat kunt u me vertellen over...' Hij keek me aan en ik tikte op het masker. 'Bill Clinton?'
Weer een stilte.
'Ja, een masker. Is hij... eh, betrouwbaar?' Ik deed alvast een paar stappen in de richting van de deur. Hij luisterde nog enige tijd en zei

toen: 'Dank u. Ik bel u later terug.' Hij keek me aan en zei: 'Dat was geen beste aanbeveling.'
'Maar denkt u dat ik lieg over Carp?'
'Nee, nee.' Een auto draaide de oprit op en het licht van de koplampen streek over de voorgevel van het huis. 'Dat zal mijn vrouw zijn,' zei hij. Ik hoorde de garagedeur omhooggaan.
'Ik moet weg. Welsh zal haar mensen hiernaartoe sturen. Ik wilde u alleen overtuigen van de waarde van het materiaal dat daar ergens rondzwerft. Maar ik neem aan dat we wel zullen ontdekken of u de waarheid hebt gesproken als de zaak wordt onthuld.'
'Nee, nee, het mag niet onthuld worden,' zei hij gehaast.
'Geef me het nummer van uw mobiele telefoon. Ik bel u vanavond met een voorstel dat ons misschien allemaal uit de narigheid kan halen.'
Hij gaf me zijn nummer en we hoorden achter in het huis een deur opengaan. Ik las het telefoonnummer aan hem voor en liep achteruit naar de deur. 'Probeer me niet te volgen en kijk niet naar onze auto. Laat ons gewoon gaan, dan kunnen we u misschien uit de narigheid redden.'
'Wacht,' zei hij. 'Wat zei u daarstraks over achtergrondonderzoek naar congresleden?'
'Ik kan niet geloven dat u daar niet van weet,' zei ik.
'Ik weet echt niet waar u het over hebt.'
'Dan zit u mogelijk dieper in de problemen dan we hebben gedacht. Er zijn mensen in uw werkgroep die diepgaand onderzoek hebben gedaan naar een heleboel congresleden, regeringsambtenaren en allerlei andere mensen. Allemaal zwaargewichten. En als ik diepgaand zeg, bedoel ik ook diepgaand. Ze worden ook geschaduwd. Ze hebben een berg materiaal verzameld dat volgens mij alleen maar voor chantage gebruikt kan worden.'
'Dat is foute boel,' zei Krause. Hij huilde nog net niet.
'Onzin. Vraag het na. Maar als ik u was, zou ik heel, heel goed oppassen aan wie ik het zou vragen.'
Hij was nog steeds in de keuken toen ik het huis uit liep. Ik hoorde dat zijn vrouw hem riep, en toen was ik op de oprit en reden we even later met de lichten uit de heuvel af.
'Hoe is het gegaan?' vroeg LuEllen toen we op de openbare weg waren.
'Het ging. Laten we eerst een plek zoeken waar ik de verf van de nummerplaat kan poetsen, voor het geval dat.' Ik gooide het Bill Clintonmasker op de achterbank en LuEllen reed ons de buurt uit.

15

Ik belde Krause vanuit Gettysburg, Pennsylvania, want nu de Binnenlandse Veiligheidsdienst van de zaak wist, wilden we zo ver mogelijk uit de buurt zijn van federale opsporingsdiensten die snel tegen ons konden worden ingezet. Als we vanuit een van de grote winkelcentra in de omgeving van Washington hadden gebeld, hadden we 95 procent kans dat het goed afgelopen zou zijn. Dat was een pakkans van één op twintig, en dat was gewoon te veel. We voelden meer voor een kans van één op duizend.

Hoe dan ook, ik belde Krause vanuit een wegrestaurant en nadat zijn toestel drie keer was overgegaan, nam hij op. 'Ja?'

'Senator Krause, met Bill Clinton. Bent u bereid met me te praten?'

'Ja. Ik eh... heb met mijn stafhoofd gepraat. Hij onderhoudt de betrekkingen met de werkgroep. Hij zegt dat hij zal nagaan wat u me hebt verteld, maar dat hij er zelf niets van weet. Ik denk dat hij liegt. Er is meer gaande dan ik weet. Ik kon het aan zijn gezicht zien.'

'Dan heeft hij een probleem,' zei ik. 'Hij kan ze niet voor eeuwig in bescherming blijven nemen, want een deel van de bestanden is al uitgelekt. Wij hebben een deel, Carp heeft een deel, en we weten niet wat Bobby allemaal had verzameld voordat hij werd vermoord.'

'U zei dat u misschien een idee had over hoe we dit kunnen aanpakken.'

'Ja, maar voordat we daaraan toe zijn, moet ik u aan iets herinneren. U moet heel, heel voorzichtig zijn. Er zijn heel vreemde dingen gaande.'

'U denkt toch niet dat ik... ik bedoel... gevaar loop?'

'Ja, dat denk ik wel. Er zijn al drie mensen vermoord. Twee van hen probeerden Carp blijkbaar te overvallen zonder medeweten van de autoriteiten die je in dit geval zou verwachten. Het waren verdomme mensen van de Inlichtingendienst. Iemand is knap nerveus geworden, maar we weten niet wie.'

'Ik kan een paar maatregelen nemen.'

'Als u wilt, kan ik u opbellen en u zogenaamd bedreigen. Dan doe ik alsof ik uit het Midden-Oosten kom.'

'Nee, nee, laat mij het maar afhandelen,' zei hij. 'Nou, wat is uw plan?'

'Wij – onze groep – willen twee dingen,' zei ik. 'We willen Bobby's laptop onschadelijk maken en we willen dat Carp wordt gestraft voor de moord op Bobby. Dat is alles. Als Bobby's laptop is vernietigd, zijn onze problemen opgelost en een deel van de uwe ook. Dat is in elk geval één dreiging minder. De problemen met uw werkgroep zult u natuurlijk zelf moeten oplossen.'
'En het materiaal dat jullie hebben? Dat blijft ook een probleem.'
'Als u nog eens met Rosalind Welsh gaat praten, zal ze u vertellen dat wij discreet zijn zolang we met rust worden gelaten. Ik wil de FBI niet achter me aan hebben, want er bestaat een kans dat ze me vinden. Zodra we Carp en de laptop in handen hebben, hoort u nooit meer iets van me. Trouwens, zoveel materiaal hebben we niet. Carp daarentegen heeft ruim vijftig reusachtige bestanden. Hij heeft tot nu toe een klein deeltje van één bestand gebruikt, en dat is het bestand dat wij hebben.'
'Vijftig?'
'Ja. Hij heeft nog geen één procent gebruikt van wat hij heeft.'
'O, mijn god.'
'We denken dat we bij Carp in de buurt kunnen komen zonder dat hij iets vermoedt,' zei ik. 'Met behulp van een... hm, derde persoon. We kunnen hem vertellen dat u een deal met hem wilt sluiten. Dat u hem wilt dekken in ruil voor Bobby's laptop. We weten dat hij blut, wanhopig en vermoedelijk dakloos is – en dat hij gek is – dus misschien trapt hij erin. We denken dat het u waarschijnlijk zou lukken een ontmoeting met hem te regelen.'
'En dan?'
'U bent politicus, senator. Onderhandel met hem. Probeer hem in te palmen. Ik zou echter niet proberen hem meteen in de kraag te pakken. Hij is gek, maar hij is ook slim. Als hij instemt met een ontmoeting, zal hij zeker iets bedenken om weer weg te kunnen komen. Bovendien is er een te grote kans dat hij een tijdbom in de laptop heeft gezet.'
'Een wat?'
'U weet wel, een informatiebom. U laat hem oppakken, hij houdt zijn mond stijf dicht en twaalf uur later dumpt de laptop al het materiaal bij CNN. Zo moeilijk is dat niet. Het enige wat je nodig hebt is een motelkamer met een telefoonaansluiting en een paar regels computercode.'
'Verdomme.'

'U zult íéts moeten doen,' zei ik. 'Op het ogenblik is hij helemaal de weg kwijt. Als u de FBI achter hem aan stuurt, wordt het materiaal op de laptop openbaar gemaakt en bent u er geweest. Als u hem echter zover kunt krijgen dat hij instemt met een gesprek onder vier ogen, kunt u misschien een deal met hem sluiten. Op de een of andere manier.'
'Ik moet hierover nadenken. Hoe denkt u hem zover te krijgen dat hij contact met me opneemt?'
'We weten niet helemaal zeker of we daarin zullen slagen. En ik ga u niet uitleggen hoe we dat van plan zijn, omdat we ons dan te veel blootgeven. Maar we dénken dat we hem zover kunnen krijgen dat hij u belt... contact met u opneemt.'
'Oké, doe dat; dan denk ik over het vervolg na.'

De rest van de avond deden we niets, afgezien van een tussenstop bij een gereedschapswinkel waar ik een paar bronzen schietloden kocht, en praten over het plan.
Als we 's avonds contact met Carp zochten, vermoedden we, zou hij misschien willen dat we hem ergens midden in de nacht ontmoetten en dat zou het een stuk moeilijker maken om hem te volgen. We konden het beter overdag doen.
Toen we wakker in bed lagen zei LuEllen: 'Bij elke stap die je doet, handel je alsof je verwacht dat Krause iets slims zal uithalen. Dat hij zal proberen ons te besodemieteren.'
'Daar reken ik op,' zei ik. 'Daarom laten we ons niet betrekken bij welke uitwisseling ook. Laat die twee het werk maar doen. Als wíj de laptop maar in handen krijgen, want daar is het ons om te doen.'
'Je gaat wel van een paar veronderstellingen uit: dat Carp met de Corolla zal komen, dat hij de laptop meeneemt, die in de auto zal laten liggen en iets slims zal verzinnen om weer weg te kunnen komen.'
'Het is meer dan alleen hoop,' zei ik. 'Hij moet volgens mij in de veronderstelling verkeren dat niemand weet dat hij in die Corolla rijdt, niemand van de overheid in elk geval. Anders zouden ze hem allang gepakt hebben. Hij kan de laptop niet bij iemand achterlaten, want áls hij wordt gepakt en dat komt op tv, zal zijn vriend of bij wie hij dat ding ook achterlaat, geen andere keus hebben dan het ding in te leveren. Als hij dat niet doet, is hij namelijk net zo strafbaar als Carp. Dus Carp kan niemand in vertrouwen nemen, maar op de Corolla kan hij min of meer nog vertrouwen.'
De volgende ochtend stonden we om zeven uur op. Nadat we snel had-

den ontbeten reden naar ons wi-fi-gebouw en stuurden een e-mail aan Lemon.

We hebben senator Krause geobserveerd. Hij heeft zijn stafhoofd benaderd over een deal met Carp, dus denken we dat Carp misschien contact met hem heeft opgenomen en dat Krause bereid is tot onderhandelen. Heb je meer kunnen ontdekken over waar Carp is? Iets waar we verder mee kunnen? Anders moeten we misschien uit Washington vertrekken.

Na twintig minuten kwam het antwoord.

Geen nieuwe info. Sorry. Zal alles nagaan en Krause observeren, als dat lukt. Hou contact.

'Hij vraagt helemaal niet wat er bij Griggs is gebeurd,' zei LuEllen. 'Omdat hij wéét wat er is gebeurd.'
'Hij wekt de indruk dat hij ons niet meer nodig heeft,' zei ik. 'Dus ik denk dat hij Krause gaat bellen.'

Tien minuten later stonden we in onze huurauto's aan weerszijden van Carps parkeerterrein, op een blok afstand van elkaar. LuEllen had gezegd dat de Corolla er stond en ik was er een keer langsgereden om te zien waar. Daarna gingen we zitten wachten.

We wachtten drie uur en hielden contact met elkaar via de walkietalkies. Ik had een paar boeken in de auto, plus de *Times*, de *Post* en de *Wall Street Journal*, en LuEllen had ook een paar kranten en een stapel tijdschriften. Het was nog steeds warm, zelfs met de raampjes open. Ik vroeg me af of we niet opvielen, zoals we daar alleen maar zaten en niets deden, maar niemand keek zelfs maar mijn kant op. Toen LuEllen aan haar kant van het blok een politiewagen zag aankomen, dook ze onder het dashboard en gaf het door aan mij. Ik draaide snel mijn raampjes dicht en dook ook onder het dashboard totdat de auto gepasseerd was. Dat was de enige politiewagen die we zagen.
We hadden twee keer een vals alarm: twee te zware mannen die met een koffertje het parkeerterrein op kwamen lopen. Terwijl ik zat te wachten, had ik voldoende tijd om te constateren dat Amerikanen tegenwoordig veel te dik waren. Er kwamen een paar magere mensen

voorbijlopen maar driekwart van de mensen die ik zag, waren te zwaar, en sommige van hen veel te zwaar.
Ik zag een kleine vrouw die zo te zien 250 pond woog met een boodschappentas lopen en vroeg me af of ze zich bewust was – en of het haar iets kon schelen – wat ze met haar hart deed. Op dat moment klonk LuEllens stem uit de walkietalkie. 'Wakker worden, speurneus.'

En daar was Jimmy James Carp. Met een mountainbike en een zwarte nylon laptoptas aan een band over zijn schouder kwam hij het parkeerterrein op. Hij deed het portier van de Corolla open, maakte van binnenuit de kofferbak open, haalde het voorwiel uit de mountainbike, wat hem enige moeite kostte, stopte het wiel en de rest van de fiets in de kofferbak en legde de tas erbovenop. Even later kwam hij het parkeerterrein af rijden en zei LuEllen: 'Hij komt jouw kant op.'
Ik reed voor hem uit tot de eerste brede zijstraat en sloeg links af richting Washington. Hij zat een auto of zes achter me, net als ik op de rechterbaan. Toen ik zag dat hij me braaf de hoek om volgde, pakte ik de walkietalkie en zei: 'We zijn op Quaker.'
LuEllen antwoordde: 'Ik zag hem afslaan. Ik ben er bijna.' Toen: 'Ik ben er en heb hem in beeld.'
Ik gaf gas en zorgde dat er meer auto's tussen ons in kwamen, maar we naderden een oprit van een snelweg. Ik wilde niet voor hem uit blijven rijden dus draaide ik een parkeerterrein op, reed snel een rondje om het gebouw en had weer net op tijd ingevoegd om te zien dat hij de oprit opreed. LuEllen zat nog achter hem en ik haalde wat auto's in, totdat ik achter haar reed. We zaten nu allebei achter hem en volgden hem op de I-395 in noordelijke richting.
'We moeten vaart minderen,' zei LuEllen. 'Hij rijdt nog geen 75. Ik denk dat hij uitkijkt naar langzaam rijdende auto's achter hem. Ik laat me terugzakken.'
Ik minderde vaart tot zeventig en LuEllen zakte nog verder terug. Carp verliet de I-395, reed tussen het Pentagon en de Arlington-begraafplaats door, langs de Potomac, waarna hij de brug naar het Lincoln Memorial overstak. Aan de overkant van de rivier verliet hij de snelweg en reed hij langs de rivier in noordelijke richting. Ik zag een straatnaambordje dat me vertelde dat het daar Rock Creek Parkway heette.

Gedurende de eerste drie kilometer was er voldoende verkeer voor ons om onopgemerkt te blijven. Carp reed nog steeds langzaam, maar mis-

schien, bedacht ik, was dat zijn rijstijl wel. We reden met de rivier mee, langs mensen in roeibootjes en een enkel zeiljacht dat op motorkracht tegen de stroom in voer, en daarna kwamen we terecht in het dal dat het laagst gelegen einde van Rock Creek Park vormde. Het verkeer werd minder en algauw was ik de enige auto die achter Carp reed.
'Ik moet ermee ophouden,' riep ik naar LuEllen. 'Bij de eerstvolgende zijstraat sla ik af. Blijf zo ver mogelijk achter hem.'
'Oké.'
Rock Creek Park is kilometers lang en voor de moordenaars van Washington dé aangewezen plek om lijken te dumpen. Het laagst gelegen uiteinde van het park is een smal, steil aflopend en dichtbebost ravijn. Op sommige plekken versmalt de rivier, ligt ze vol zwerfkeien en stroomt ze precies door het midden van het ravijn, met de weg aan de ene kant en een voetpad of joggingroute aan de andere. Toen ik een smalle houten brug voorbijreed, begon ik een idee te krijgen van Carps manier van denken, van de reden dat hij de mountainbike had meegenomen. Als hij hier in een hinderlaag van mensen met auto's liep, en hij had zijn fiets, kon hij gaan waar geen auto kon komen en zou hij iedereen die te voet was te snel af zijn. Ik vroeg me af of hij had nagedacht over het feit dat kogels zich sneller over ruw terrein bewegen dan mountainbikes.
Ik zag een zijweg, deed mijn richtingaanwijzer aan en sloeg de weg in. Zodra Carp me niet meer kon zien, stopte ik, maakte een U-bocht en wachtte totdat LuEllen voorbijreed. Ik reed haar achterna, waarbij ik de afstand flink groot hield, maar ik bleef steeds met haar in contact via de walkietalkie.
We reden verder het park in, dat hier dichter en ruiger bebost was. Zijwegen kwamen nog maar af en toe voor en als Carp stopte om te zien of hij werd gevolgd, zou hij ons kunnen betrappen.
'Hij slaat af,' riep LuEllen. 'Hij rijdt het park uit. Ik moet doorrijden, anders ziet hij me.'
'Ik heb hem,' zei ik.
Ik volgde hem de helling van het ravijn op, over een smalle geasfalteerde weg die ineens breder werd en waarop andere wegen uitkwamen. Even verloor ik hem uit het oog, maar toen zag ik de Corolla vijftien tot twintig auto's voor me rechts afslaan, 16th Street in. Ik gaf gas en toeterde ongeduldig naar de auto voor me, waarop ik een opgestoken middelvinger als antwoord kreeg. Toen sloeg ik ook rechts af en volgde ik Carp over een afstand van een paar blokken naar een ander park.

Terwijl ik de aanwijzingen doorgaf aan LuEllen, draaide Carp een weg in die door het park naar een klein sportcomplex leidde. Ik stopte voor een presbyteriaanse kerk, wachtte langs de stoeprand en zag hem naar het complex rijden. Ik wilde hem net weer achternagaan toen hij vaart minderde.
'Hij stopt,' zei ik tegen LuEllen. Twee minuten later stopte ze achter me. In de rechterhoek was een honkbalveld, aan de andere kant waren voetbalvelden, een paar tennisbanen en het parkeerterrein, waar Carp zijn fiets uit zijn auto haalde.
'Laten we even naar het honkbal gaan kijken,' zei ik in de walkietalkie tegen LuEllen. We stapten allebei uit en wandelden naar het driehoekige veld, waar een groep ouders bij het derde honk naar hun spelende kinderen zat te kijken.
We gingen in het gras zitten en zagen hoe Carp achter de Corolla zijn mountainbike in elkaar zette.
Toen hij klaar was, reed hij een rondje over het parkeerterrein. Hij leek veel te groot voor de mountainbike, maar hij fietste met een behendigheid en een zelfvertrouwen die suggereerden dat Jimmy James Carp over onvermoede talenten beschikte. Even later, toen hij tevreden was over zijn proefrit, reed hij terug naar de auto, waar hij een zwarte vispet met lange klep opzette, het portier dichtgooide en het op slot draaide.
Hij had de laptoptas niet bij zich.
'Ik ga,' zei LuEllen. Ze zou proberen bij hem in de buurt te blijven. We stonden op, sloegen het gras van onze broeken en liepen terug naar de auto's. LuEllen maakte snel een U-bocht, reed het weggetje naast de kerk in en draaide daar nog een keer, zodat de neus van de auto naar het park wees. Welke kant Carp ook op ging, zolang hij niet dwars door het groen reed, zou ze hem kunnen volgen.
Ik zag Jimmy James voorbijfietsen. Hij sloeg links af en reed terug over de weg die hem terug naar het park zou voeren. LuEllen reed hem achterna en ik ging aan de slag met de Corolla.

Op de stoelzitting van mijn auto lag het schietlood. Schietloden behoren tot de oudste meetinstrumenten ter wereld en ze zijn ongetwijfeld gebruikt bij de bouw van piramides. De moderne versie is een koperen cilinder met een scherpe, roestvrijstalen punt eraan. Aan het stompe achtereind zit een lange nylondraad waaraan je het schietlood kunt ophangen. Als het schietlood niet langer heen en weer beweegt, wijst

de punt loodrecht omlaag en vormt de draad een perfect verticale lijn. Dat is heel nuttig als je het fundament van een piramide aan het leggen bent.
Maar dat was ik niet van plan. Ik trok de draad eraf en gooide die weg, zodat ik alleen de zware koperen cilinder met de scherpe punt overhield. Ik zette mijn auto naast die van Carp en riep LuEllen op.
'Hij rijdt de helling af, terug naar het park. Ik ben niet van plan uit de auto te stappen, maar er is een kans dat ik hem kwijtraak... Ik zie hem nog... Doe de auto, nu meteen.'
'Oké,' zei ik.
Ik stapte uit, met het schietlood in mijn hand. Toen ging ik bij het raampje aan de bestuurderskant van de Corolla staan en zette de punt van het schietlood op het glas, iets boven de pal van de deurvergrendeling. Met de muis van mijn andere hand gaf ik een klap op het stompe uiteinde van het schietlood, dat bijna zonder geluid te maken of duidelijk zichtbare krachtsinspanningen van mijn kant door het glas ging. Ik trok het schietlood uit het gat, stak mijn vingers erin en trok de pal omhoog. Eenmaal in de auto duurde het even voordat ik de knop van de kofferbak zag, maar ten slotte vond ik hem, deed de klep open en haalde de tas eruit. Ik kon het niet helpen, trok de rits van de tas open en keek erin. En daar was hij, zoals ik had gehoopt, een IBM-laptop.
'Perfect,' zei ik tegen mezelf toen ik weer in de huurauto zat. 'Kidd, je bent verdomme een genie.'

Op dat moment riep LuEllen me op. Haar stem klonk gejaagd, hoog en – voor het eerst sinds ik haar kende – bang. 'Kidd, ik zit hier in de problemen. Grote problemen, Kidd. Het is een hinderlaag, een val. Carp is ervandoor op zijn fiets en ze houden auto's aan. Ik probeer weg te komen maar... o jezus, Kidd. Ga weg. Smeer 'm. Veeg je auto schoon en dump hem ergens. Ik ga proberen weg te komen.'
Twee minuten later kwam het volgende bericht. 'Kidd, als je me kunt horen...'
'Ik hoor je.' Mijn stem klonk redelijk kalm, vond ik, maar mijn hart zat in mijn keel.
'Het was een valstrik,' zei ze. 'Ze vegen het park schoon met minstens dertig man. Ze hebben gezien dat ik Carp volgde en ze hebben de auto. Ik kan er niet meer bij komen. Ik weet niet of ze Carp hebben gepakt, maar ik zag hem op zijn fiets het bos in rijden.' Ze hijgde zwaar maar klonk niet langer bang. 'Ik ben het bos in gerend, maar ze zijn overal.

Ze gaan me pakken. Ik heb al mijn identificatiemateriaal gedumpt, begraven, dus ze kunnen onmogelijk te weten komen wie ik ben. Ik ga nu de walkietalkie weggooien. Haal me uit de problemen, Kidd. Help me. Laat me niet barsten.'
En dat was het laatste. Ik zat met de walkietalkie tegen mijn oor gedrukt en luisterde. Maar ik hoorde niets meer.

16

Ik bleef maar denken aan het timbre in haar stem. Help me, Kidd. Ik had die panische toon nooit eerder in LuEllens stem gehoord. Daarom vond ik het heel verontrustend, de soort verontrusting die je overvalt als je denkt dat je hart opeens gestopt is met kloppen.
Bovendien gebeurde dit nooit. Wij werden nooit gepakt. Daar waren we te goed voor.
Afgezien van wat zij omschreef als een onbezonnen experiment als verkoopster in een warenhuis was LuEllen al vijftien jaar beroepsinbreker. Ze had vijf à zes klussen per jaar gedaan, dus tachtig tot negentig in totaal, zonder ooit gepakt te worden. Haar vingerafdrukken waren nooit genomen en ze was, voorzover we wisten, maar één keer gefotografeerd, en dat was door mij. Ik was zelf nooit ergens van verdacht, niet door de politie in elk geval. We waren erin geslaagd buiten het systeem te blijven, onzichtbaar.
Nu hadden ze haar gepakt. Of íémand had haar gepakt. Ik wist niet wie Krause had ingeschakeld, maar het moest een van de inlichtingendiensten zijn. Ik betwijfelde namelijk dat hij met de FBI in zee zou gaan, omdat hij die slechts tot op zekere hoogte onder controle had. Hoe dan ook, LuEllen was niet langer onzichtbaar. Ze waren nu waarschijnlijk haar vingerafdrukken aan het nemen en haar aan het fotograferen. Shit, misschien martelden ze haar wel met zo'n stroomstok die ze voor vee gebruiken, want dit waren geen politiemensen.

Toen LuEllens walkietalkie stilviel, startte ik de auto en reed snel terug naar het hotel, zo hard mogelijk, maar niet door rode verkeerslichten en zonder de maximumsnelheid te overschrijden. Ik moest daar zo snel mogelijk zien te komen en wilde zeker niet door de politie worden aangehouden. Het probleem was dat als ze haar auto hadden, ze mijn valse creditcard ook hadden en uiteindelijk bij míjn huurauto terecht zouden komen. En kort daarna zouden ze mijn hotelkamer vinden, want die was met dezelfde creditcard betaald. Omdat ze LuEllens identiteit niet hadden, wisten ze niet in welke hotelkamer ze had verbleven. Voorlopig nog niet, althans. Als ze haar foto op tv lieten zien, kon er van alles gebeuren.

Binnen een kwartier was ik terug bij het hotel, waar ik de auto op het drukste deel van het parkeerterrein zette. Snel en zorgvuldig veegde ik het interieur van de auto schoon en stapte toen uit. Met een beetje geluk kon de auto hier een paar dagen staan voordat iemand hem vond. Daarna liep ik naar boven, naar de kamer die ik wel had gehuurd maar niet had gebruikt en veegde alles schoon wat ik aangeraakt kon hebben. Daarna haalde ik mijn tassen uit de kast en liep ermee naar LuEllens kamer.

Haar kamer schoonvegen kostte me een uur. Toen ik klaar was, trok ik de lakens van het bed – DNA-onderzoek heeft ons boeven een beetje paranoïde gemaakt – stopte ze in een van mijn reistassen en vertrok door de achterdeur.

Twintig minuten later nam ik een kamer in een hotel in een zijstraat tegenover het Witte Huis, op mijn eigen naam en met mijn eigen creditcard. Ik was er al vaker geweest wanneer ik voor zaken in Washington was. Het was een van mijn meest geliefde hotels van de hele wereld, en LuEllen wist dat.

Zodra ik me had geïnstalleerd, reed ik naar wat de binnenstad van Washington wordt genoemd, waar ik Krause belde vanuit een winkelcentrum. Hij klonk zowel behoedzaam als een tikje arrogant toen hij opnam. 'Ja?'

'Senator Krause, met Bill Clinton.' Een deel van mijn bezorgdheid klonk door in mijn stem en dat teken van zwakte maakte me vreselijk boos.

Krause hoorde het natuurlijk ook, want daar was hij politicus voor. 'We hebben je vriendin,' zei Krause, op de zelfingenomen toon van iemand die weet dat hij alle troeven in handen heeft. 'Wij denken dat het het beste is als je je komt melden. Als je dat doet, zijn we bereid...' Hij las het voor van een briefje, of hij had het uit zijn hoofd geleerd.

Ik brak hem af, nog net niet schreeuwend. 'Luister goed, vuile schoft. Hou je mond en luister goed. Voor elk halfuur dat mijn vriendin wordt vastgehouden, gaat er een congreslid of senator voor de bijl. Ik ga de eerste drie zo meteen doen, na dit gesprek. Er wordt niet over onderhandeld. Maar dat is nog niet alles, klootzak. Want elke keer als ik er een heb gedaan, bel ik hem op en zeg ik tegen hem dat zijn val door jóú is georganiseerd. Door jou en je inlichtingendienst. En ik stuur ze bewijzen toe. Nadat ik de eerste drie heb gedaan, wat me een paar uur zal kosten, geef ik je de kans mijn vriendin vrij te laten, als je dat nog niet

hebt gedaan. En áls je dat niet hebt gedaan, ga ik er nog meer doen. Als je helemaal niet van plan bent haar vrij te laten, zal vanavond nog een groot deel van het Congres aan de schandpaal genageld zijn en zullen ze allemaal weten aan wie ze dat te danken hebben. En ergens onderweg doe ik jou. De groeten.'
'Wacht...'
Ik hing op, liep weg en ging op zoek naar een paar veilige telefoons en een wi-fi-aansluiting.

Krause was een onderhandelaar, zoals alle politici. Daarom werd er niet onderhandeld. De keuze moest een ingrijpende zijn: laat LuEllen vrij of ik ruïneer je. Als ik hem liet onderhandelen, zou hij er misschien in slagen een voorstel bij elkaar te kletsen waar ik vroeg of laat op in zou gaan. En dat mocht niet gebeuren: ik mocht hem niet tegemoetkomen.
LuEllen en ik hadden deze mogelijkheid besproken, zij het in een wat andere context. Maar twee mensen opgeven in plaats van één was nooit zinvol. Het was ter sprake gekomen toen we het hadden over de vraag of LuEllen zich al dan niet moest terugtrekken uit de jacht op de laptop. Het was niet echt bittere noodzaak geweest dat ze bleef meedoen, maar ze was gebleven – te lang gebleven – omdat ze zichzelf wel vermaakte. Dat was een vergissing geweest, maar het had geen zin om die vergissing nog groter te maken.
Om haar vrij te krijgen moest ik Krause onder druk blijven zetten. Ik dacht wel dat ik dat kon, met het fotobestand van de eerste laptop. De vraag was echter of ik erin zou slagen Krause over de streep te trekken voordat ze belastende informatie over LuEllen zouden vinden.

In de tussentijd ging ik op zoek naar een andere telefoon en belde John.
'Ze hebben LuEllen te pakken... De overheid, Krause heeft haar,' zei ik tegen hem. 'Ik probeer haar vrij te krijgen, maar het kan zijn dat we het land uit moeten en een vluchtweg nodig hebben.'
'Ik kan er een naar Mexico regelen, als het nodig is.'
'Doe dat. Ik heb geen idee wat er gaat gebeuren.' Ik gaf hem een kort verslag over de hinderlaag in het park.
'Sorry dat ik het zeg, maar dat klinkt alsof jullie niet al te slim bezig zijn geweest.'
'We hadden niet verwacht dat ze iedereen zouden aanhouden,' snauwde

ik terug. Maar meteen daarna: 'Sorry, je hebt gelijk. Ik denk dat ik daarom zo nijdig ben. Ik voel me dom.'
'Maar je denkt niet dat ze Carp ook hebben gepakt?'
'Ik denk het niet, maar zeker weet ik het niet. Er was iets met de manier waarop hij zich door het park bewoog, alsof hij er beter bekend was dan zij. Maar we zullen het gauw genoeg weten.'
'Als LuEllen al haar identiteitsbewijzen heeft begraven, zoals ze zei, en zij hebben die nog niet gevonden, denk ik niet dat ze haar veel kunnen maken,' zei John. Dit was John de jurist aan het woord. 'Waar kunnen ze haar van beschuldigen? Als ze taai genoeg is om haar mond stijf dicht te houden, weten ze niet wie ze is en wat ze doet. Wat kunnen ze haar maken?'
'Ze kunnen haar met een stroomstok bewerken en door blijven vragen,' zei ik. 'Dit zijn jongens van de Inlichtingendienst, en ze zijn wanhopig.'
'Denk je dat ze niet taai genoeg is om het vol te houden?'
'Niet voor eeuwig. Dat is niemand. Maar ik denk wel dat ze het kan volhouden totdat ik haar daar weg heb. En dat zal gebeuren.'
'Bel me als je iets weet,' zei John.

Afgezien van de cliënten die mijn peilingsoftware hadden gekocht, had ik nooit veel aandacht besteed aan verkiesbare politici. Politici deden me altijd denken aan Daffy en Donald Duck, en je kunt je afvragen of het verstandig is om zo iemand naar Washington te sturen om daar de gezondheidszorg of de verwerking van kernafval te gaan bepalen. Ik hoop dat ik dood ben voordat het hele onzalige systeem, gecreëerd door politici, juristen en de nieuwe orde van mediatycoons, in ons gezicht ontploft.
Genoeg gemopperd. Persoonlijk wist ik helemaal niets van de drie slachtoffers die ik uitkoos om Krause onder druk te zetten. Het enige wat ik wist was dat het boeven waren, wat geen echte verrassing was, en dat ze alle drie in de regering heel wat in de melk te brokkelen hadden. Het drietal werd gevormd door de congresleden Frank Marsh uit Connecticut en Clark Deering uit Oregon, en senator Marvin Brock uit Missouri.
Marsh was hoofd van het comité dat het Amerikaanse leger jaarlijks voor een paar miljard aan ingeblikt varkensvlees leverde. Deering was republikein en tweede in lijn van het comité Winstuitkering van de Senaat, dat het grootste deel van de rest van de economie voor zijn

rekening nam. Brock was hoofd van het Agrarisch Comité van de Senaat. Op zichzelf stelde dat niet echt veel voor, ware het niet dat hij net als Krause uit Nebraska afkomstig was.

Ik ging het net op en controleerde alle drie de nieuwsnetwerken, plus CNN en Fox News, en maakte een lijst van alle producers die er werkten. Ik maakte een wandeling door de binnenstad en belde in de telefooncellen die ik onderweg tegenkwam. Ik belde naar hun kantoren in Washington en vroeg net zo lang naar de producers totdat ik er een aan de lijn kreeg. Bij CBS lukte dat niet, maar bij de rest wel. Ook bij Fox.

'Met John Torres.'

'Ik bel namens Bobby,' zei ik. 'Dé Bobby. We geven informatie vrij over nog twee congresleden en een senator. We hebben een e-mailadres nodig. We willen de informatie in het komende halfuur vrijgeven.'

'Hoe weet ik dat je echt namens Bobby belt?'

'Bekijk het materiaal maar. Als het je niet bevalt, gooi je het weg. Wat maakt één e-mail meer of minder nu uit?'

Het bleef vijf seconden stil. Toen zei hij: 'Oké, stuur het naar...'

Ik installeerde me met mijn wi-fi-antenne aan de overkant van het ministerie van Binnenlandse Zaken, waar ze zoveel aansluitingen hadden, dat het een tijdje duurde voordat ik de juiste had gevonden. Ik wilde een snelle verbinding en die vond ik, want de overheid reist altijd eersteklas. Het waren immers grote bestanden die ik wilde verzenden. Ze bestonden voor een belangrijk deel uit gescande foto's in plaats van uit tekst. Tenminste, ze bevátten wel tekst, maar dan in de vorm van gescande documenten, die in sommige gevallen ook van foto's waren voorzien.

Marsh, het eerste congreslid, was betrokken geweest bij een hele reeks kleinere financiële fraudes die meestal met reizen te maken hadden. Hij reisde per privé-jet, als een filmster, en betaalde dat uit zijn eigen zak, ongeveer de prijs van een eersteklas vlucht. Dat was heel goedkoop voor een gecharterde jet, maar hij had altijd beweerd dat hij min of meer 'meeliftte' met belangrijke zakenmensen. Wat niet zichtbaar was in de overheidsrapporten, was dat zijn vrouw en zijn gezin, onder wie twee volwassen dochters met hun echtgenoten, met hem mee reisden en dat dat allemaal werd betaald door twee grote legerinstellingen. Alles was zorgvuldig gedocumenteerd en voldoende om hem aan het kruis te nagelen.

De uitsmijter was echter het château in Zuid-Frankrijk, dat hij blijkbaar cadeau had gekregen van een Franse wapenfabrikant. Op papier zag het eruit alsof hij het château had gekocht in plaats van gekregen, maar als je over de juiste documenten beschikte, werd de werkelijkheid gauw duidelijk. Het congreslid had niemand iets verteld over zijn cadeautje, ook de belastingdienst niet. Maar wij hadden de overdrachtspapieren en een leuke foto, waarop zijn vrouw aan het werk was in hun mooie Franse moestuin.

Bij Deering, het andere congreslid, ging het uitsluitend om seks. We hadden foto's van hem met zes verschillende vrouwen die er geen van allen uitzagen als maagden en alle zes veel te jong waren. We hadden ook namen, datums, tijdstippen en plaatsen. De foto's zagen eruit als het resultaat van professioneel observatiewerk. Daar zou hij verguld mee zijn.

Met Brock lag de situatie wat ingewikkelder. Hij had al zijn investeringen gedaan met zijn salaris van de Senaat – hij had geen familiekapitaal – en ogenschijnlijk werden ze beheerd door een naamloze trustee. Maar die trustee was ondergebracht bij een investeringsmaatschappij die hechte banden had met een particulier megabedrijf in landbouwproducten.

Landbouwproducten – graan, maïs, suiker, cacao, maar ook sinaasappelsap – worden gekocht en verkocht door twee verschillende soorten handelaars. Ten eerste zijn er de speculanten, die gokken op de prijsstijging of -daling die de landbouwgoederen in de toekomst zullen beleven. De hoeveelheid neerslag in Iowa in juni kan de prijs van maïs sterk beïnvloeden, afhankelijk van of er te veel, te weinig of precies genoeg valt. Heel slimme, nietsontziende en snelle speculanten kunnen heel rijk worden. De meeste gaan echter failliet.

Het tweede type koper is de grootinkoper, die het graan of de maïs inkoopt om er pizza's of pannenkoekenmeel van te maken, of beide weer doorverkoopt. Ze speculeren niet maar ze maken gebruik van contracten, zowel in de aankoop als in de verkoop, om de prijzen te stabiliseren. Brocks investeringsmaatschappij had contracten afgesloten met diverse grootinkopers om de prijzen voor de toekomst te stabiliseren. Maar de trustee die Brocks investeringen beheerde en voor hetzelfde bedrijf werkte, had Brocks geld belegd. En had dat heel goed gedaan. Té goed. Vrijwel al zijn beleggingen waren winstgevend geweest en hij had een kapitaal van enkele tienduizenden dollars weten om te zetten in bijna vijftien miljoen dollar, na aftrek van belastingen.

De trustee had met alle beleggingen succes gehad omdat – volgens de gescande rekeningoverzichten die we hadden – het particuliere megabedrijf in landbouwproducten Brocks verliezen stilletjes had vervangen door winstgevende van henzelf. Omdat alles werd afgehandeld binnen dezelfde investeringsmaatschappij, hoefden er voor deze fraude alleen maar een paar cijfers te worden aangepast op een door de computer vervaardigd rekeningoverzicht. Brock had alles op papier en betaalde braaf belasting.
Leuk, onzichtbaar, en illegaal.
En vijftien miljoen was zo'n groot, sappig, vet en belachelijk inhalig bedrag, dat als dit bekend werd, Brock zeker zou hangen.

Ik maakte het bekend en gaf de eer van het verzamelen van de informatie aan Krause. Ik had overwogen om de drie politici persoonlijk op te bellen, maar in plaats daarvan stuurde ik de bestanden die ik naar de nieuwsdiensten had gestuurd naar de eerste assistent van ieder. Het briefje over Krause sloot ik ook bij. Of hij LuEllen liet gaan of niet, Krause zat nu in elk geval dik in de problemen met zijn collega's en zijn partij.
Terwijl ik aan het werk was op mijn wi-fi-verbinding, had ik naar de achtergevel van het ministerie van Binnenlandse Zaken zitten kijken, een muur die was uitgevoerd in een ondefinieerbare grijze steensoort. Later dacht ik dat als ik het aan iemand had moeten beschrijven, ik gezegd zou hebben dat het me erg deed denken aan het ministerie van Waarheid in George Orwells *1984*.
Maar misschien was ik dan wat al te dramatisch.

Ik belde Krause om drie uur 's middags en deze keer hoorde ik geen zelfingenomen kalmte maar pure angst. 'Hou op! Hou op!' schreeuwde hij bijna. 'We laten haar gaan. Ze is ongedeerd, we volgen haar niet en observeren haar niet. We laten haar gaan.'
'Aan mooie woorden heb ik niks,' zei ik.
'Wat? Wat bedoel je?'
'Ik bedoel dat als ik binnen zes uur niks van haar heb gehoord, ik opnieuw begin,' zei ik. 'Ik heb er al drie klaarliggen en misschien zit jij daar ook wel bij.'
'Ik zeg je toch dat we haar laten gaan, klootzak. We laten haar gaan.'
Ja, pure angst. Bijna te veel angst. Was er iets gebeurd waar ik niets van wist? Waar ik nooit iets van hád geweten?

'Hebben jullie je vriend Carp ook gepakt?'
'Nee, hij is ontsnapt op die fiets van hem. Stomme hufter, je hebt meer schade aangericht dan je denkt.'
'Dan kunnen jullie hem maar beter gaan zoeken,' zei ik. 'Want of je mijn vriendin nu loslaat of niet, als jullie niet heel snel iets ondernemen, maken we bekend dat jullie vriend verantwoordelijk is voor de moorden.'
'We krijgen hem wel. We schakelen de FBI in.'
'Ik geef je een paar dagen. Als jullie hem pakken en ons met rust laten, hoor je niets meer van ons. Zo niet, dan laten we de bom vallen.'
Ik hing op, reed naar een broodjeszaak, kocht voor dertig dollar eten en drinken en ging terug naar het hotel. De rest van de dag en avond lag ik op mijn bed of zat ik aan tafel met de laptop die ik uit Carps auto had gestolen. Ik durfde mijn kamer niet te verlaten. Om zes uur begon het eerste nieuws over Deering, Marsh en Brock op tv te verschijnen, eerst bij CNN en Fox, en daarna ook bij ABC. Ze hadden nog geen details, alleen maar lokkertjes over 'hoe nog meer vooraanstaande politici mogelijk betrokken waren bij het zich nog immer uitbreidende Bobby-schandaal dat Washington al een week in zijn greep hield'.
Goed genoeg; de tv-jongens waren blijkbaar het materiaal aan het doornemen. Ik vroeg me af of Bobby dit leuk zou hebben gevonden. Voorzover ik wist had hij zelf nooit iets van het materiaal gebruikt. Aan de andere kant waren er in Washington voortdurend schandalen en wist ik niet waar die door veroorzaakt waren, noch wist ik of er misschien materiaal als pressiemiddel was gebruikt, in plaats van een frontale aanval.

Het wachten ging door. Ik ging van de tv naar de laptop en weer terug. Ten slotte pakte ik mijn tarotkaarten en legde ze uit. Het duurde even voordat ik een vraag over LuEllen had geformuleerd en toen dat gelukt was, draaide ik de Twee Kelken. Dat was interessant, maar het vertelde me verder weinig over wat er in de komende uren zou gaan gebeuren.
En ik dacht: jezus, Kidd, je doet alsof je echt in die onzin gelooft. Dat zegt iets over hoe gespannen ik was.
Voordat ik de kaarten opborg, lachte mijn kleine vriend – de dwergachtige ik-figuur die iedereen in zijn onderbewustzijn heeft – naar me, dus legde ik de kaarten nog een keer uit om te zien wat mijn eigen toekomst me te bieden had. Alleen maar om de tijd te doden. Ik

draaide de Koning van de Zwaarden, wat me niets vertelde wat ik niet zonder de kaarten had kunnen verzinnen.
De uitkomst was niet echt slecht, maar ook niet echt goed. Maar ik had geen behoefte aan een zelfanalyse van mijn psyche. Of beter gezegd, misschien had ik er wel behoefte aan, maar het was niet waar ik op dat moment wanhopig naar verlangde. Waar ik naar verlangde, kreeg ik om elf uur, en ik verrekte bijna een spier toen ik naar de telefoon stormde.

'Hallo?' zei ik. LuEllen had geweten waar ik was en ze had me gebeld via de centrale van het hotel, zodat mijn mobiele telefoon niet zou verraden waar ik was.
'Ik ben het,' zei ze, en ze klonk vermoeid. 'Ik ben in de buurt van dat laantje dat we hebben gebruikt om te zien of we werden gevolgd, toen we de laatste keer hier waren. Met dat vliegtuig, weet je nog? Ik ga je de naam niet noemen. Niemand kan me tot hier gevolgd zijn. Ik ben naar een Goodwill-winkel gegaan, heb daar kleren gekocht en heb mijn eigen kleren daar achtergelaten. Alles, ook mijn schoenen, dus ik kan onmogelijk afgeluisterd worden.'
'Is alles goed met je?'
'Hm, lichamelijk wel. Maar ik ben zo opgefokt als de hel. Ze hebben me in een kamertje opgesloten en om de zoveel tijd kwam er iemand binnen om me een vraag te stellen. Ik heb geen woord tegen ze gezegd. Toen hebben ze me meegenomen, in een auto gezet, een tijdje rondgereden, me honderd dollar gegeven, me ergens afgezet en gezegd dat ik moest opsodemieteren. Ik weet niet waar dat kamertje ergens was; het leek me een kantoorgebouw, maar ik weet niet waar.'
'Hebben ze je auto gevonden?'
'Ja, dus ze hebben mijn vingerafdrukken. Ik heb niemand een foto zien nemen. Ze... Het waren geen echte politiemensen. Ze waren van iets anders. Misschien van het leger, want sommigen hadden van dat rare, opgeschoren haar.'
'Oké, over precies twintig minuten rij ik dat laantje door. Heb je je horloge nog?'
'Nee, ik heb alles weggedaan. Maar ik weet hoe lang twintig minuten duurt.'
'Zorg dat je op hetzelfde moment aankomt als ik, dus blijf in beweging. Ik zal met mijn lichten knipperen als ik het laantje in draai.'
'Oké, tot straks.' Ze klonk echt aangeslagen.

Ik vond haar twintig minuten later, in een smal laantje met eenrichtingsverkeer, dat we een keer waren ingereden om te zien of we niet werden gevolgd. Ik draaide het laantje in, knipperde met mijn lichten en reed heel langzaam door, vreselijk bezorgd dat ze er niet zou zijn. Ze was er wel. Ze kwam achter een struik bij een laag muurtje en een vuilnisbak vandaan en stak haar hand op. Ik stopte en ze stapte in.
'Je ziet eruit alsof je zo uit *Vogue* komt stappen,' zei ik.
'Hou je mond en rij door,' zei ze. Ik was nog steeds zo gespannen als een stalen klokveer, bang dat een zwarte FBI-auto opeens de weg zou blokkeren en mannen met automatische geweren uit de bomen zouden springen.
Maar er gebeurde niets. Zes blokken en een paar bochten verder zei ze: 'Stop hier.'
'Wat?' Ik keek in alle spiegels maar zag niets.
'Ik heb een knuffel nodig,' zei ze. 'Heel dringend.'
Ik stopte, we omhelsden elkaar en bleven zo enige tijd zitten, hoewel moderne auto's daar niet echt op gebouwd zijn. Jezus, wat had ik me een zorgen gemaakt. Ik was zo bang geweest...
'Je hebt me terug,' zei ze.

17

LuEllen liet haar Goodwill-kleren op de grond vallen, pakte haar make-uptas en verdween de badkamer in. Ze zei dat ze wel een tijdje weg zou blijven. Ik raapte de kleren van de grond en propte ze in een tas. We konden die de volgende dag ergens weggooien.

Met het geruis van het badwater op de achtergrond en LuEllen veilig en wel terug richtte ik me weer op Bobby's computer, de laptop die ik uit Carps auto had gestolen. Ik was er 's middags al mee bezig geweest terwijl ik wachtte op het telefoontje van LuEllen. Wat ik had gevonden was opmerkelijk.

De bestanden die op Carps laptop hadden gestaan, de chantagebestanden, stonden erop, net als de beveiligde bestanden. Maar sommige van de beveiligde bestanden waren gekraakt en hij had er dingen bij geschreven: *dit is uit bestand 23, in index als* MRG *Cleanup*, en dat was het bestand over het Norwalk-virus.

De vraag die me bezighield was: hoe was het hem gelukt die bestanden te kraken? Waar had hij de wachtwoorden vandaan? Bobby's laptop had een beveiligingsprogramma, op het bureaublad, een goed, degelijk programma waarmee je bestanden goed en degelijk kon beveiligen.

In de badkamer riep LuEllen: 'Au, jezus!' Ik keek op, liet me van het bed rollen, opende de deur een stukje en stak mijn hoofd om de hoek.

'Wat is er?'

'Ik brand mijn billen aan het water. Doe de deur dicht; er komt koude lucht naar binnen.' Ik bleef nog even naar haar kijken voordat ik mijn hoofd terugtrok. Ze had wat badschuim in het water gedaan en dat rook heel lekker, en er staken een paar roze lichaamsdelen boven de bubbels uit, heel kunstzinnig, vond ik. 'Je gluurt,' zei ze.

'Ik wilde zeker weten of je lichamelijk in orde was,' zei ik.

'En? Wat denk je?'

'Dan zal ik je nog eens goed moeten bekijken.' Ik deed de deur dicht.

Terug naar de laptop. Het ding had een abnormaal grote harde schijf. En de bestanden waren groot; dat zag ik zo. Door Carps aantekening wist ik dat een ervan, of een deel ervan, een index was.

Kon het zijn dat Bobby de wachtwoorden ergens in de laptop zelf had verstopt en dat Carp ze had gevonden?
Ik begon de harde schijf te ontleden, een saaie klus die bovendien niets opleverde. Het probleem was de omvang van de bestanden, want die waren gewoon veel te groot. Wat ik aan het doen was, was vergelijkbaar met het lopen door een bibliotheek, op zoek naar één enkele zin zonder te weten in welk boek die stond. Toch was het Carp gelukt. Was hij zoveel slimmer dan ik?
Ik liet de beveiligde bestanden voor wat ze waren en ging aan de slag met enkele onbeveiligde programma's die Bobby in een hoekje had weggestopt. Ze hadden namen als Whodat, Whatsis, Dogabone en Bandersnatch, en het waren gebruiksprogramma's voor de diverse taken die Bobby had willen verrichten. Ik had soortgelijke programma's op mijn laptop, met soortgelijke namen.
Ik kopieerde Whodat naar mijn laptop, bekeek het en vond een zoekprogramma voor namen. Dat was het enige wat het programma deed, maar het was goed geschreven en het zou heel snel werken. Ik had situaties gekend waarin het heel nuttig zou zijn geweest, bijvoorbeeld bij het zoeken in databases van grote bedrijfscomputers naar memo's van of naar een bepaalde persoon. Whatsis was een grote referentiebibliotheek voor elektronische circuits. Als je het schema van een bepaald circuit had, kon je het importeren in Whatsis en gaf het programma je een lijst met computers die dat circuit gebruikten.
Dogabone was een verbeterde versie van een oud programma dat ik zelf jaren geleden had geschreven. Het zocht programma's op op de ene computer en bracht ze over naar de andere. Ik had de originele versie, die Fetcher heette, nog steeds op mijn eigen laptop en ging ervan uit dat Bobby het programma daar had gevonden en er Dogabone van had gemaakt.
Het laatste programma, Bandersnatch, was bedoeld om naar een externe computer te sturen, waar het een opgegeven bestand voor je in de gaten hield. Zodra er iets aan het bestand werd veranderd, maakte Bandersnatch er een kopie van, gaf die een andere naam en sloeg ze elders op. Op die manier kon Bobby inbreken in een externe computer en als hij op een beveiligd bestand stuitte, kon hij Bandersnatch eraan bevestigen. Wanneer het bestand werd veranderd – lees: geopend met een wachtwoord – werd het door Bandersnatch gekopieerd en opgeslagen. Bobby kon dan later terugkomen om het bestand op te halen zonder ooit het wachtwoord geweten te hebben.

Ik dacht hierover na totdat LuEllen in de deuropening van de badkamer verscheen en hield toen een tijdje op met nadenken.

'Wat vind jij dat we moeten doen?' vroeg ze later die avond. We lagen verstrengeld in de lakens op het supergrote bed en dronken allebei een flesje Dos Equis-bier.
'Daar heb ik over nagedacht vanaf het moment dat ze je hebben gepakt,' zei ik. 'Ik had niks anders te doen dan telefoneren en wachten... Dus heb ik een paar keer een tarot gelegd, maar die leverde steeds een andere uitkomst op. Ik vind dat je naar huis moet gaan en je een tijdje gedeisd moet houden. Als je bij mij blijft, bestaat er een kans dat je een gevaar voor ons beiden wordt.'
'Leg uit waarom,' zei ze.
'Omdat ik misschien dingen zal moeten doen die de aandacht zullen trekken... niet veel, maar toch aandacht. Als ze jou dan zien, weten ze meteen dat ze de juiste man te pakken hebben. Dan weten ze wie ik ben en dan kunnen ze via mij misschien terug naar jou. Ik bedoel helemaal terug, naar de echte jou.'
'Wat ben je van plan?'
'Ik wil dat Carp gestraft wordt. En ik wil dat ze ophouden met dat Deep Date Correlation-programma. Ik denk erover om met Bob te gaan praten... congreslid Bob. Hij zit ook in de DDC-bestanden. Ik weet niet of hij in zijn eentje het programma kan stoppen, maar hij heeft een hoop overheidsgeld tot zijn beschikking. Als al het andere niet lukt, kan hij er misschien voor zorgen dat ze geen geld meer krijgen. Hij zal in elk geval heel geïnteresseerd zijn in wat ze over hem hebben.'
'Is dat erg?'
'Een paar twijfelachtige deals hier en daar. Bob is soms iets te enthousiast geweest met het verlenen van zijn gunsten. Ze hebben hem nog niet echt te pakken, maar ik heb de indruk dat als ze zouden doorzetten, dat uiteindelijk wel zou lukken.'
'Dus je gaat Bob vertellen...'
'Ik ga hem vertellen dat ik materiaal heb uitgewisseld met iemand die op het ogenblik in een zwaar gevecht met de overheid verwikkeld is. Dat deze persoon wist dat ik wel eens voor Bob werkte en dat hij me heeft gevraagd het bestand aan hem door te geven.'
'Dan begeef je je op heel dun ijs.'
'Ja, maar op deze manier kan al het andere wat er gebeurd is niet bewezen worden. Jezus christus, ik ben maar een kunstschilder.'

Ze zuchtte. 'Ik stap morgenochtend op het vliegtuig.'
'Dat zou het beste zijn,' zei ik.
We zwegen enige tijd en toen zei ze: 'Als ze zich echt zouden verdiepen in jou en dat e-mailbestand, zouden ze zich kunnen afvragen hoe het mogelijk is dat jij naar Washington bent gekomen voordat je het bestand zelfs maar had ontvangen.'
'Nee, dat zullen ze niet. Ik heb het bestand een paar dagen geleden al aan mezelf gemaild. Ik had min of meer verwacht dat dit zou kunnen gebeuren.'
'En dat heb je me niet verteld?' Ze trok een wenkbrauw op.
'Ik dacht dat je zou gaan krijsen als een mager speenvarken,' zei ik. 'Er was een kans dat het helemaal niet nodig zou zijn, dus waarom zou ik het zeggen en me blootstellen aan al dat gekrijs?'
'Ah, jezus,' zei ze. 'Nemen we nog een biertje?'

LuEllen had al haar identificatiemateriaal gedumpt, maar dat was niet van de echte LuEllen geweest. Ze had een reservepaspoort, achter de voering van een afsluitbaar sieradenkistje dat deel uitmaakte van haar bagage, samen met een paar creditcards, een Sam's Club-card en een ledenkaart van het Museum voor Moderne Kunst.
Ze had haar haar kort, uit praktische overwegingen, en had altijd twee pruiken van heel goede kwaliteit bij zich. De volgende ochtend kochten we een nieuwe portefeuille voor haar, plus een nieuwe tas en een wagonlading van de dingen die vrouwen altijd bij zich hebben. Om elf uur waren we bij National Airport. Ik gaf haar een afscheidskus in de auto en volgde haar op enige afstand de vertrekhal van de luchthaven in. Alles verliep probleemloos. De messcherpe beveiliging liet haar haar schoenen uittrekken omdat er stalen pennen in de hakken zaten, maar niemand kwam op het idee dat de aantrekkelijke blondine een pruik op had. Ze zag er totaal anders uit dan in het park.
Toen ze door de beveiligingszone was draaide ze zich om, keek me heel even recht aan, knikte en toen was ze weg, een kleine, goedgeklede vrouw met een middelgrote tas, misschien iemand die voor een nonprofitorganisatie werkte, of een assistente van een congreslid, die naar huis ging.

Voordat ik LuEllen naar het vliegveld had gebracht, had ik congreslid Wayne Bob gebeld op het nummer dat hij me voor de casinoklus had gegeven. Toen hij antwoordde zei ik: 'Je spreekt met Kidd. Ik móét je

vandaag spreken. Dit is geen gelul, maar eerlijk waar een noodgeval. Het heeft te maken met al die onthullingen op tv. Ik móét je spreken.'
'Zit ik er ook bij?' riep hij geschrokken.
'Dat weet ik niet. Ik denk het niet, maar het kan. Ze hebben wel een bestand over je en dat gaat over een deal met Whit Dickens. Ken je een Whit Dickens?'
Je kon bijna zijn tong langs zijn lippen horen gaan en hij zei: 'Misschien.'
'Ik kan het beter uitleggen als we samen ergens in een stil hoekje kunnen gaan zitten,' zei ik.
'Waar?' vroeg hij.
'Wat dacht je van het Hay-Adams?'
'Oké. Kwart voor drie, schikt dat? Ik zal een stil plekje regelen.'
'Oké, tot straks.'

Het mooie van het Hay-Adams is dat er voortdurend politici in en uit lopen, elke dag en op vrijwel elk tijdstip, en dat het restaurant beschikt over talloze hoekjes en nissen waar je belangrijke gesprekken kunt voeren zonder gezien of gehoord te worden. Nog beter was dat het op een paar minuten lopen van mijn hotel was.
Om precies kwart voor drie ging ik het restaurant binnen. Een ober nam me mee naar een gereserveerde tafel in een nis en schonk een glas ijswater voor me in. Hij gaf me een menu en kwam een minuut later terug om te zeggen dat Bob tien minuten verlaat was. Ik bestelde een Dos Equis, dronk water en bier en las de *Post* tot vijf voor drie, toen Bob de hoek om kwam lopen.
Bob was klein van stuk en gezet, op een stoere, zuidelijke manier. Hij had een blozend gezicht, een kleine neus, een dikke buik, een flinke bos wit haar en een permanente glimlach om zijn mond. Hij transpireerde van de zomerwarmte toen hij tegenover me aan tafel kwam zitten. Hij was gekleed in een blauw gestreept pak van bobbeltjesstof, dat je alleen mocht dragen als je uit het Zuiden kwam. Hij had een ring met een hemelsblauwe ovale steen om zijn pink en zag er eigenlijk best goed uit. Hij was een jaar of vijftig, dacht ik, en zijn lichtblauwe ogen stonden bezorgd. Bob was goed voor oude mensen, kinderen en honden maar had de reputatie dat hij kon toeslaan als een ratelslang als je hem boos maakte.
'Wat is er loos?' vroeg hij. Voordat ik kon antwoorden, richtte hij zijn wijsvinger als een pistool op de ober en wees met zijn duim naar zijn

mond. De ober knikte en verdween. 'Het internationale gebaar voor een ijskoude Beefeater-martini met twee olijven.'
Ik stak mijn hand in mijn zak, haalde de print eruit van het document dat tegen Bob was gericht en gaf die aan hem. Hij las hem een keer door en las hem nog een keer zorgvuldig. Toen legde hij het blaadje op tafel, vouwde het vier keer dubbel en stak het kleine vierkantje in zijn zak. 'Dit kan me een paar problemen bezorgen,' zei hij bedachtzaam. 'Waar komt het vandaan?'
'Van Frank Krause, onze vriendelijke buurtsenator.'
Daar moest hij even over nadenken, en er verscheen een enkele rimpel in zijn voorhoofd. 'Frank Krause? Ik heb op tv iets over Frank Marsh gezien en toen zeiden ze iets over Krause.'
'Daar heb ik het over,' zei ik.
'Hoe ben jij hierin verzeild geraakt?'
'Via iemand die ik alleen van internet ken en die blijkbaar in een soort ruzie met Krause is verwikkeld. Hoe dan ook, hij zegt dat Krause een geheime en heel gluiperige inlichtingenoperatie is gestart en dat de researchafdeling daarvan Deep Data Correlation heet. Het basisidee moest zijn dat ze een oceaan aan gegevens tot hun beschikking kregen om daaruit op te maken wie de mogelijke slechteriken waren. De terroristen.'
'Is dat zo erg?' De ober kwam terug met de martini, zette die op tafel en wachtte – net als ik – totdat Bob knikte. De ober liep weg en ik vervolgde mijn verhaal.
'Niet als het gebruikt zou worden waar het voor bedoeld is,' zei ik. 'Maar deze manier van gegevens verzamelen kent een paar fundamentele tekortkomingen.' Ik legde hem de rekensom uit die ik had gemaakt. 'Dus wat ze doen, is eigenlijk onmogelijk. Máár... als je aan de andere kant begint, met een naam, en dan de gegevens erbij zoekt, kun je een paar heel gevaarlijke wapens ontwikkelen.'
'Wacht eens even,' zei Bob. 'Dus jij beweert dat ze in plaats van de gegevens te analyseren en er een mogelijke verdachte uit te halen eerst met een verdachte komen en dan de gegevens ernaast leggen om hun verdenking te ondersteunen?'
'Precies. Behalve, natuurlijk, dat je je doelwit dan eerst moet identificeren. In het geval van terroristen is het identificeren van het doelwit een probleem, een heel groot probleem. Als het hier om een particulier bedrijf ging dat – laten we zeggen – was ingehuurd om methodes te ontwikkelen om terroristen te identificeren, zouden ze algauw tot de

conclusie komen dat deze vorm van data-analyse tijdverspilling was. Maar dit is geen particulier bedrijf. Dit is de overheid. Dus blijkbaar hebben ze tegen zichzelf gezegd: "Goed, data-analyse werkt niet, maar we hebben dit onderzoeksinstrument nu eenmaal ontwikkeld, dus laten we het maar eens op een paar doelwitten toepassen." '
'En daar hebben ze mij voor uitgekozen?' Hij keek ernstig, maar niet al te verbaasd.
'Bob,' zei ik, 'ik móét je op dit punt in vertrouwen nemen, denk ik, maar ik moet eerlijk zeggen dat er wel eens situaties zijn geweest dat we elkaar een reden hebben gegeven om te denken dat we geen van beiden misschien...'
Ik haalde mijn schouders op en hij maakte de zin voor me af. '... de reine ziel hebben die onze moeders gewenst zouden hebben.'
'Precies,' zei ik. 'Dus ik zal je iets laten zien. Maar als je het tegen me gebruikt, of als je tegen iemand zegt dat je het van mij hebt, sla ik je ermee om je oren totdat je het lekker vindt.'
Hij glimlachte. 'Dat is de soort deal die ik begrijp.' Toen verdween zijn glimlach, heel abrupt, alsof iemand het licht had uitgedaan. Hij keek me aan over de rand van zijn martiniglas, dronk het leeg en de blik in zijn ogen was ijskoud. 'Niemand hoort van mij iets over jou; je hebt mijn erewoord.'
Ik pakte mijn laptop van de stoel naast me, zette hem aan, wachtte totdat de programma's waren gestart en opende het bestand. Daarna draaide ik de laptop een halve slag om en zei: 'Je kunt met de *page down*-knop naar de volgende pagina.'
Hij begon te lezen en stopte af en toe om iets te mompelen. 'Dit heb ik pas op tv gezien... Doet Krause dit allemaal? Jezus, ik wist niet dat die knaap zo'n gluiperd was... Ik heb pas nog naast hem in het urinoir gestaan... Landford Hewes heeft Mejico Rico voor een half miljoen afgeperst? Grote genade, ik heb altijd gedacht dat hij brandschoon was... O man, Davy Fergusson; hij is een vriend van me, en zijn vrouw Tina ook, en hier staat dat hij haar regelmatig het hele huis door slaat. Moet je dat gezicht zien, en de plaatselijke politie heeft hem laten gaan zonder een woord te zeggen.'
Hij was zowel verbijsterd als gefascineerd.
'Je moet hier goed over nadenken,' zei ik. 'Het was onvermijdelijk dat ze het systeem op deze manier zouden gebruiken. Het is het perfecte wapen om in te zetten tegen gekozen politici. Ik bedoel, het zou mij weinig kunnen schelen als ze ontdekken dat ik wel eens pornofilms

huur of me in het stadspark laat pijpen door zeventienjarige jongens, maar voor politici ligt dat toch anders. Stel je voor wat er kan gebeuren wanneer een wapen als dit in handen van de lobbyisten komt. Dan zijn we geheel overgeleverd aan wat die willen en hoe ze het gaan gebruiken.'
'Hm...' zei Bob. Hij nam een halfuur de tijd om het hele bestand door te lezen.
'Als je probeert het uit je hoofd te leren, kan ik je de moeite besparen,' zei ik. 'Ik heb het hele bestand voor je op een cd gezet, die ik je zo zal geven.'
Hij keek op. 'Waarom? Je hebt hier een goudmijn in handen.'
'Nee, dit is niks voor mij,' zei ik. 'Ik ben kunstschilder. Alleen al betrokken zijn bij deze onzin jaagt me de stuipen op het lijf. Maar wat de DDC aan het doen is, beangstigt me ook. Ik dacht dat als jíj deze informatie had, je misschien met enkele van deze mensen kon gaan praten...' Ik knikte naar de laptop.
Opnieuw maakte hij mijn zin voor me af. '... om Krause ermee om zijn oren te slaan?'
'Ja, zoiets. Krause zelf interesseert me niet zoveel, maar de groep die voor hem werkt wel. Het is gewoon niet in de haak. Je pakt er geen terroristen mee; je kunt er alleen maar mensen mee chanteren.'
'Nee, dit is inderdaad niet in de haak,' beaamde hij. 'Heb je die cd bij je?'
Ik haalde hem uit mijn zak en gaf hem aan Bob. 'We zijn nu de twee machtigste mensen in deze hele klotehoofdstad,' zei hij terwijl hij zichzelf bekeek in de spiegelende kant van de cd. 'Jij en ik, en we zitten hier gewoon in een restaurant een biertje en een martini te drinken, en ik bekijk mezelf in een cd'tje.'
Ik wist niets snedigs te verzinnen dus zei ik alleen maar: 'Dat zet je aan het denken, hè?'

18

Na nog een middag en avond in Washington en urenlang geestdodend gegraaf in de laptop vertrok ik voorzichtig uit het hotel. Dat ging zo: ik pakte mijn spullen in, nam een taxi naar National Airport, ging het gebouw binnen, verliet het weer door de achterdeur en nam een tweede taxi naar het warenhuis met het parkeerterrein waar ik mijn auto had achtergelaten. Ik liep door het warenhuis naar het parkeerterrein en twee minuten later was ik op weg naar St. Paul, waarbij ik voortdurend in mijn achteruitkijkspiegel keek.

Met de auto van Washington naar St. Paul is twee zware of drie ontspannen dagen rijden. Ik besloot het in drie te doen. Ik zou tijdens het rijden genoeg ideeën krijgen om zo nu en dan te stoppen en de laptop weer eens op te starten. Motels zijn daar uitstekend geschikt voor, want afgezien van een enkele schoonmaker heerst er niets dan stilte. Ik had mijn mobiele telefoon in de *carkit* gezet in de hoop dat LuEllen zich inmiddels veilig genoeg zou voelen om me te bellen, maar terwijl de heuvels en bergen van Pennsylvania voorbijschoven, bleef het toestel zwijgen.

Om drie uur stopte ik bij een kleine supermarkt, waar ik zes blikjes cola light kocht en nam een kamer in een Ramada Inn, langs de I-76, iets ten zuiden van Youngstown, Ohio. Ik kreeg een 'niet roken'-kamer op de eerste verdieping en zette de laptop aan voor nog meer geestdodend gegraaf.

Maar het leverde niets op en na een tijdje was ik zo wanhopig, dat ik de tarotkaarten tevoorschijn haalde en het spel een paar keer uitlegde, wat me evenmin iets opleverde. De uitkomsten waren te willekeurig, te vrijblijvend en te triviaal.

Hoe had Carp het gedaan? Dat moest ik te weten zien te komen. Hoe had hij de sleutels gevonden? Ik ging op mijn rug op het bed liggen en legde het kussen op mijn gezicht. In plaats van te blijven graven in de laptop moest ik me op Carp concentreren, besloot ik. Wat had Carp gedaan?

Nadat ik daar een tijdje over had nagedacht, kwam er een idee in me op. Een wachtwoord moest bestaan uit de letters, cijfers en symbolen die op het toetsenbord te zien waren. Soms moest iemand het wacht-

woord immers handmatig invoeren en niet iedereen wist hoe je via het toetsenbord bij de bijzondere tekens moest komen. Aan de andere kant bestond een beveiligd bestand meestal uit alle tekens die een computer kan genereren, ook tekens die niet op het toetsenbord te zien zijn. Als ik nu een zoekprogramma schreef voor reeksen letters en cijfers die op het toetsenbord te zien waren, maar die geen van de bijzondere, verborgen tekens bevatten... Nou, als de wachtwoorden in de reusachtige bestanden waren verstopt, kon ik ze op die manier misschien eruit halen.
Shit, het was tenminste iets, en een programmaatje schrijven kon misschien voorkomen dat mijn hersens helemaal in een borrelende brij veranderden. Ik haalde mijn blocnote uit mijn softwaretas en zat een kwartiertje te schrijven. Ik onderbrak het coderen een paar minuten om even naar CNN te kijken. Daarna nog een keer om naar Weather Channel te kijken en ten slotte nog een keer omdat ik ten prooi was aan twijfel en het gevoel dat ik mijn tijd zat te verdoen. Toen ik klaar was, kopieerde ik het programma niet naar een diskette maar haalde een kabel uit mijn tas en sloot ik mijn laptop op die van Bobby aan om het programma op die manier over te seinen.
Zodra ik de laptops op elkaar had aangesloten, kwam Dogabone op Bobby's laptop in actie. Het programma zocht iets op mijn laptop en haalde het eraf terwijl ik het zoekprogramma naar zijn laptop stuurde. Als ik Bobby's laptop er niet bij had gehad, zou ik nooit hebben geweten dat die de mijne doorzocht.
Aha...
Het zoekprogramma vond niets in de beveiligde bestanden, geen lange reeksen tekens die op het toetsenbord te zien waren. Maar toen ik op het bed zat te kijken hoe de twee laptops met elkaar communiceerden...
Nadat we Carps eigen laptop in Louisiana hadden gestolen, had hij alleen Bobby's laptop gehad om op te werken. Hij had via het net contact gehad met mij, als Lemon, maar met wie nog meer? Het moest iemand zijn die Bobby kende.
Ik kon maar één persoon bedenken: Rachel Willowby. Rachel, die van Bobby een laptop cadeau had gekregen. Tien minuten later belde ik John vanuit een telefooncel in een winkelcentrum. 'John, waar is Rachel?'
'Ze is met Marvel naar de bibliotheek,' zei hij. 'Wat is er aan de hand?'
'Ik moet even via het net in Rachels laptop kijken. Staat die daar, of heeft ze hem meegenomen?'
'Ze heeft hem bij zich. Daarom is ze naar de bibliotheek. Ze hebben het

zo geregeld dat ze de laptop in hun ethernet mag pluggen en ze gratis een snelle lijn heeft. Ze is in de zevende hemel.'
'Heb je een telefoonnummer van de bibliotheek?'

Ik praatte met de bibliothecaresse in Longstreet, vertelde haar dat het dringend was en ze ging Rachel voor me halen. 'Hallo?'
'Rachel, met Kidd. Ken je me nog?'
'Natuurlijk. Wat is er aan de hand?' Ze vroeg het op precies dezelfde manier waarop John het zojuist had gevraagd; ze begon de gewoonten van het gezin al over te nemen.
'Ik sta in een telefooncel in Ohio. Ik moet even on line met je laptop. Ik heb een paar nieuwe telefoonnummers en wachtwoorden voor je. Geef me je ethernetadres, dan kan ik mijn laptop aan de jouwe koppelen.'
'Oké.' Ze klonk enthousiast. Telefoonnummers en wachtwoorden waren altijd welkom.

Twee minuten later had ik contact met Rachel, via Bobby's laptop, en zag ik hoe Dogabone onmiddellijk aan de slag ging. Vijf seconden later had ik vijftig combinaties van cijfers en letters die allemaal gewoon op het toetsenbord voorkwamen. De smeerlap. Bobby had zijn wachtwoorden verstopt bij de kinderen die hij een computer cadeau had gedaan, anoniem en verspreid over heel het land.
En nu had ik ze. Het leek wel pakjesavond. Ik praatte nog even met Rachel en seinde haar een paar goede telefoonnummers door, allemaal van grote, gemiddeld beveiligde computers waar ze geen gevaar liep maar waarin wel een hoop te ontdekken viel. En die zouden voorkomen dat ze te diep zou nadenken over de reden dat ik in haar laptop moest zijn.
Terug in het motel ging ik opnieuw aan het werk met Bobby's laptop. De wachtwoorden stonden in dezelfde volgorde als de bestanden, dus het openen daarvan was geen probleem. Ik zat aan het wankele tafeltje in mijn motelkamer en begon te bekijken wat Bobby in de loop der jaren aan gegevens had verzameld.
Vijfenveertig van de vijftig bestanden bevatten tekstdocumenten over onderwerpen die Bobby interesseerden; biografieën en foto's van honderden mensen, plus aantekeningen die eruitzagen als vertrouwelijke informatie over veel van die mensen, afkomstig van politie, justitie en inlichtingendiensten. Uit nieuwsgierigheid ging ik op zoek naar mezelf, maar wat ik vond was weinig meer dan een standaard-FBI-dossier met informatie over mijn militaire diensttijd, mijn technische vaardig-

heden en een paar toevoegingen als: ... *tegenwoordig werkzaam als autodidact kunstschilder.*

Ah, maar dan de vijf resterende bestanden.
Die vormden de sleutels tot het koninkrijk.
Hier had ik de URL's en wachtwoorden waarmee je in vrijwel elke computerdatabase ter wereld kon komen. Ik zal er geen opsomming van geven, maar het kwam erop neer dat Bobby toegang had tot vrijwel alles, overal. Hij was al aan het hacken geweest in de tijd van CP/M en de eerste DOS-versies, had gewerkt met Commodores en Z80's en dat soort computers. Hij was al computernetwerken binnengedrongen voordat iemand zelfs maar had nagedacht over internetbeveiliging. Al die tijd was hij bezig geweest met het aanbrengen van valluiken en geheime ingangen.
En terwijl internet was gegroeid, geëvolueerd en van karakter was veranderd, was Bobby gewoon meegegroeid.
Er waren ongetwijfeld een paar databases waar hij niet in kon komen: computers die volledig geïsoleerd waren van telefoonlijnen, computers die alleen informatie leverden op papier, diskette of cd, materiaal dat je werd overhandigd door iemand die eerst je papieren en geloofsbrieven controleerde en die voor alle verstrekte informatie een getekende bon wilde.
Maar dat waren maar verdomd weinig computers. Die manier van werken was gewoon te omslachtig. Als de directeur van de CIA iets wilde opzoeken, dan wilde hij niet eerst helemaal naar de kelder om daar de informatie op te vragen. Hij wilde die in zijn kantoor. En als hij de informatie op zijn eigen computer kon bekijken, dan kon Bobby dat ook. Want Bobby was overal.
Ik bekeek de informatie van de laatste vijf bestanden en bedacht drie dingen.
Ten eerste, toen Wayne Bob naar die enkele cd met informatie had gekeken en zei dat we nu de twee machtigste mannen van heel Washington waren, had hij waarschijnlijk gelijk gehad. Maar die cd stelde nauwelijks iets voor, vergeleken met het materiaal dat op Bobby's laptop stond.
Ten tweede kwam het me voor dat ik nu de Onzichtbare Man was, want ik kon bijna overal in, bijna alles bekijken en de meest vreselijke dingen doen met mensen die ik niet aardig vond.
En ten derde dacht ik: Kidd, je zit nu heel diep in de problemen.

Nadat ik er een tijdje over had nagedacht, kopieerde ik de wachtwoorden naar mijn eigen laptop, zodat ik ze bij de hand had als ik Bobby's bestanden wilde bekijken. Ik had zelf een redelijk grote harde schijf en verstopte ze tussen het andere materiaal. Toch, als de FBI de laptop in handen kreeg en wist waarnaar ze zocht, zou ze de wachtwoorden vinden. Ik zou een betere bergplaats zoeken zodra ik thuis was.
Thuis... Maar als Carp Krause nu had teruggebeld, hem mijn naam en kentekennummer had gegeven en een paar huurmoordenaars naar mijn appartement had gestuurd om me daar op te wachten en te executeren? Ik kreeg een paranoïde gevoel toen ik eraan dacht en ten slotte belde ik de oude dame die onder me woont – een kunstschilderes, en een goede ook, die voor de kat zorgde als ik er niet was – om haar te vragen of ze even in mijn appartement wilde gaan kijken en haar te vertellen dat ik onderweg naar huis was.
'Het maakt mij niets uit. Je mag zo lang wegblijven als je wilt.' Ze kauwde luidruchtig op een wortel of selderiestengel en vervolgde met volle mond: 'Ik heb de kat twee dagen geleden in de stortkoker gestopt en ik heb je Whistler gestolen. Heb je nog meer wat ik kan gebruiken?'
'Wat dacht je van een beter gevoel voor humor?' stelde ik voor.
Ze plaagde me, en dat was een goed teken. Ze was op de hoogte van alles wat er in het appartementengebouw gebeurde, dus voor huurmoordenaars op de gang hoefde ik waarschijnlijk niet bang te zijn.

De rest van de avond werkte ik me systematisch door de vijf laatste bestanden om te zien wat er precies in stond. Er was een index die dat wel iets gemakkelijker maakte, maar de titels waren vaak nogal cryptisch, of ze bestonden uit een paar woorden of hoofdletters die alleen voor Bobby iets betekenden.
Om één uur 's nachts nam ik een Ambien om mijn hoofd tot rust te brengen en sliep zes uur lang als een blok. Om even voor negen de volgende ochtend reed ik weer door het golvende groene landschap van Ohio, richting I-80, die me naar Chicago zou voeren.
Ik had niet veel aan Carp gedacht – over wat hij misschien aan het doen was – sinds ik hem voor het laatst op zijn fiets in Rock Creek Park had gezien. Hij was ondergedoken, vermoedde ik. Het moordonderzoek in Jackson had ik ook niet meer gevolgd, maar daar zou ik die avond iets aan doen. Als de FBI Carp niet gauw op het spoor kwam, zou ik ze wel een handje helpen.
Om tien uur, of iets daarna, stopte ik bij een Dairy Queen om een ijsje

te kopen. Ik stond tegen de voorbumper van de auto geleund en knabbelde de chocolade van het ijsje toen de telefoon in de auto begon te piepen. LuEllen.
Ik stapte snel in, waarbij ik probeerde geen smeltend ijs op de bekleding te morsen, pakte de telefoon en drukte de knop in. 'Hallo?'
Een kinderstem, trillend en ijl, alsof haar mond zich op enige afstand van het toestel bevond. 'Meneer Kidd? Hij heeft me gepakt toen ik op weg naar de bieb was.'
'Wat?'
'Hij heeft me gepakt toen ik op weg naar de bieb was. Hij wil Bobby's laptop.'
Shit, het was LuEllen niet. Het was Rachel. 'Waar ben je, meisje? Wat heeft...'
'Kidd? James Carp hier.'
Het was alsof ik een klap in mijn gezicht kreeg. 'Carp?'
'Ik neem aan dat jij degene bent die de laptop uit mijn auto heeft gehaald. Heel slim. Ik wil hem terug. Ik zal met je ruilen.'
'Waar heb je het over?'
'De laptop. En Rachel hier. Ik heb haar en laat haar pas gaan als ik de laptop terug heb. Maar er is een deadline. Ik neem aan dat je nog steeds in Washington bent. Ik wil dat je hiernaartoe komt, naar Longstreet, zo gauw mogelijk. Vanavond nog. Ja, vanavond, denk ik.'
'Ik ben niet in Washington,' zei ik. 'Ik kan daar vanavond niet zijn. Ik zit in mijn auto, ver van de bewoonde wereld.'
'Dan kom je náár de bewoonde wereld,' snauwde hij. Zijn stem klonk hoog en kwakend, alsof hij elk moment kon breken, alsof Carp op de rand van een zenuwinstorting stond. 'Ik zal je vertellen wat ik ga doen. Ik neem het meisje mee naar een plek zo diep in het bos, dat jullie haar nooit zullen vinden. Ik keten haar midden in de wildernis aan een boom. Als je me belazert, vertel ik niet waar ze is en vinden jullie haar nooit.'
'Je krijgt de laptop terug, maar ik kan daar vanavond niet zijn,' zei ik. Mijn stem klonk angstig, maar dat kon me niet schelen, en misschien was het zelfs wel beter dat hij het hoorde. En ik loog alsof het gedrukt stond, want ik moest tijd winnen. 'Ik zit midden in West-Virginia. Ik kan daar op zijn vroegst morgenmiddag zijn. Ik zweer het, ik zit midden op de prairie. Ik zal naar een vliegveld rijden, kijken of ik een vlucht naar Memphis kan regelen en daar een auto huren. Maar breng

haar niet naar het bos. Als je haar aan een boom ketent en ze gaat dood, krijg je de doodstraf. Je kunt nu misschien nog iets met de politie regelen.'
'Ah, gelul. Ze weten dat ik Bobby heb vermoord. Het enige wat me nog kan redden is de laptop en de bestanden die erop staan. Als ik die heb, praten ze wel met me. Dan laten ze me verder wel met rust. Anders ben ik er geweest. Als je me probeert te pakken, zweer ik je dat ik de loop van mijn pistool in mijn mond steek en dat je lieve zwarte meisje ergens in het bos zal wegrotten onder een boom.'
'Nee, doe dat niet, doe dat niet,' zei ik, met alle overtuiging die ik in me had.
'Val dood. Ik bel je morgen.'
En weg was hij.

Ik belde John. 'Ik ben net gebeld door James Carp. Hij zegt dat hij in Longstreet is en dat hij Rachel heeft. Heb je haar gezien?'
'Rachel?' Hij klonk net zo verbijsterd als ik was geweest. 'Rachel? Die is een halfuur geleden de deur uitgegaan, lopend, naar de bibliotheek.'
'Ik heb heel even met een jong meisje gesproken. Ze klonk als Rachel. Ze zei dat hij haar heeft gekidnapt toen ze op weg naar de bibliotheek was. Godverdomme, John, ik denk dat het waar is. Je moet het nagaan.'
'Ik bel je terug,' zei hij met schorre stem, en de verbinding werd verbroken.

Ik reed nog op de I-80 en was Cleveland al voorbij. Zodra ik mijn gesprek met John had beëindigd, keerde ik de auto en reed terug. Ik legde mijn laptop op het stuur en startte Streets & Trips van Microsoft. Gelukkig lag Cleveland International aan mijn kant van de stad en kon ik er via de I-480 naartoe rijden. Zodra ik wist waar ik naartoe ging, belde ik de helpdesk en kreeg de telefoonnummers van vier chartermaatschappijen. Ik zat op ongeveer zestien uur rijden van Longstreet, bijna 1.700 kilometer. Maar misschien kon ik een vliegtuig vinden dat me naar Greenville kon brengen.
De eerste chartermaatschappij op Cleveland International die ik belde, was eigenlijk een luchtambulancedienst. De vrouw die ik aan de lijn had beval me een andere maatschappij aan. Ik had er het nummer niet van maar ze zei dat ik daar de grootste kans maakte om snel een vrij vliegtuig te vinden.

Ik belde en kreeg antwoord van een rustige mannenstem. 'Rogers Air Transport.'
'Ik ben op zoek naar een vliegtuig dat me in de komende paar uur naar Greenville, Mississippi, kan brengen,' zei ik, en de urgentie was hoorbaar in mijn stem. 'Hebt u iets beschikbaar, of weet u waar ik er een kan vinden?'
'Wat is precies de bedoeling?'
'Dat ik zo snel mogelijk in Greenville ben. Ik zit met een ernstig ziektegeval in de familie.'
'Nou, eh... Ik kan u met een Lear Jet naar Greenville brengen, in iets meer dan twee uur, maar, eh... Het is niet goedkoop.'
'Hoe duur?'
'Hm... Dat moet ik even uitrekenen.' Het werd stil en ik had het gevoel dat hij naar het plafond zat te staren in plaats van driftig te zitten rekenen. Hij kwam weer aan de lijn. 'Ongeveer 4.500. Tenminste, als ik daar niet hoef te blijven wachten.' Hij klonk bijna verontschuldigend.
'Ik doe het,' zei ik. 'Ik ben nu onderweg naar u toe. Ik zit vijftig of zestig kilometer van u vandaan. Nee, u hoeft niet te wachten. Ik neem een commerciële vlucht terug om mijn auto op te halen.'
'Voor de betaling, eh... hebben we...'
'U kunt het krijgen zoals u het hebben wilt,' zei ik. 'Contant, per cheque of per creditcard.'
'Contant is prima.'

Het wereldwijde hoofdkantoor van Rogers Air Transport was gevestigd in een crèmekleurige staalplaten loods, die tegelijkertijd als hangar dienstdeed. Ik parkeerde voor de deur en haalde mijn stapel contant geld uit de kofferbak. Vervolgens pakte ik mijn tas met kleren, de andere tas met de drie laptops en liep ermee het kantoor in, waar het aangenaam naar kerosine en warme olie rook en waar niemand was.
'Hallo?' riep ik. Geen antwoord. Het kantoor had een zijdeur, die openstond. Ik stak mijn hoofd om de deurpost en zag een man met rood haar mijn kant op komen. Hij had een blauwe overall aan en de pet van een treinmachinist op zijn hoofd, en hij veegde zijn handen af aan een lap. 'Meneer Kidd?' vroeg hij opgewekt.
'Ja.'
'Ik ben Jim Rogers.' Hij stak zijn hand uit en ik schudde hem. 'We zijn er klaar voor. U ook?'
'Mijn auto staat voor de deur.'

'Die kan daar geen kwaad totdat u terugkomt. Ik hoop dat er niets ernstigs aan de hand is in Greenville.'
'Ik vrees van wel,' zei ik. Ik kon niet vermijden dat ik er iets over zei. 'Mijn vader heeft een hartaanval gehad. Ze zijn met hem bezig, maar niemand weet wat er zal gebeuren.'
'Ah, wat afschuwelijk,' zei hij. Een vrouw kwam de hoek om lopen, ongeveer 35 jaar, met lachlijntjes naast haar ogen, een gebruind gezicht, een paardenstaart en een pilotenoverall aan.
'Dit is Marcia, onze copiloot,' zei Rogers.
'Ik ben zijn vrouw,' zei Marcia. 'Bent u er klaar voor?'
Rogers keek even om zich heen. Ik had de indruk dat hij niet een van de meest dynamische ondernemers was, hoewel ik vermoedde dat hij een prima kerel was. 'O, ik kan dit beter aan u geven,' zei ik, en ik gaf hem de 4.500 dollar. Hij pakte het geld aan, knikte en stelde niet de voor de hand liggende vraag, maar ik beantwoordde die toch. 'Ik was hier om keramiek te kopen,' zei ik. 'Het komt me nu goed uit dat de meeste ateliers alleen contant geld accepteren.'
'Zeker,' beaamde Rogers.

Jim Rogers was een spraakzame man en zijn vrouw knikte en glimlachte vaak naar hem. Ze vlogen het toestel om beurten en Rogers praatte ons min of meer naar Greenville. Verhalen over vliegen, voornamelijk... Hij had in Ontario een paar jaar in de wildernis gevlogen. Ik vond het best; ik knikte en vertelde hem een paar verhalen over vliegvissen in Ontario, zodat er geen echte informatie werd uitgewisseld. Toen we Louisville naderden, belde ik John op zijn mobiele telefoon en vertelde hij me dat niemand Rachel kon vinden.
'Klinkt niet goed,' zei ik zonder na te denken. Jim en Marcia keken elkaar aan en dachten dat het over mijn vader ging.
'Kom hiernaartoe en schiet een beetje op,' zei John.
'Over iets meer dan twee uur land ik in Greenville,' zei ik.
Toen ik het gesprek had beëindigd, vroeg Marcia: 'Meer problemen?'
'De situatie is nogal gespannen,' zei ik.
'We moeten maar hopen op het beste.'
John stond al te wachten toen we landden. Hij nam mijn tas over met zijn goede arm en liep al naar de auto terwijl ik Jim en Marcia de hand schudde. Volgens mij dachten ze dat John mijn trouwe bediende was, omdat we in Greenville waren en omdat John zwart was en ik blank. Tegen halfvier waren John en ik onderweg naar Longstreet. John had

een grimmiger humeur dan ik ooit had meegemaakt. 'Die man is gestoord,' zei hij, en daarna, want hij was zelf ook niet helemaal normaal: 'Ik vermoord hem.'

19

Toen we Longstreet binnenreden was het een paar minuten over zes, nog helder licht en verlammend heet. Mensen hebben de neiging om met zulke temperaturen binnen te blijven en de rit door de uitgestorven stad deed denken aan zo'n goedkope sciencefictionfilm waarin alle inwoners zijn ontvoerd om hun hersenen te laten opeten door marsmannetjes. In de schaduw voor de winkel van Hardware Hank lagen twee lichtbruine honden, meer dood dan levend.

Marvel was in haar auto de hele stad doorgereden, systematisch, straat voor straat, om te zoeken naar Rachel en Carps rode Corolla. Ze had geen van beide gevonden. John had haar gebeld toen we ongeveer anderhalve kilometer van Longstreet waren en ze reed een paar seconden voor ons de oprit op.

Marvel keek toe terwijl John de auto parkeerde en toen ik uitstapte, kwam ze naar me toe, keek me aan en vroeg: 'Wat is er aan de hand, Kidd? Wat heb je gedaan?'

'Het maakt allemaal deel uit van dezelfde zaak waarvoor Bobby is vermoord en John is neergeschoten,' zei ik. 'Bobby's laptop blijkt verdomme zijn gewicht in plutonium waard te zijn en Carp wil dat ding per se terughebben.'

'Geef hem dan terug,' zei ze. 'Als wij Rachel maar terugkrijgen.'

'We krijgen Rachel terug,' zei John vanachter haar. 'We krijgen haar terug, hoe dan ook.'

Marvel explodeerde bijna en draaide zich met een ruk naar hem om. 'Moet je dat nou horen, meneer de geheim agent met je gewonde arm...'

'Hou je mond,' zei John, en hij liep het huis in. Marvels mond ging met een klap dicht en even later kwamen de tranen. Ik had John nog nooit op die toon tegen haar horen praten of hem zoiets tegen haar horen zeggen. Ze rende hem achterna. Ik bleef in de tuin staan met mijn tas vol laptops en voelde me de grootste hufter van de hele wereld omdat ik hier deel van uitmaakte.

Ze hadden niet lang nodig om het weer goed te maken en het daaropvolgende uur waren ze weer aardig voor elkaar, wat echter niet bete-

kende dat er geen harde woorden vielen. 'Bel de politie,' zei Marvel. 'Op het bureau zijn vier agenten op wie we kunnen rekenen. We kunnen ze om hulp vragen.'
Maar John schudde zijn hoofd. 'Begrijp je het dan niet? Het grijpt allemaal in elkaar. We kunnen tegen niemand iets zeggen, want dan komt alles uit en voordat je het weet, wemelt het in huis van de FBI-agenten. We kunnen haar terughalen, maar we moeten het zélf doen.'
Niemand zei: als ze nog in leven is.

Tijdens de rit vanuit Greenville had John gezegd dat de kinderen bij hun oma logeerden en dat ze daar misschien een paar dagen zouden blijven om in huis wat ruimte te creëren. Ik vroeg hem niet wat hij daarmee bedoelde en waar hij die ruimte voor nodig had. We hadden het namelijk al over drie dingen tegelijk, maar een uur nadat we waren aangekomen, stonden er twee zwarte mannen op de stoep. Ze waren niet buitengewoon groot of breed, maar ik had met geen van beiden ruzie willen krijgen. Ze hadden intelligente ogen en ze glimlachten toen ze John de hand schudden en Marvel omhelsden, waarna ze zich terugtrokken in de derde slaapkamer alsof ze dat eerder hadden gedaan.
Een halfuur nadat de eerste twee mannen waren gearriveerd, kwamen er nog twee. En vlak voor middernacht nog twee. Er werd gepraat, er werden nog een paar flessen bier opengetrokken en er werd ijswater en cola gehaald voor de drie die vroeger alcoholist waren geweest.
'Misschien zitten ze wel in een hotel of motel langs de snelweg.'
'Een dikke blanke met een baard met een klein zwart meisje? Een echt zwart meisje? Dat denk ik niet. Hij wil niet opvallen en Rachel is slim; die zet het op een schreeuwen zodra ze de kans krijgt.'
'Het probleem, net als met elke kidnapping, is: hoe kom je zover dat je elkaar voldoende vertrouwt om de ruil te doen?'
'De andere vraag is: is die laptop het waard om hem te houden?'
'Het is niet alleen de laptop, man. Het gaat om Bobby en de rest van de zaak.'
'Je moet geven en nemen.'
'We kunnen Rachel niet opgeven.'
'Dat bedoel ik niet.'

In de loop van het gesprek vertelde ik de anderen over de laatste keer dat ik Carp had gezien en hoe hij er op zijn mountainbike vandoor was gegaan om een deal met Krause te sluiten. Ze luisterden allemaal aan-

dachtig toe en een van hen, Kevin, zei: 'Dus je verwacht dat hij weer een of andere truc zal proberen uit te halen, met zijn fiets of op een andere manier.'
'Als ik hem morgen spreek,' zei ik, 'zal ik hem inprenten dat we allemaal in de problemen raken als de ruil niet goed afloopt. Wíj raken in de problemen omdat hij weet hoe ik heet, voor een deel op de hoogte is van wat we hebben gedaan en dat we banden hebben gehad met Bobby. We kunnen dus niet naar de politie stappen. En híj raakt in de problemen omdat hij die twee mannen bij zijn appartement heeft vermoord en omdat hij Bobby heeft vermoord, dus hij kan ook niet naar de politie stappen. Ik zal tegen hem zeggen dat we alleen Rachel terug willen en dat hij de laptop kan terugkrijgen omdat ik er toch niets mee kan.'
'De vraag is: wáár wil hij de ruil doen?' zei een man die Richard heette. 'En wat is de truc die hij zal proberen uit te halen? We hebben vijf auto's en we hebben allemaal een mobiele telefoon, dus we kunnen contact met elkaar houden. Maar als hij merkt dat we hem achternazitten en hij is iets van plan, en hij weet ons af te schudden, wat doen we dan? Dan zitten we echt in de problemen.'
Zo ging het nog een tijdje door en door al dat gepraat over een truc kreeg ik een idee. 'John, heb jij een behoorlijke kaart van de omgeving?'
Die had hij, en een van de andere mannen had een dikke Rand McNally-wegenatlas bij zich, en met die twee samen kwamen we een heel eind. We spreidden beide uit op de keukentafel en de anderen kwamen om ons heen staan toen ik met mijn wijsvinger de loop van de Mississippi volgde.
'Kijk, dit kan de truc zijn. Als hij me naar een plek een stuk ten noorden of ten zuiden van de stad laat komen... en als hij een kano of een boot heeft gekocht... of heeft gehuurd of gestolen... als hij zijn auto aan de andere kant van de rivier achterlaat, naar de overkant peddelt, mij ontmoet, de laptop in ontvangst neemt en dan weer naar de andere kant peddelt, naar zijn auto... pakken we hem nooit. Dan zitten we allemaal aan de verkeerde kant van de rivier en kunnen we niets doen. Als hij me naar een plek 35 kilometer stroomafwaarts laat komen, kost het bijna een uur om helemaal terug te rijden, de brug over te steken en weer terug te rijden naar de plek waar hij aan wal is gegaan.'
'Hoeveel tijd kost het om naar de overkant te peddelen?' vroeg een van de mannen terwijl hij met zijn vinger op de blauwe lijn van de rivier tikte. 'Ik weet geen barst van kano's.'

'Tien minuten, als hij weet wat hij doet,' zei ik. 'Twee minuten met een motorboot.' Ik wees op de kaart een paar smallere gedeelten van de rivier aan, waar die zo te zien niet meer dan achthonderd meter breed was. 'Hij zal niet voor een van de bredere gedeelten kiezen. En hij zal alles klaar hebben voordat hij belt.'
'Dat zou een goede truc zijn, dat met de rivier,' zei John. 'Het ligt niet te zeer voor de hand.'
'Ik kan niets anders bedenken. Als hij iets met de fiets wil proberen, zal hij vroeg of laat toch terug moeten naar zijn auto. Nu ik erover nadenk, kan het ook zijn dat hij beide zal doen. Want als hij alleen de fiets doet, kunnen wij uitzoeken waar zijn auto staat. Zoveel wegen zijn er niet. Dan kunnen we hem bijna overal klemrijden.'
Om een uur of een in de ochtend hadden we een plan uitgewerkt. We zouden twee auto's aan beide kanten van de rivier posteren, allemaal een paar kilometer ten noorden of ten zuiden van de stad. Als Carp me naar een bepaalde ontmoetingsplaats liet komen, zouden de auto's aan beide kanten van de rivier een stuk met me meerijden en op veilige afstand blijven wachten.
Als hij me vanaf de ontmoetingsplek naar andere plekken zou sturen, zouden de auto's blijven meerijden, maar steeds met voldoende tussenruimte. Als ik Carp eenmaal echt ontmoette en hij was te voet, op zijn fiets of vlak bij de rivier, zou ik onze positie doorgeven en zouden de auto's op zoek gaan naar de meest waarschijnlijke plek waar hij zijn auto neergezet kon hebben.
'Ik ben niet van plan hem de echte bestanden te geven,' zei ik. 'Tenminste, het zijn wel de echte bestanden, maar ze zullen opnieuw beveiligd zijn zodat zijn wachtwoorden niet werken. Hij zal het verschil pas zien wanneer hij ze echt probeert te openen. Tegen die tijd zullen wij al weten of hij ons heeft besodemieterd over de plek waar we Rachel kunnen vinden.'
'Maar je besodemietert hem eerst,' protesteerde Marvel. 'En als hij Rachel nu vermoordt omdat je dat hebt gedaan?'
'Hij heeft de laptop én de bestanden nodig, anders is hij er geweest,' zei ik. 'Als wij hem besodemieteren en hij besodemietert ons en slaagt erin te ontsnappen, zal hij weer contact met ons opnemen, want hij móét die bestanden hebben. Als hij zowel de bestanden als de wachtwoorden als Rachel heeft, kan hij doen wat hij wil.'
'Geen enkel computerbestand is zoveel waard,' zei Marvel. 'Niet het leven van een kind.'

'Er zijn al mensen voor deze bestanden gedood,' zei ik. 'Voorzover we weten drie, en hij heeft ook geprobeerd óns te vermoorden. Carp is gestoord. Denk je nu echt dat hij ervoor zal terugdeinzen om Rachel te vermoorden, omdat ze een getuige is?'
In de stilte die daarop volgde, zocht ik mijn spullen bij elkaar en wenste iedereen welterusten. Marvel was naar de keuken gegaan, waar ze bestek in de la smeet, hoewel ze die avond niet had gekookt. Voordat ik vertrok liep ik naar haar toe en zei: 'Het spijt me van deze toestand... Ik kan niet zeggen hoezeer het me spijt. Maar we halen haar terug.'
'Dat is je geraden,' zei Marvel, en toen ik een stap achteruit deed, voegde ze eraan toe: 'Ze was hier nog geen week, maar ze past in het gezin. En nu, waar is ze nu? Een of andere gek heeft haar te pakken.'
'Maar dat is niet echt onze schuld,' zei ik. 'Ze kende die gek al voordat wij haar ooit hadden ontmoet.'
'Heb je dan niet het gevoel dat... dat deze toestand onze schuld is?'
Ik zuchtte, boog mijn hoofd naar links en naar rechts en zei: 'Ja, voor een deel wel. Ik ben er echt doodziek van. Maar... we krijgen haar terug.'
Ze klopte me een keer op mijn rug en ik liep naar buiten om terug te rijden naar het motel. In mijn motelkamer kopieerde ik de belangrijkste bestanden en wachtwoorden naar mijn eigen laptop, waarna ik de bestanden op Bobby's laptop opnieuw beveiligde en de wachtwoorden wiste. Niemand, ook ikzelf niet, kon de bestanden op Bobby's laptop nu nog openen.
Ik nam twee Ambien-tabletten en sliep zes uur, zij het heel onrustig. Rachels gezicht bleef maar opdoemen uit het duister en ik durfde niet te denken aan wat Carp allemaal met haar kon doen.

De volgende ochtend, op weg naar Johns huis, begon mijn mobiele telefoon te piepen. De dag daarvoor had ik verwacht dat LuEllen zou bellen en kreeg ik Carp aan de lijn. Deze keer was het andersom; ik verwachtte Carp en kreeg LuEllen.
'Ben je al bijna thuis?' vroeg ze zonder me zelfs maar gedag te zeggen.
Ik had een seconde nodig om me op haar stem te concentreren. 'Ik ben in Longstreet,' zei ik. 'We zitten met een groot Carp-probleem.'
'O, nee.'
Ik maak me altijd zorgen als ik een gesprek met een mobiele telefoon voer, want het blijven een soort radio's die af te luisteren zijn, dus gaf

ik haar een wat opgeschoonde versie van wat er was gebeurd. Ze bleef even zwijgen en zei toen: 'En jij gaat het doen?'
'Dat lijkt ons het beste,' zei ik.
'Ik kan niks doen, hè?'
'Ik zou niet weten wat. Is alles oké met je?'
'Ik ben paranoïde. Ik zweer het, ik ben paranoïde geworden. Ik durf geen winkelcentrum meer in, met die software die gezichten kan herkennen. Overal waar je kijkt hangen camera's.'
'Ik zal het je uitleggen als ik terug ben,' zei ik. 'Waar ben je dan?'
'Ik zat te denken aan... jouw huis.'
'Je weet waar de sleutel ligt.'
'Vind je het niet erg?'
'Nee, ik voel me gevleid. Hoor eens, ik moet de lijn vrijhouden want Carp kan bellen, maar ik bel je terug als ik hier klaar ben.'
'Oké, ik wacht op je.'

John, Marvel en ik zaten in de woonkamer en keken tv, meer dan drie uur lang, maar er werd niet gebeld. Marvel geloofde niet in airconditioning, daarom stonden alle ramen en deuren open. Achter het huis was een groentetuin, met een stuk van zes bij zes meter waarop dicht opeen maïs stond geplant. Door de geopende deuren rook ik de zoete geur van maïs die met de warme buitenlucht over de achterveranda het huis binnen kwam drijven. Johns vrienden hadden hun posities op de wegen aan weerskanten van de rivier al ingenomen, ten noorden en ten zuiden van de stad. Ik zat nog steeds naar de twee kaarten te staren en probeerde in te schatten hoe onze kansen lagen.
De rivier heeft hier in het zuiden iets bijzonders. Na de grote overstroming aan het eind van de jaren twintig had men langs het onderste deel van de Mississippi dijken aangelegd. Die dijken lagen niet direct langs de waterkant maar op het hoogste punt van beide rivieroevers, vaak wel honderd meter van het water. Er waren een paar stadjes, aan de belangrijkste wegen, vanwaar uit de rivier nog steeds bereikbaar was. De meeste stadjes lagen echter achter de dijk en je kon de Mississippi er niet eens zien.
Als je langs de Mississippi naar het zuiden rijdt, door Arkansas, Mississippi of Louisiana, krijg je de rivier amper te zien, terwijl je er tientallen kilometers lang op een afstand van vijftig tot honderd meter langs rijdt. En als je over de rivier zelf vaart, gebeurt het heel vaak dat je achter de dijken in de verte alleen maar de daken van de huizen

van de stadjes erachter ziet, stadjes die je niet kunt bereiken zonder je eerst door een wild begroeid stuk moerasland te worstelen.
En als je ooit snel een giftige slang nodig hebt – een ratelslang, een koperkop of een mocassinslang – is het gebied tussen de dijk en het water, overal tussen Memphis en New Orleans, de ideale plek om er een te vinden.

Misschien zat ik er helemaal naast met mijn vermoeden dat hij de rivier zou oversteken. Ik wist bijna zeker dat de gedachte in hem opgekomen was, maar als hij er goed over had nagedacht, zou hij ook beseffen dat hij voor een schutter op een motorboot enige tijd lang een drijvende schietschijf zou zijn. Tegen een uur of elf had ik mezelf ervan overtuigd dat hij niet zou proberen de rivier over te steken en dat hij in plaats daarvan het bos in zou vluchten, waarschijnlijk op die mountainbike van hem. Voorzover we wisten had hij geen geld om meer geavanceerde ontsnappingspogingen te financieren.
Mijn telefoon begon te piepen. We keken er alle drie naar alsof het een ratelslang was en pas toen hij de tweede keer overging, griste ik hem van het blad van de tafel waaraan ik zat. ‘Hallo?’
‘Ben je in Longstreet?’
‘Ik ben net aangekomen,’ zei ik. ‘Ik ben zo moe dat ik nauwelijks uit mijn ogen kan kijken. Maar als je er klaar voor bent, laten we het dan doen.’
‘Heb je de laptop bij je?’
‘Ja, maar daar wil ik je een paar dingen over zeggen. Wij denken namelijk dat je van plan bent ons te bedriegen met het meisje. Ik zal je de laptop geven, maar ik wil je adviseren ons niet te bedriegen. Ik weet niet of je weet wie je tegenover je hebt, maar als je Rachel ook maar iets hebt gedaan, zullen we je weten te vinden en krijg je geen kans meer om je advocaat te bellen. Dan snijden we je lelijke kop eraf. Heb je dat goed begrepen?’
‘Val dood. Breng me de laptop.’
‘Hoor eens, het heeft geen zin om ons te bedriegen.’
‘Dat weet ik ook wel. Luister, weet je waar Universal ligt?’
‘Universal? Wat is dat?’
‘Een stadje, ongeveer 25 kilometer ten zuiden van Longstreet. Een café, een benzinestation en een levensmiddelenwinkel. Vraag het maar aan je vrienden.’
Ik keek John aan. ‘Een stadje dat Universal heet?’

Hij knikte. 'Een stukje ten zuiden van hier.'
'Oké,' zei ik tegen Carp. 'Ze weten waar het ligt.'
'Rij ernaartoe. Hou de lijn van je mobiele telefoon vrij. Als je nu meteen vertrekt, moet je er vanaf het huis van je vriend over ongeveer 21 minuten kunnen zijn. Ik bel je over 21 minuten.'
'En Rachel...?'
'De volgende keer vertel ik je over Rachel.' En weg was hij.

Voordat ik vertrok, wees John het stadje aan op de kaart. 'Er zijn daar veel heuvels, allemaal met bomen begroeid. Ik durf te wedden dat hij op een van de heuvels zit, ergens waar hij uitzicht heeft op het stadje. En moet je dit zien... Iets ten zuiden van het stadje is een van de smalste gedeelten van de rivier, daar, bij Cutters Bend, en de snelweg loopt er vlak langs. Hij gaat de oversteektruc doen.'
'Ik moet gaan,' zei ik. 'Breng jij de anderen op de hoogte. Marvel, ik heb je mobiele telefoon nodig.'
Ze gaf me het toestel, maar vroeg: 'Waarvoor?'
'Omdat ik in staat wil zijn contact met jullie te houden terwijl ik met hem in gesprek ben op mijn eigen toestel. Ik wil dat jullie kunnen horen wat ik tegen hem zeg. Ik bel John op jouw telefoon als ik Universal tot een paar kilometer ben genaderd en blijf in contact terwijl ik het stadje in rijd en wacht totdat hij me belt.'
We liepen al in de voortuin toen ik het uitlegde, en ik stapte in de auto en zwaaide. John stond al in zijn telefoon te praten om de jongens in het noorden op de hoogte te brengen.

De snelweg ten zuiden van Longstreet was bekend uit talloze liedjes, zowel uit de blues als de jazz, de country en zelfs de rock, van muzikanten die tussen Memphis en New Orleans langs de rivier reden en plaatsjes aandeden als Baton Rouge, Natchez, Vicksburg, Greenville en Helena. Het is een oude snelweg, een lappendeken van asfalt en beton vol barsten en bochten waarvan de helft – zo bleek – bij de plaatselijke bevolking bekendstond als dodemansbochten, en sinds de I-55 naar het oosten was aangelegd, werd de weg alleen nog gebruikt voor korte ritjes.
Ik was niet helemaal alleen op de snelweg toen ik naar het zuiden reed, maar de dichtstbijzijnde auto bevond zich ongeveer achthonderd meter voor me en in mijn achteruitkijkspiegel zag ik niemand. Zo'n beetje om de minuut kwam er een auto uit de tegengestelde

richting, wat een indruk gaf van de gemiddelde verkeersdrukte in deze omgeving.
Het was een bloedhete dag: augustus in de Mississippi-delta. De lucht boven het wegdek trilde en ik zag luchtspiegelingen van twee meter hoog. Een reeks heuvels liep evenwijdig met de rivier, maar een flink eind ervandaan, net als in Longstreet. Naarmate ik echter zuidelijker kwam, drongen de rivier en de snelweg meer de heuvels in, die zich daar hadden vernauwd tot een vallei. Een kilometer of vijftien ten zuiden van Longstreet begonnen de heuvels vlak naast de weg. De dijk was een kleine kilometer verderop en het gebied tussen de weg en de dijk werd onderbroken door kleine stukken bouwland met katoen en bonen. Ik belde John met Marvels mobiele telefoon, kreeg hem aan de lijn en legde het toestel tussen mijn benen op de stoelzitting, zodat ik erin kon praten. 'Ik nader Universal,' zei ik een paar minuten later. 'Nog geen telefoontje.'
Universal was een stoffig gehucht langs de weg, drie gebouwtjes en een oude barak van gegalvaniseerd golfijzer, van kort na de Burgeroorlog die eruitzag alsof hij al heel lang niet meer gebruikt werd. Op de zijkant van de barak hing een bord met de naam van de bouwer, die blijkbaar Universal heette, wat mijn vraag over de naam van het stadje beantwoordde. Ik stopte op het parkeerterrein van Universal Café en op dat moment begon mijn mobiele telefoon te piepen. 'Ik word gebeld,' zei ik in de telefoon tussen mijn benen.
Ik pakte mijn eigen toestel en drukte de knop in. Carp zei: 'Pak de laptop en loop terug over de snelweg.'
'Loop terug over de snelweg?' herhaalde ik, voornamelijk voor John. 'Hoor eens, James, laten we één ding duidelijk stellen. Ik ga mezelf niet blootgeven zodat jij me kunt doodschieten, de laptop kunt pakken en Rachel kunt houden. Ik loop nergens naartoe.'
'Jezus christus, ik schiet je niet dood.' Zijn stem klok hoog en gespannen, alsof Carp aan het eind van zijn Latijn was.
'Sorry, James, maar ik vertrouw je niet. Zeg maar waar ik naartoe moet gaan en waar ik de laptop moet achterlaten, en dan zal ik dat doen.'
'Jullie meisje is al in het bos aan een boom geketend. Ergens waar niemand haar kan vinden... of het moet een jager zijn die over een jaar of tien een skelet tegen een boom ziet zitten.'
'Dan zal iemand jou ook vinden, tenminste, je hoofd in een rieten mand,' zei ik. 'Ik meende wat ik daarnet zei.'

Het bleef even stil. Toen zei hij: 'Oké, rij nog een stukje naar het zuiden. Langzaam. Ik zal je zeggen wanneer je moet stoppen en waar je de laptop moet neerleggen. Ik hou je in de gaten.'
'En Rachel?'
'Blijf aan de lijn en rij naar het zuiden. Dan is dit zo afgehandeld.'
'Hoe ver naar het zuiden?' vroeg ik voor John.
'Niet ver.'
'Oké, als het niet te ver is.' Ik reed met een snelheid van ongeveer veertig kilometer naar het zuiden. Na dertig seconden zei Carp: 'Als je aan de linkerkant van de weg een rood vlaggetje ziet, stop je aan de rechterkant van de weg.'
Ik zag het rode vlaggetje, een zakdoek, en stopte. 'En nu?'
'Kijk achterom naar de kant waar je vandaan bent gekomen.' Ik keek en zag hem op zijn mountainbike, aan de linkerkant van de weg, met zijn mobiele telefoon tegen zijn oor gedrukt. 'Je kunt me zien. Ik heb geen pistool in mijn hand. Als je me iets doet, zal Rachel sterven in het bos.'
'Oké, ik zie je,' snauwde ik. 'Je kunt die verdomde laptop krijgen. Kom hem maar halen. Wil je dat ik nu uitstap?' Het laatste was voor John.
'Ja, stap uit.'
'Goed, ik stap uit.'

De zon was verzengend heet, afgezien van het zachte geruis van verkeer in de verte was het doodstil, zo ver waren we van de bewoonde wereld, en ik rook de geur van verschroeide alsem. Carp was veertig meter van me vandaan, op zijn fiets, maar hij reed niet maar balanceerde erop. Hij stak een stuk papier omhoog en zei in de telefoon: 'Op deze plattegrond staat waar Rachel is. Als je in de buurt komt en roept, roept ze wel terug. Ik heb de oude winkel getekend, waar het pad begint. Het kan niet missen.'
Ik stak Bobby's laptop omhoog. 'Hier is de laptop. Wat moet ik ermee doen?'
'Leg hem aan de kant van de weg neer, stap weer in en rij een stuk door. Ik zal ernaar kijken en als alles klopt, leg ik de plattegrond neer. Als je iets probeert, ga ik ervandoor en hoor je nooit meer iets van me. En Rachel hoort nooit meer iets van jou.'
'Ik snij je verdomde kop van je romp!' schreeuwde ik in de telefoon.
'Ja, ja... Leg dat ding nu maar neer.'

Ik stak de snelweg over, legde de laptop in de berm, liep terug naar de auto en reed een meter of vijftig verder naar het zuiden. Achter me kwam Carp langzaam door de berm op de laptop toe fietsen. Ik had de laptop in de auto al aangezet. Hij pakte hem op, klapte het beeldscherm op en keek ernaar. Toen sloeg hij een paar toetsen aan en deed het scherm weer dicht. Daarna legde hij de plattegrond in de berm en verzwaarde die met een paar keien. Er kwam een auto langsrijden. De bestuurder keek ons nieuwsgierig aan, maar hij reed door.

Carp was weer op zijn fiets gestapt, reed van me weg en zei in de telefoon: 'Je kunt de plattegrond gaan halen.' Hij klonk zelfingenomen. De verbinding werd verbroken en terwijl ik toekeek, reed hij aan het eind van een stuk bouwland de weg af, nam zijn fiets op zijn schouder en liep een pad af dat naar de dijk toe moest lopen. Ik pakte Marvels telefoon op.

'Hij heeft de plattegrond achtergelaten en is de weg af gereden in de richting van de dijk. Ik sta driekwart kilometer ten zuiden van Universal. Hij gaat de oversteektruc doen.'

'We komen jouw kant op aan de overkant van de rivier,' antwoordde John.

Ik reed achteruit totdat de auto tegenover de plek met de plattegrond stond. Terwijl ik dat deed, verdween Carp aan de andere kant van de dijk tussen de populieren. Vanaf de plek waar ik stond, zag ik een smal pad tussen het groen in de richting van de dijk lopen. Van de plaatselijke vissers, nam ik aan.

De plattegrond bestond uit twee blaadjes papier: een fotokopie van een wegenkaart met daarop een kruispunt vijftien kilometer ten westen en iets ten zuiden van Longstreet, ongeveer 25 kilometer rijden vanaf de plek waar ik nu stond. Het tweede blaadje was met de hand getekend en begon met het kruispunt. Er stond een rechthoek op met daarin LEEGSTAANDE SCHOOL, en een lijn met een pijl en de woorden PAD – LOOPT HET BOS IN. Zo te zien zou de plattegrond me ruim twee kilometer het bos in voeren. Het zag er allemaal zo goed uit, dat ik echt begon te geloven dat we Rachel terug zouden vinden.

'Ik heb de plattegrond,' zei ik tegen John.

'Hij heeft een boot. De jongens aan de overkant kunnen hem zien, een motorboot waar hij op dit moment zijn fiets in tilt. Ze kunnen zijn auto niet vinden. Ze zeggen dat ze nergens een auto hebben zien staan.'

'Die moet ergens staan. Zeg dat ze voorzichtig zijn; hij kan gewapend zijn.'
'Wat doen we met Rachel?'
'Hij zegt dat ze in het bos aan een boom geketend zit. Ik heb de plattegrond. Ik ga er nu naartoe.'
'Waar?'
Ik legde het uit, hoorde hem even met Marvel praten en toen zei hij: 'We zien je daar over een kwartier.'

Ik moest zeven kilometer naar het noorden rijden voordat ik de vallei uit was en links kon afslaan, naar de plek waar Rachel zich bevond. Onderweg belde John. 'Hij vaart de rivier af, maar steekt hem niet over.'
'Shit, wat is hij van plan? Kunnen de jongens hem nog zien?'
'Ze kunnen hem wel zien, maar ze hebben geen idee waar hij naartoe wil. Hij vaart aan hun kant, vlak achter de dijk.'
'Dan heeft hij zijn auto zeker ergens anders neergezet, niet recht tegenover de ontmoetingsplek,' zei ik.
'Ze blijven hem volgen en Marvel en ik zijn onderweg naar jou.'

Even later belde John weer. 'Verdomme. Hij is gedraaid en overgestoken naar jouw kant. Dit moet zijn tweede truc zijn. Hij heeft ons misleid. Hij heeft de boot aangelegd, is eruit gestapt en zit weer op zijn fiets.'
Ik hoorde hem roepen in een andere mobiele telefoon. 'Jullie moeten bij hem blijven. Henry, draai om en rij terug naar het zuiden; zijn auto moet daar ergens staan. Kevin, jij rijdt door naar Greenville, nu meteen... Ik weet het, ik weet het... maar dat is de enige manier om voor hem uit te blijven als hij in zuidelijke richting blijft rijden... Ja, ik weet het.'
Henry was de bestuurder van de auto ten zuiden van me. Hij was dichterbij gekomen toen de ruil plaatsvond en toen Carp de rivier was overgestoken, was hij richting Longstreet gereden, naar de brug. Dus hij reed nu ten noorden van Carp en aan deze kant van de rivier reed er niemand meer ten zuiden van hem.
'We gaan hem kwijtraken,' riep ik in de telefoon.
'Nee, nee...' riep John terug.
Ik hoorde hem weer in de andere telefoon praten. 'Zie je hem? Zie je hem? Rij terug naar het zuiden, Henry, blijf doorrijden.' En tegen mij

zei hij: 'Henry heeft de Corolla zien staan. Carp is daar nog niet aangekomen. Henry rijdt nog een stuk door naar het zuiden.'
Oké, Carp was nu ingesloten door twee auto's. Twee auto's met intelligente jongens achter het stuur. Het werd niet gezegd, maar ik nam aan dat ze Carp zagen.
Ondertussen naderde ik het kruispunt dat me naar Rachel zou voeren. Ik moest twee keer links afslaan om op de grindweg te komen die naar de oude school zou leiden.
John en Marvel waren al op de plek en zaten in hun auto op een kaart te kijken. Ik stopte, stapte uit, rende naar de bestuurderskant van Johns auto en voelde de zon op mijn schouders branden. 'Laat me die plattegrond zien,' zei John.
Ik gaf hem de twee blaadjes. Het was duidelijk: we waren op de juiste plek. We ruzieden er even over als twee snaterende ganzen, maar het deed ons geen goed.
Er was namelijk geen oud schoolgebouw, en ook geen pad dat het bos in liep.
Het enige wat we zagen waren twee grindwegen die elkaar kruisten en zich aan alle vier de kanten tot in het oneindige uitstrekten. Het soort kruispunt waar Robert Johnson zijn ziel aan de duivel had verkocht.

20

We stonden naast de auto en vergeleken de plattegrond die ik van Carp had gekregen voor de derde keer met onze eigen kaarten toen Johns mobiele telefoon overging. Hij luisterde even, zei: 'Twintig minuten', en beëindigde het gesprek.
Tegen Marvel zei hij: 'Ik ga met Kidd mee. Rij jij terug naar huis, voor het geval er iemand over Rachel belt.'
'Wat is er aan de hand?' vroeg ze.
'Nog niks. Maar het ziet ernaar uit dat de jongens die hem volgen wel wat hulp kunnen gebruiken. Als ze niet vaker kunnen afwisselen, zal Carp de auto's herkennen. Ga jij nu maar.'
Er ging iets gebeuren en Marvel wist het. Ze bleef hem even aankijken en wilde iets zeggen, maar toen John zijn hoofd schudde, zei ze: 'Oké.'
'Doe geen domme dingen, zoals ons achternarijden,' zei hij. 'Je bent thuis nodig.'

Twee minuten later was zij de ene kant op gereden en wij de andere, en zelfs na ruim een kilometer zagen we nog steeds de stofwolk die haar auto opwierp terwijl ze terugreed naar Longstreet.
'Hij zit in het RayMar Motel in Bradentown,' zei John tegen me. 'Hij is op zijn kamer, dus het zal niet lang duren voordat hij merkt dat je de laptop gesaboteerd hebt. We hebben twee auto's bij hem in de buurt en de andere twee komen eraan.'
'Hoe ver is het?'
Hij keek op zijn horloge. 'Als we een beetje doorrijden, kunnen we er in een halfuur zijn.'
'Hoe ziet het motel eruit?'
'Gezinsmotel, één verdieping, het kantoor aan de ene kant en de kamers er in een lange, rechte lijn naast. Het is er nooit erg druk. Ik ken de beheerders niet, maar er komen veel zwarte mensen... Dus we zullen niet al te zeer opvallen.'

Een halfuur later waren we er nog niet maar begon wel mijn mobiele telefoon te piepen. Ik aarzelde, maar had geen keus.
'Vuile schoft,' riep Carp. 'Je hebt me bedonderd.' Je zag zijn speeksel in het rond vliegen.

'We zijn net op het kruispunt geweest, James, dus zeg jij maar niks over bedonderen. Ik kan je vertellen waar je de wachtwoorden kunt vinden... Ik zou dat ook hebben gedaan als we Rachel hadden gevonden, maar nu... Ik denk dat je diep in de problemen zit. Je weet wat ik je heb gezegd.'
'Ik wil verdomme die wachtwoorden,' riep hij. 'Als jullie het meisje terug willen, kun je ze maar beter snel geven.'
'Ben je nog steeds in de buurt van Universal?' vroeg ik.
'Het maakt niet uit waar ik ben,' zei hij, iets rustiger nu. 'Hoe gaan we dit doen? Ik wil niet dat het meisje doodgaat. Ik heb niks tegen haar, maar als ik die wachtwoorden niet krijg, laat ik haar daar zitten.'
'Ik weet niet hoe we je nog kunnen vertrouwen, James.'
'Luister...'
'Nee, James, jíj luistert,' zei ik. 'Ik ben nog steeds in het bos. We hebben hier rondgereden in de hoop dat we op de verkeerde plek waren en alsnog de oude school zouden vinden. Ik ga nu ophangen en kijken of ik iets kan bedenken. Het zal iets heel bijzonders moeten worden.'
'Ze zit aan een boom geketend,' zei hij weer.
'Bel me over een halfuur maar terug,' zei ik.

Vijf minuten later parkeerden we voor de Bradentown Bakery, op één blok afstand van het RayMar. Bradentown was kleiner dan Longstreet, maar het was er net zo heet. Er bewoog niets onder de verzengende middagzon. Ik stapte uit, ging de bakkerij binnen en kocht twee appelgebakjes en twee blikjes cola, voornamelijk om de eigenares achter haar toonbank te houden. Toen ik weer buiten kwam, zag ik dat twee van Johns vrienden achter in de auto waren gestapt.
'We hebben het uitgedokterd,' zei Henry tegen John. 'Als je naar binnen wilt, kunnen we hem pakken.'
'Hij heeft een pistool,' zei ik.
'Binnen drie seconden zitten we boven op hem,' zei Henry. 'Maar we hebben iemand nodig die naar het kantoor gaat en de beheerder aan de praat houdt terwijl we het doen.'
Ze keken allemaal naar mij, maar ik schudde mijn hoofd. 'Ik moet met Carp praten. Ik moet horen wat hij te zeggen heeft. Een van de andere jongens zal met de beheerder moeten gaan praten.'
De drie keken elkaar aan, er werd stilzwijgend gestemd en ten slotte zei John: 'Kidd heeft gelijk. Laat Terry met de beheerder gaan praten. Die lult het best van ons allemaal.' De andere twee keken elkaar aan, knik-

ten en Henry haalde zijn mobiele telefoon uit zijn zak. 'Terry, jij gaat met de beheerder praten. Zet de auto voor het kantoor, zodat hij hem kan zien, en raak niets aan terwijl je binnen bent. Ja... ja... Verzin maar wat, maakt niet uit wat.'
Hij beëindigde het gesprek en knikte naar John. 'Voor elkaar.'
'Zijn kamer grenst toch niet aan een andere, hè?' vroeg ik.
'Nee,' zei Henry. 'Geen enkele kamer grenst aan een andere.'

Terry had twee minuten nodig om zich voor te bereiden en toen zagen we zijn auto voor het kantoor van het RayMar stoppen. We reden achteruit het parkeerterrein af en zodra Terry naar binnen was, reden we naar het motel toe. Een andere auto, een oude Chevy, stopte op de parkeerplaats een paar deuren voor het eind van de rij motelkamers.
'Hij zit in de op één na laatste kamer,' zei Henry. 'Parkeer naast Bobs auto, de Chevy, en wacht af.'
Henry en de andere man – ik heb zijn naam nooit te horen gekregen – stapten uit, gingen naast de Chevy staan, waar Bob aan de ene kant en een knaap die Rote heette aan de andere kant uitstapten. Bob had een zware voorhamer in zijn hand, die langs zijn bovenbeen hing. Ik wilde iets zeggen over een veiligheidsketting op de deur, maar voordat ik de kans kreeg mompelde John: 'Rote heeft een betonschaar.'
De vier wisten wat ze deden. Ze hadden veel weg van politiemensen en hadden de vorige avond ook gepraat als politiemensen. Bob ging bij de deur staan, nam rustig de tijd, terwijl Henry en de andere twee hem afschermden voor nieuwsgierige blikken vanaf de straat en vanuit het kantoor. Toen Bob klaar was, knikte hij en haalde Rote zijn betonschaar tevoorschijn. De betonschaar bleek niet nodig, want toen Bob de deur met de voorhamer raakte, met een enkele klap die aan een aanrijding van twee auto's deed denken, vloog de deur open – dus geen veiligheidsketting, of in elk geval niet een die had gehouden – en liepen de vier mannen naar binnen.
Ik volgde vlak achter hen. Carp zat op het bed, te typen op de laptop, en toen we binnenkwamen, dook hij naar het nachtkastje aan de andere kant van het bed, waar onder de lamp een zware Beretta uit het leger lag. Het was hem bijna gelukt hem te pakken; zijn hand was een centimeter of vijftien van het pistool verwijderd toen Bob boven op hem landde, en daarna Rote, die hem bij zijn keel greep en het bed af sleurde. Carp schreeuwde en Rote sloeg hem met zijn gebalde vuist op zijn neus, die brak. Carp stopte met schreeuwen, begon te kokhalzen

en toen was de deur dicht, lag Carp op de grond en zaten de drie mannen boven op hem.
'Draai hem om,' zei John.
Ze fouilleerden hem – weer moest ik denken aan politiemensen – draaiden hem om en Rote ging op zijn borstkas zitten terwijl John naast zijn hoofd neerhurkte. 'Waar is ze?' vroeg John.
Carp keek verwilderd om zich heen en zijn borstkas trilde van de adrenaline onder Rotes gewicht, maar hij krijste: 'Val dood! Toe maar, vermoord me maar, klootzak! Dan vermoord je het meisje ook!'
Rote legde de muis van zijn hand op Carps lippen, duwde zijn mond zo ver mogelijk open en stak vervolgens zijn andere vuist erin. John bleef Carp vijf seconden aankijken, stak zijn hand in zijn zak en haalde er een rood Zwitsers zakmes uit. Hij trok het grote lemmet eruit, keek Carp weer aan en zei: 'Ik ga je één vraag stellen. Als je geen antwoord geeft, snij ik je neus eraf. En daarna wip ik je ogen eruit. Hier komt de vraag. Bij welk stadje is Rachel het dichtst in de buurt? Universal? Longstreet? Dat kruispunt? Hier in Bradentown? Welk stadje? Je hoeft niet te zeggen waar ze is, alleen bij welk stadje ze het dichtst in de buurt is.'
Rote trok zijn vuist uit Carps mond. Carp hapte naar adem, kreunde en zei: 'Het kan me niet schelen dat jullie me vermoorden. Ik vertel je toch niet waar ze is. Klootzakken. Klootzakken!'
John boog zich met het mes in zijn hand over hem heen. 'Ik ga nu je neus eraf snijden,' zei hij. 'Over tien seconden heb jij geen neus meer. En niemand zal die neus er ooit nog op zetten.' Hij praatte zacht, maar zijn gezicht stond zo hard als graniet en ik was op dat moment doodsbang van hem. 'Dus geef antwoord op mijn vraag. Niet waar ze is maar bij welk stadje ze het dichtst in de buurt is.'
Carp bleef hem nog even aanstaren, maar ten slotte blafte hij: 'Universal. Als je me de wachtwoorden had gegeven, zou ik het je gewoon verteld hebben.'
John draaide zich om naar mij en zei: 'Ga ernaartoe.'
'Maar ik...'
'Schiet op, rij ernaartoe,' zei hij ongeduldig, en tegen de anderen: 'Hij moet hier weg; Terry moet inmiddels uitgeluld zijn.'
Rote gaf me de betonschaar en zei: 'Voor de ketting, als die er is.' En dat was het laatste wat ik van Johns vrienden zag. John had nu de leiding, dus ik stapte in de auto en deed wat me gezegd was: ik ging op weg naar Universal.

Het duurde een tijdje om er te komen. Ik hield me aan de maximumsnelheid en lette op de gele lijnen op het wegdek, want ik was doodsbang dat een verkeersagent me zou aanhouden. Maar ik zag nergens politie; Universal was compleet uitgestorven.
Een kwartier nadat ik er was aangekomen, zat ik in een box in het café. De enige andere klant zag eruit als een boer die helemaal aan de andere kant van de rij boxen een stuk taart zat te eten en de krant zat te lezen. Ik had een bord friet met een hamburger voor me staan – ik had geen honger, maar het gaf me een reden voor mijn aanwezigheid hier – toen Marvel arriveerde.
Ik zag haar buiten uit de auto stappen en zij zag mij door het raam. Toen ze binnenkwam, zei de barjuffrouw: 'Hallo, miss Marvel,' en Marvel glimlachte en antwoordde: 'Hoe staan de zaken?' Daarna keek ze om zich heen om te zien wie er nog meer was en toen ze mij zag zitten, keek ze nog een keer goed en vroeg: 'Zeg, bent u niet meneer Barnes van Verkeer en Waterstaat?'
'Ja, en u bent de burgemeester van Longstreet.'
'Mag ik bij u komen zitten? Ik had u al willen bellen over de aanvoerroutes van de brug.'
'Daar was ik al bang voor,' zei ik, en ik gebaarde naar de bank aan de andere kant van de tafel. Marvel vroeg de barjuffrouw om een cola en een stuk appeltaart en kwam tegenover me zitten. We praatten over de brug totdat ze haar stuk taart had gekregen en toen de barjuffrouw was weggelopen om met de andere klant te gaan praten, boog Marvel zich voorover en zei: 'John heeft gebeld. We moeten wachten. Hij zou me op mijn mobiele telefoon bellen.'
'Waar zijn ze?'
Ze haalde haar schouders op. 'Ik denk niet dat we dat hoeven te weten.' Ze zag er opeens aangeslagen uit. 'Ik ben gek op die man. Ik weet dat hij in het verleden het een en ander heeft gedaan en ik ben toch gek op hem. Maar zoals hij nu is, heb ik hem nog nooit gezien. Hij heeft me vanochtend de stuipen op het lijf gejaagd.'
'Dat heeft hij vanmiddag bij mij gedaan,' zei ik, en toen ik de barjuffrouw zag aankomen met een karaf cola light, vervolgde ik: 'Als u geen kans ziet om de kilometervergoeding te beperken, zie ik geen reden voor de staat om geld te blijven stoppen in het wegenbeheer hier.'
'Er is vast nog wel ergens een potje,' zei Marvel. 'Het is niet eerlijk om alleen de belastingbetalers van Longstreet te laten opdraaien voor het onderhoud van de brug. De hele omgeving maakt gebruik van die brug.'

'Dan moet u een wetsvoorstel indienen,' zei ik.
Zo praatten we nog tien minuten door, totdat we geen onzin meer bij elkaar wisten te verzinnen. Op dat moment belde John en Marvels donkere ogen lichtten op. Ze haalde een plattegrond uit haar tas en zei: 'Ja, ik begrijp het... Ja, ik begrijp het. Oké, ik ga meteen.'
Ze beëindigde het gesprek en zei tegen mij: 'Ik moet gaan. Ik hoop dat ik u in het najaar bij de openbare hoorzitting zal zien. Elke hulp die u ons bij het regionale toezicht kunt geven, zal buitengewoon welkom zijn.'
'Ik moet zelf ook weg,' zei ik. Ik haalde een paar bankbiljetten uit mijn zak en we gingen allebei aan de bar onze rekening betalen. Ik bleef nog even hangen, praatte wat met de barjuffrouw en kocht een paar flesjes bronwater om Marvel de gelegenheid te geven te vertrekken. Toen ik in mijn auto stapte, zag ik haar op de snelweg rijden. Een minuut later reed ik achter haar en voerde ze ons met flinke snelheid een kilometer of tien in zuidelijke richting, waarna we van de rivier wegdraaiden en een kilometer of acht landinwaarts reden.
Ze stopte op een verlaten kruispunt dat een beetje leek op het kruispunt waar John en ik een paar uur daarvoor waren geweest. Alleen was het land hier wat ruiger, met verwaarloosde akkers in drie van de vier segmenten en een steil oplopende, beboste heuvel in de laatste. Aan de voet van de heuvel stond een leegstaand houten gebouw met een door de zon gebleekt bord, dat ons vertelde dat het om CHARM TOWNSHIP HALL ging. Marvel stapte uit haar auto en zei: 'We moeten dezelfde plattegrond van vanochtend gebruiken, met dit stadhuis in de plaats van de oude school.'
Ik knikte en zei: 'Dan moet er naast het gebouw een pad beginnen.'
Ik haalde de betonschaar en de twee flesjes bronwater uit de auto, we vonden het pad op de aangegeven plek en we liepen het bos in. 'Pas op voor slangen,' zei Marvel, die vooropliep.

We kwamen geen slangen tegen. Het pad werd steeds smaller naarmate we hoger op de heuvel kwamen, maar het bleef steeds goed zichtbaar. Het zag eruit als een jagerspad en ik vermoedde dat het in het voorjaar en najaar door de plaatselijke bevolking werd gebruikt. Na ongeveer vierhonderd meter maakten we drie hazen aan het schrikken en we zagen ze voor ons uit de heuvel op huppelen.
Na achthonderd meter vroeg Marvel: 'Denk je dat we al een mijl hebben gelopen?'

'Nee, misschien een halve.'
'Carp heeft tegen John gezegd dat het precies een mijl was. Hij zei dat hij het met een GPS gecontroleerd heeft. Eén mijl in een rechte lijn naar boven.'
'Nog een minuut of tien, denk ik,' zei ik, 'als we op het pad kunnen blijven.'
We liepen door en het werd steeds heter. Het pad was overgroeid door de bomen, maar de buitenlucht was zo heet, dat zelfs de schaduw geen enkele verkoeling bood, en tegen de tijd dat we de top van de heuvel bereikten, waren onze hemden nat van het zweet. Het pad liep door aan de andere kant van de heuvel – ik zag een hertenspoor – en na een paar minuten zei ik: 'We moeten nu toch in de buurt komen.'
De bomen stonden dicht opeen en aan weerszijden van het pad waren dichte struiken. Daardoor was het zicht niet meer dan een meter of vijftien, alle kanten op. Marvel wierp haar hoofd achterover en riep: 'Rachel!'
Geen antwoord.
'Rachel!'
Toen, in de verte: 'Help!'

Rachel was een luidruchtig meisje en ze had een prima stel longen. We vonden haar tweehonderd meter verderop, op een open plek die met gras was begroeid. Ze stond naast een boom, met haar laptop onder haar arm, een mager meisje met grote angstogen, gekleed in een blauw gebloemd bloesje en een korte spijkerbroek. Ze had een ketting met een hangslot om haar middel. Het andere uiteinde van de ketting was om de zestig centimeter dikke boomstam geslagen en eveneens afgesloten met een hangslot. Het was precies zoals Carp had gezegd en er liep een koude rilling over mijn rug toen ik besefte dat hij haar hier zou hebben achtergelaten.
Marvel rende de laatste honderd meter, viel een keer, waardoor ze zich bezeerde. Toen krabbelde ze weer overeind, rende door, nam Rachel in haar armen en begon te huilen. Rachel keek mij aan en zei: 'Er kruipen allemaal enge beesten over me heen', en toen begon zij ook te huilen. Ik nam de laptop van haar over en snikkend en happend naar adem zei Rachel: 'Jimmy James heeft me pijn gedaan. Jimmy James heeft me pijn gedaan. Jimmy...'
Ik begreep meteen wat ze bedoelde; Marvel niet, niet meteen. Ze probeerde Rachel te troosten. 'Dat komt wel weer goed, kindje, dat komt

wel weer goed. Er kan je niets meer gebeuren. Waar heeft hij je pijn gedaan?'
Rachel begon weer te snikken, veegde de tranen uit haar ogen met de muizen van haar handen, keek op naar Marvel en zei: 'Hij heeft me gedwongen het met hem te doen. Hij heeft me pijn gedaan.'
'O, jezus, o kindje...' zei Marvel, en ze keek me geschokt aan. Ik was net zo geschokt.
Ik knipte de ketting door met de betonschaar. Rachel was best zwaar en Marvel was niet zo groot, maar zij was degene die het meisje droeg. Ik bood aan haar over te nemen, maar Rachel schudde haar hoofd en Marvel zei: 'Beter van niet.' Ik nam aan dat Rachel op dit moment niets met welke man ook te maken wilde hebben. Voorlopig even niet.
'Ik was bang dat die engerd mijn laptop zou pikken,' zei Rachel over Marvels schouders tegen mij. En even later: 'Ik moest in het bos plassen.'

Toen we halverwege de heuvel waren, belde ik John. 'We hebben haar gevonden.'
'Godzijdank. Ik zie je straks in Longstreet. Is ze ongedeerd?'
'Niet helemaal,' zei ik. Het bleef stil; hij wist het.
'Ik zie je straks in Longstreet,' zei hij ten slotte.
'Wat gebeurt er met Carp?'
'Ik zie je straks in Longstreet.'
Ik vroeg het niet nog eens.

21

Op de top van een flauw oplopende heuvel die begint bij een bochtige plattelandsweg – een weg zoals je die in New England zou kunnen tegenkomen – had kunstverzamelaar Mansard Penders voor twee miljoen dollar voor zichzelf een huis laten bouwen. De veranda biedt uitzicht op een golvend gazon, een stenen muurtje, de snelweg en zijn bos. Het bos is van hem, achtduizend hectare aangeplante pijnbomen en nog een paar andere soorten hardhout, in de Rufus Chamblee-bocht in de Mississippi, boven Mansardville in Louisiana.
Een rommelige tuin in Engelse stijl met bochtige grindpaden bevindt zich aan de achterkant en de zijkanten van het huis. De tuin is aangelegd door Florence Penders en je kunt er alle kleuren van Monets tuin in Giverny vinden. Maar in tegenstelling tot Monets tuin, die in keurig aangelegde bloembedden was verdeeld, bestaat Flo's tuin uit bulten en kuilen vol bloemen die in het voorjaar bloeien, in juni en juli een pauze nemen en daarna nóg een keer bloeien: rode, witte en gele rozen, roze stokrozen en chrysanten, gevlamde gladiolen, diepblauwe irissen, felrode papavers, blauwe korenbloemen en ridderspoor, oranje hanenkammen en rode en paarse dahlia's.
Als je over de bloemen heen kijkt, kun je in de diepte de Mississippi zien liggen, als een staalblauwe, kronkelende slang. Soms, als de wind uit de juiste hoek komt, kun je de dode vis en de modder van de rivier ruiken, en op stormachtige dagen kun je in het westen de golven zien klotsen.
In de westelijke vleugel van het huis is een bibliotheek met walnoten lambriseringen en boekenkasten. Walnoothout heeft een donkerbruine tint met een vleugje grijs, maar de erkerramen, de ambachtelijk gemaakte lampen en de kleurige papieren omslagen van de gebonden boeken in de kasten brengen voldoende licht in het vertrek.
Aan de vrije muur moeten vijf olieverfschilderijen komen, naast elkaar, die allemaal de rivier als thema hebben. Mansard Penders betaalt me er 350.000 dollar voor.
Een onderdeel van de deal was dat Manny inspraak had in hetgeen erop kwam te staan, zij het niet in de details. Toen ik de locaties had gezien die hij geschilderd wilde hebben, ben ik akkoord gegaan. Mijn agent, die mij een stomme hufter vindt en zeker wist dat ik het aanbod

zou afslaan, heeft de deal gevierd met een grote whiskysoda, of misschien twee, en – vermoed ik – een bezoekje aan een hoerentent in New Orleans.
God zegene hem. Hij heeft het al moeilijk genoeg.

Ik was bijna de hele maand september bezig met het uitwerken van de eerste schetsen in olieverf, om het allemaal precies goed te krijgen, en ik droomde elke nacht van de schilderijen. Ik wilde dat ze van de muren zouden knallen en dat de echte kleuren van de rivier behouden bleven. Maar soms, wanneer ik 's nachts in het motel midden in een wilde schilderdroom zat, schrok ik wakker. Als ik dan niet meer in slaap kon komen – wat me meestal niet lukt – zette ik mijn laptop aan, boog me over Bobby's bestanden, las ze en dacht na.
Eén ding was me inmiddels duidelijk, namelijk dat Bobby in de DDC was geïnfiltreerd. Een deel van de bestanden kwam daar absoluut vandaan. Het is ook mogelijk dat hij rechtstreeks contact met Carp had gehad... Misschien was dat de reden geweest dat Carp zoveel vertrouwen had gehad in het uitwerpen van zijn vliegje en het presenteren van Rachel aan Bobby's computerogen.

En wat Jimmy James Carp aangaat, die was weg en zou nooit meer terugkomen.
Nadat we Rachel hadden gevonden, waren John en zijn vrienden ieder hun eigen weg gegaan. Toen John thuiskwam, was hij norser dan ik hem ooit had meegemaakt. Hij zei me gedag, met zachte stem, toen hij de woonkamer in kwam, en ik had naar de deur van de badkamer geknikt. Marvel en Rachel waren al bijna een uur in de badkamer. Ik had hen horen praten en soms ook horen huilen.
John had op de deur geklopt, even met de twee gepraat en was toen de woonkamer weer in gekomen. 'De hufter,' zei hij. Maar hij was heel rustig. Hij liep naar de koelkast, haalde er een flesje bier uit en wipte de kroonkurk eraf. 'Wil jij er ook een?'
'Ja, ik lust er wel een,' zei ik. Het bier smaakte goed, koud en verfrissend in de hitte. 'Het komt weer goed met haar,' zei ik. 'Marvel lapt haar wel op.'
'Misschien voelt ze zich over een tijdje weer oké, maar nu zeker niet,' zei John terwijl hij de fles naar zijn mond bracht.
'Hoe heb je Carp zover gekregen dat hij je vertelde waar ze was?'
'Hij heeft een inschattingsfout gemaakt, want hij dacht dat de dood

het ergste was wat hem kon overkomen,' zei John. Ik opende mijn mond om hem nog iets te vragen, maar hij stak zijn bierflesje mijn kant op en zei: 'Geen vragen, oké? En die jongens die je hebt gezien...'
'Welke jongens?'
Hij knikte. 'Precies.'
Hij nam nog een grote slok en keek naar het flesje. Ineens riep hij: 'De vuile schoft!' en smeet het dwars door het raam de voortuin in. Het ruit spatte uiteen alsof er een bom was ontploft.
Marvel kwam met grote schrikogen de badkamer uit. 'Wat was dat?'
'Er is een ruit kapot,' zei John.
Oké.

Die avond, toen de zon onder was – en nadat we naar de glashandel waren geweest voor een nieuwe ruit en stopverf en ik John had laten zien dat het helemaal niet zo moeilijk is om een ruit te vervangen – stapten John, Marvel, Rachel en ik in Johns auto en reden we met ons vieren naar Memphis. Ze zetten me af bij het vliegveld, waar ik een vlucht naar Cleveland zou nemen om mijn auto op te halen. Zij zouden doorrijden naar een arts, niet George maar een vriendin van George, die Rachel helemaal zou onderzoeken. Niemand zei er iets over, maar als Rachel zwanger was geraakt...
Dat zou ongeveer het gruwelijkste eind van dit toch al akelige verhaal zijn. De arts zou ervoor zorgen dat dat niet zou gebeuren.
Onderweg bevestigde Rachel wat ik wel had vermoed maar niet had uitgesproken, over hoe Carp haar had gevonden. Ze was met haar laptop naar de bibliotheek in Longstreet gegaan en had vandaar uit met haar hackersnaam ingelogd in haar gebruikelijke kinderbabbelbox. Als je wist wat je deed – en als je de juiste programma's had, was dat helemaal niet zo moeilijk – kon je haar zo terugvolgen naar die plek.

LuEllen was in mijn appartement in St. Paul toen ik terugkeerde uit Cleveland. Ik kwam binnen en ze riep: 'Kidd? Ik ben hier.' Ik liet mijn tassen in de gang staan, liep door en vond haar in de keuken, waar ze een geroosterde bagel met roomkaas stond te eten. De rode kat zat naast haar op het aanrecht zijn snorharen te wassen. Hij was gek op roomkaas.
'En, wat is er gebeurd?' vroeg ze.
Ik vertelde het haar. Alles.
'Laat hem de pest krijgen,' zei ze over Carp.

Twee dagen later – op dat moment was de DDC nog steeds actief – vond ik haar dossier in de DDC-computer in een bestand dat Betty47 heette. Betty, zo bleek, was de naam die inlichtingendiensten gebruikten voor een niet-geïdentificeerde vrouw. Het bestand bevatte een paar gedeeltelijke vingerafdrukken uit haar auto, plus een twaalftal foto's die met een verborgen camera waren genomen in de kamer waar ze was ondervraagd.

'Dat hebben ze knap gedaan, met die camera,' zei LuEllen. 'Ik heb nergens iets gezien en ik heb goed gekeken.'

'Sommige van die dingen hebben lenzen zo groot als speldenknopjes,' zei ik.

Ik downloadde de foto's, opende een van de FBI-bestanden en vond daar een twaalftal observatiefoto's van een vrouw met donker haar, die Harriet heette. Na een paar uur hard werken met Photoshop had ik LuEllens gezicht vervangen door dat van Harriet terwijl ik LuEllens lichaam en de achtergrondbeelden van de kamer intact liet. Haar vingerafdrukken verving ik door een willekeurige serie uit een ander FBI-bestand.

Was ze nu in veiligheid? Ik wist het echt niet. Misschien waren er kopieën op diskette of cd van de informatie over LuEllen. Je kunt vanuit een computer niet in iemands bureaula kijken.

Was ík in veiligheid? Dat wist ik evenmin. Ik heb redenen om aan te nemen dat ze niet weten wie ik ben. Nog niet in elk geval, want als dat wel zo was, waren ze allang in een Abrams-tank mijn appartement komen binnenrijden.

Voordat we die avond gingen slapen en in het donker in bed lagen, zei LuEllen: 'Mijn echte naam is Lauren. Mijn moeder heeft me naar Lauren Bacall genoemd.'

Haar echte achternaam heeft ze me nog steeds niet verteld, maar misschien komt dat nog wel een keer.

Congreslid Bob was druk in de weer geweest met de cd die ik hem had gegeven en had daar zijn voordeel mee gedaan. Toen de Bobby-onthullingen ineens ophielden, waren de andere beschuldigingen ook langzaam maar zeker naar de achtergrond verdwenen. De politieke tegenaanval begon met een hoop mediageklets over 'verantwoordelijkheid' en 'McCarthy-isme' en 'anonieme smeergelden', ondanks het feit dat het merendeel van de beschuldigingen zwart op wit stond.

De ernstigste beschuldiging, het experiment met het Norwalk-virus dat in San Francisco zou hebben plaatsgevonden, werd gesust toen de gouverneur van California, een mogelijke presidentskandidaat voor de verkiezingen over drie jaar, toegaf dat er toch niet zoveel bewijzen waren die de beschuldiging ondersteunden. Iemand had op hem ingepraat, vermoedde ik. Met bewijsmateriaal uit de DDC-bestanden om hem te overtuigen? Wie weet...

Een politicus die wel een flinke dreun kreeg, was Frank Krause.
Dat ging zo: twee weken nadat de Bobby-onthullingen waren opgehouden, werd in de buurt van Capitol Hill de portefeuille van de adjunct-secretaris-generaal van de Verenigde Naties gerold. In een persconferentie vroeg iemand de president hiernaar. De president maakte een paar opmerkingen over de erbarmelijke staat van de hoofdstad – de slechte wegen, de slechte staat van de huizen ten oosten van 14th Street – en stelde voor dat Amerika er niet best op stond. Een week later benoemde de voorzitter van de Senaat Krause tot hoofd van een speciaal comité dat zich met de hoofdstad zou bezighouden. Krause werd dus de grote baas van Openbare Werken van Washington, waarna iedereen elkaar glimlachend de hand schudde.
Bob belde me een paar dagen daarna, licht aangeschoten, en vertelde me dat hoofd van het comité politiek gezien gelijkstond aan de isoleercel. Krause kon senator blijven totdat zijn kiezers beseften dat hij weinig meer voor hen kon doen, want hij was compleet monddood gemaakt. Hij had te veel collega's benadeeld.
De DDC zelf verdween ook. Althans, in elk geval in naam. Ze hadden nog geprobeerd alles te verstoppen, maar niets kon ontkomen aan de allesziende blik van Bobby. Het Intern Researchbureau Overheidsdiensten – dezelfde mensen, hetzelfde kantoorgebouw – herstelde zich langzaam maar zeker van de klap. Het werkte nu onder supervisie van het subcomité Coördinatie, waarvan congreslid Wayne Bob de voorzitter was.

Dus in september, nadat we tijd hadden genomen om te praten en alles te overdenken, ging ik terug naar Louisiana en het Penders-project. Ik maakte een tussenstop in Longstreet om John en Marvel op te zoeken, en ze waren weer hevig verliefd op elkaar. Rachel was druk bezig met haar laptop, zoals altijd. Over Carp werd geen woord gezegd.
Lauren belt me elke avond. Ze verblijft het merendeel van de tijd in

mijn appartement. Het weer in Minnesota is slecht geworden; er was op de vijftiende al een sneeuwstorm geweest, zei ze. Ze mopperde omdat het golfseizoen zo kort had geduurd en zei dat ze van plan was om in januari, februari en maart een huis in Palm Springs te huren.
Ik mocht ook komen.
'Ze hebben daar een golfclub en ze hebben me uitgenodigd om lid te worden.'
'Wat aardig van ze,' zei ik. 'Anti-seksistisch en heel liberaal.'
'De aanbetaling is een kwart miljoen dollar.' Een aanbetaling, legde ze uit, was het lidmaatschapsgeld, dat je vooruit moest betalen.
'O, misschien toch iets minder liberaal dan ik dacht,' zei ik.
'Misschien wel, maar ik heb het geld. Ik ben erover aan het nadenken.'
'Een kwart miljoen om over een of andere wei achter een wit balletje aan te jagen?'
'Hé, ik wil geen slecht woord over golf horen. Wanneer kom je terug?'
'Over een dag of tien, of twee weken.'
'Ik mis je,' zei ze. 'We zullen het leuk hebben in Palm Springs.'
Dromen van California...

Toen, op een avond, op 22 september, toen ik op de gammele stoel van mijn motelkamer te midden van de verfdampen keek naar de olieverfschilderijen die tegen de muur stonden te drogen, kreeg ik een e-mail van Bobby. De e-mail kwam binnen in een van mijn verborgen postbakjes die me waarschuwden als er post voor me was. Toen ik de e-mail opende, schrok ik me wezenloos. Ik voelde hoe mijn nekharen rechtop gingen staan en dacht: Carp.
Maar het was Carp niet; deze kwam echt van Bobby.

Kidd,
Zoals je inmiddels waarschijnlijk weet, ben ik er niet meer. Ik heb expres zo lang met deze e-mail gewacht om daar zeker van te zijn. Ik wilde je zeggen dat ik het altijd erg leuk heb gevonden om met je samen te werken. Shit, het was een kort maar verdomd interessant leven, vind je ook niet?
Je maakt je misschien zorgen over mijn bestanden, maar dat is niet nodig. Ik heb niets bewaard wat mijn vrienden kan schaden. Helemaal niets, ook niet beveiligd. Die informatie zit alleen in mijn dode hoofd. Het is jammer dat ik nu dood ben, want nu weet ik niet wat er van de wereld terecht zal komen. Ik hoop dat jij lang genoeg leeft om daar-

achter te komen. Deze afgelopen dertig jaar waren de beste periode om te leven, want wat had ik zonder computers moeten doen? Zeg Lauren gedag van me, en als je niet weet wie dat is, kom je daar nog wel een keer achter.
Trouwens, ik heb een lijst met databases en bestandsnamen bijgesloten die je van nut kunnen zijn. Veel geluk, beste vriend.
Bobby (Robert L. Fields, Jackson, Mississippi)

Die avond, tijdens ons telefoontje voor het slapen gaan, vertelde ik Lauren over de e-mail. 'Weet je wie hij is?' vroeg ze. 'Bobby is de Hangende Man. Weet je nog dat je die tarot legde, helemaal in het begin, en dat je de Hangende Man draaide? Je zei toen dat dat wees op iemand in een overgangsfase, tussen de ene en de andere toestand. Bobby was dat. Hij was dood maar ook niet dood. Alles wat er gebeurd is, is gebeurd omdat hij er niet meer was maar ook niet helemáál weg was. Net als dat liedje van Janis Joplin. En hij doet nog steeds dingen.'
Ik dacht erover na en vormde toen voor mezelf een mening. 'Gelul,' zei ik.

Nu, op dit moment, kan ik niet slapen en zit ik in mijn bijna donkere motelkamer, met als enige licht de blauwe gloed van het beeldscherm van de laptop die voor me op tafel staat. Het allesziende Bobby-oog is aan het werk.
Bobby's bestanden moeten bijgehouden worden. Als je dat niet doet, zullen ze langzaam maar zeker uiteenvallen, want wachtwoorden en codes worden veranderd, valkuilen worden gevonden en dichtgetimmerd en databases worden gesloten of ergens anders naartoe verhuisd. Ik weet niet of ik het moet doen. Misschien moet ik de laptop in de vuilnisbak gooien, of beter nog, in de rivier. Maar er staat zoveel op. Er is kennis, er is geld, er is macht en er is wraak. Met die vier dingen kun je vrijwel al het andere ook krijgen.
Maar wil ik dat? Ik heb altijd kunstschilder willen zijn; ik wil gewoon werken en verder met rust worden gelaten. Maar met deze bestanden kan ik de geschiedenis veranderen.
Wat wil ik?
Ik zit in de lichtgloed van het beeldscherm en denk: het is tijd om daar eens goed over na te denken.

Verantwoording

John Sandford bedacht en schreef *Duivels spel*, maar met de hulp van anderen. De hulp kwam van Roswell Camp uit St. Paul, Minnesota, en van Emily Curtis uit Los Angeles, California, die een groot deel van de geografische research hebben gedaan, hem hebben bijgepraat over enkele technische aspecten van computers en de gebruiken van internet, hem op het rechte pad hebben gehouden als het ging om de logica van het verhaal en hulp hebben geboden bij de redactie en de productie van het boek. Zo nodig hebben ze hier en daar een zelfstandig naamwoord of bijvoeglijk naamwoord toegevoegd. En om Strunk en White een plezier te doen, zijn de meeste bijwoorden geschrapt.